신원범교수의 **뻔뻔한** 수기요법으로 당당해지는 비책

뺀하고 뻔한 근육학

신 원 범 저

dcb
대경북스

저자 신원범

건국대학교 공학박사
전 경기대학교 대체의학대학원 외래교수
　　단국대학교 문화예술대학원 외래교수
현 원광디지털대학교 외래교수
　　수성대학교 재활과 외래교수
　　건국대학교 화장품공학과 산학겸임교수
　　건국대학교 산업대학원 이미지산업학과 겸임교수
　　100억샵 아카데미 대표
　　Edu up 아카데미 대표
　　대한민국 1호 미용응용실전해부학 교수
　　대한민국 1호 근육경락통합수기치료 교수

뻔하고 뻔한 근육학

1판 1쇄 인쇄 2022년 3월 25일
1판 1쇄 발행 2022년 3월 30일

발행인 김영대
펴낸 곳 대경북스
등록번호 제 1-1003호
주소 서울시 강동구 천중로42길 45(길동 379-15) 2F
전화 (02)485-1988, 485-2586~87
팩스 (02)485-1488
홈페이지 http://www.dkbooks.co.kr
e-mail dkbooks@chol.com

ISBN 978-89-5676-892-2

머리말

삶에서 공부를 목적으로 살았던 시간보다는 임상현장에서 몸과 마음이 불편한 분들과 보낸 시간들이 저자는 더 많았다.

또한 대하에서 공부하면서 전공했던 물리치료학과 피부미용학과의 여러 전공과목 중에서도 특히 '근육학'이 적성에 맞았다. 근육학 서적을 찾아 공부히면서 느낀 것은 지금까지 발행된 근육학 서적들은 늘 어떠한 형식과 틀 속에서 시작점과 정지점, 그리고 지배신경만을 언급하는 등 근육에 대해 원론적인 접근만을 시도해왔다는 것이다. 필자가 고민한 것은 그 방식이 고객의 통증패턴이나 체형에 합당한 근육관리에 도움이 되지 못하고 단순히 근육을 찾는 데 주력하고 있다는 것이다.

그 후 30년이 넘게 한 명 한 명의 고객을 관리하면서 통증의 양상과 질환의 예후를 지켜보며 인체의 통증 지도를 다시 그리고, 개별 근육의 기능과 치료 패턴을 새롭게 정립하게 되었다. 또한 대학과 대학원에서 오래 시간 근육학, 수기학, 경락학, 해부생리학을 학생들에게 가르지면서 그것을 기조로 다시 인체를 거꾸로 그려가면서 고객의 요구에 응답할 방법을 찾게 되었다.

또한 오직 손을 통해 사람을 살리는 기술을 연마하기 위하여 전국의 수기요법 전문가들을 찾아다니고 일본의 전문가들도 여러 번 만나면서, 확실한 답은 직접 경험하는 것밖에 없다는 결론을 얻게 되었다. 즉 그 사이 가르친 수만 명의 제자들과 함께 치료방법을 의논하고 사람을 살리는 작은 기술들을 정리하면서 얻은 결론은 치료는 바로 근육에 대한 바른 이해에서 시작된다는 것이다.

그런 깨달음 속에서 탄생한 것이 사람을 살려주는 '뻔뻔 근육학'이다.

우리말의 '뻔하다'는 어떤 일의 결과나 상태가 훤하게 들여다 보인다는 뜻을 가지고 있다.

본서가 진정으로 사람을 살리는 '뻔뻔 근육학'이 되기를 바라는 마음으로 하나하나의 근육과 임상적용을 자세히 풀어서 설명하였다.

때로는 본인들의 손길이 사람을 살리는 것인지도 모르는 사람들도 있고, 그 손길이 어떻게 해야 사람을 살리는 데 도움이 되는지 모르는 사람들도 많다. 본서를 통해 독자분들의 손길이 진실로 사람을 살리는 고귀한 손길이 될 것으로 믿는다.

연 순수익 1억을 벌 수 있도록 피부미용 전문가 100명을 돕겠다고 100억샵을 시작한 지 어느덧 9년이라는 시간이 흘렀다. 이제 100억샵의 강의를 통해 충분히 정련되고 훈련된 기술로 샵 운영을 해나가는 그들이 필자의 보람이고 희망이다.

본서를 고객과 만나는 임상현장에서 가장 가까운 곳에 두고 수시로 참고한다면 보다 수월하게 고객관리를 할 수 있을 것이라 생각한다. 그동안 전국에서 강의를 들었던 분들과 유튜브를 통해 강의를 시청하신 모든 분들 앞에 길잡이와 같은 실용서를 내놓게 되어서 마음의 짐을 조금이나마 덜 수 있게 되어 기쁘다.

끝으로 34년간 임상 전문가로 살아가면서 물리치료사의 길을 접고 피부미용학과의 교수로, 또 대체의학대학원의 교수로서 살아갈 수 있도록 도와주신 많은 분들께 감사드리고, 언제나 필자만 바라보고 묵묵히 따라와 준 '100억샵'의 모든 회원분들께도 감사의 마음을 전한다. 더불어 100억샵의 회원들이 내는 작은 소리도 들어주고 함께해 주시는 홍지유 교수님께 더 깊은 감사를 드린다.

또한 필자의 의지와 뜻을 받아들여 본서의 출간을 도와주신 대경북스 관계자분들께도 진심으로 감사드립니다.

아무쪼록 본서를 통해 임상 전문가들이 뻰뻰 근육학의 이론과 실기로 무장하여 더욱 질 높은 고객관리를 할 수 있기를 바라며, 임상 전문가 스스로도 업그레이드될 수 있기를 기대한다.

2022년 3월

저자 신원범 씀

차 례

뻔뻔 근육학 제 1 부

뻔뻔 근육학 제2부

뻔뻔 근육학 제3부

뻔뻔 근육학 제4부

뻔뻔 근육학

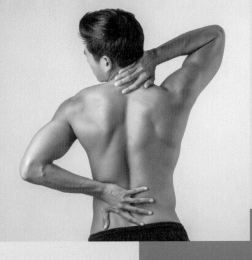

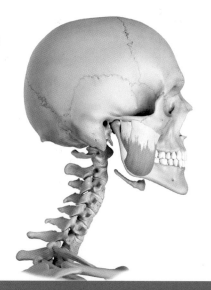

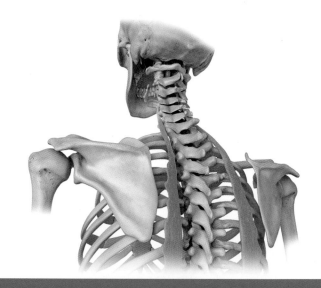

치유 근육학이란 참 어려운 과목·학문으로 반드시 해야 되는 과정인데, 근육학 때문에 상담이나 관리할 때 본인들이 답답해하는 일들이 발생하게 됩니다.

제가 생각하는 근육학에 대한 개념은 의사들이나 물리치료사들이나 전문가들이 하는 진짜 실질적으로 깊은 근육학입니다.

해부학적은 우리처럼 고객 관리를 할 때 응용할 수 있을 정도의 해부학이 있고, 의사들이 하는 조직해부학 깊게 들어가는 기능해부학 등이 있습니다.

교수님이 추구하는 근육학의 개념은 우리의 상황에 맞고 우리가 가장 많이 고객과 접할 수 있는 정도의 상황에 맞게 근육학을 진행하려고 합니다.

여러분들과 일단은 전면부의 근육과 후면부의 근육들…… 제일 많이 우리가 수기를 하면서 답답하게 생각하는 부분들이 머리에서부터 체간·골반까지 내려오는 전면부하고, 등에서 머리·후두부부터 골반부 즉 엉덩이까지 오는 근육들……

하지의 근육은 깊게 들어가지 않고 봉공근, 박근, 가자미근, 전경골근 라인까지만 설명할 것입니다.

팔은 삼각근부터 상완이두근, 상완삼두근 등 큰 그림까지만 설명하는데, 가장 수기에 적합하고 생각을 많이 해야 할 근육들은 사각근·흉쇄유돌근부터 전면의 근육들입니다.

또 근육을 통해 질환을 알아보고, 질환을 통해 다시 근육을 바라볼 수 있는 근육을 활용해야 올바른 수기법을 시술할 수 있고, 경락적인 요소와 근육과 해부학적인

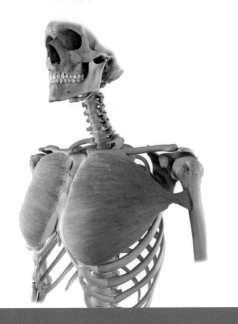
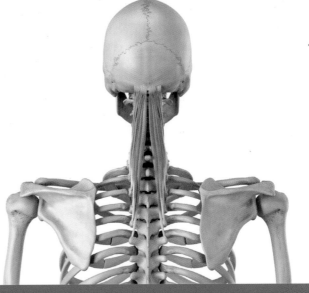

요소를 같이 연결해서 기능적인 요소를 같이 이해를 해야지 고객관리를 할 때 정확한 설명과 정확한 관리를 할 수 있습니다.

많은 수기 명인들, 수기하시는 분들, 피부 미용인들을 전국을 다니면서 수천 명을 가르치면서 그들에게 듣는 이야기가 무엇이냐면 자기들에게 이론적인 설명을 요구하지 말라는 거예요.

손맛이 좋고, 손의 느낌이 좋아서 고객관리를 하는 것이기 때문에 본인에게는 이론적인 요소를 굳이 강요하지 말라고 하지만, 실제적으로 고객관리를 30년 정도 하고, 전공을 대학에서 물리치료나 피부미용까지 세 개 대학을 다니고 석사를 두 개 대학을 다니고 박사를 하나 하고 두 개째 공부를 하는 과정에서는 미용과 수기의 개념과 고객관리와 치료의 관점에서 보면 이론적인 설명이 되어지지 않으면 고객이 만족할 수 있는 테크닉이 나오지 않습니다.

또 많은 자존심을 상하게 하는 말들 중의 하나가 30년 동안 일을 하면서 고객들이 당신은 마사지사냐, 주물러주는 사람이냐 하면서 그냥 아무말을 하지 말고 그 부위를 만져주는 사람으로 자꾸 취급을 당하는 것은 자존심을 상하는 일입니다.

우리는 전문가가 되어야 합니다.

미용계통부터 피부인들, 수기를 할 수 있는 운동처방사 등 모두가 본인들이 만지는 고객들에게 이론적인 배경을 정확하게 설명 해야 합니다. 그리고 수기를 했을 때 타당한 정확한 이론과 결과론적으로 만들어내는 과정을 설명해주셔야 됩니다.

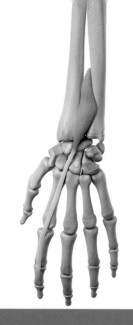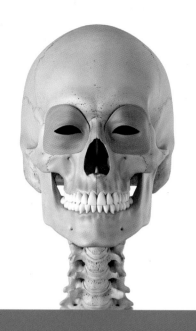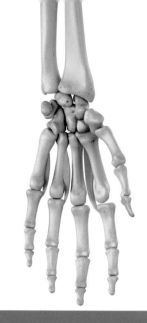

고객은 우리에게 많은 시간을 주지 않습니다.

병원에서는 하는 혈액검사, X-ray 검사 등은 고객 스스로 인정하고 기다리고 있지만, 수기의 세계에서 고객은 바로 그 자리에서 결과치를 요구하게 됩니다.

효과를 내기 위한 과도한 행동이나 너무 무리수를 두는 행동도 옳치 않지만, 본인이 하는 수기 테크닉 자체가 고객이 인정할 수 있는 결과치를 낼 수 있는 능력도 만들어내야 합니다.

교수님이 교육을 시키는 과정 중에서 강조하는 점은 이론이 없는 수기는 수기가 아니라는 것입니다.

여러분들에게 오늘부터 진행되는 근육을 하나씩 하나씩 매일매일 올릴 수 있도록 할 것이고, 매일매일 여러분들에게 과정들을 설명할 것입니다.

여러분들은 근육학 밴드 또는 유튜브를 통해서 영상을 보실 수 있을 것입니다.

유튜브를 볼 때에는 구독을 눌러서 영상을 놓치지 않게끔 유튜브 내의 구독을 누르세요.

근육학 밴드에 올리지 못하는 영상들은 유튜브에 올리니까, 두 군데를 다 놓치지 않고 확인하면서 여러분들에게 많은 자료로 활용해 주시고 교수님이 지금까지 썼던 책들도 다시 한번 정리하면서 전반적인 근육을 설명할까 합니다.

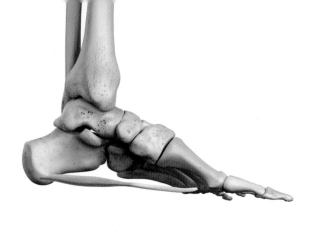
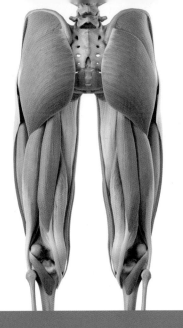

신 교수는 여러분들과 또 임상에서 계속 실질적으로 현상에서 맞딱 뜨리면서 계속 많은 것을 가르쳐줄 것이고, 힘들고 어려운 분들, 경제적으로 어려운 분들, 교육비 때문에 부담이 되는 분들에게 교수님의 명예와 이름을 걸고 최선을 다해서 가르쳐 줄 것이니까 힘들어도 힘들지 마시고 포기하지 마시고 지치지 마십시오.

오늘 걷지 않으면 내일은 뛰어야 합니다.

그래서 여러분들은 달리고 달리고 멈추지 마십시오.

뛸 수 있을 때 걷지 마세요.

항상 여러분들에게 든든한 비빌 언덕이 되어 드리겠습니다.

힘내시고 이제부터 스타트하겠습니다.

파이팅!

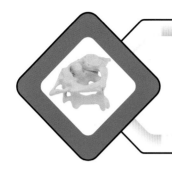

상경추

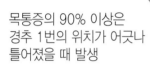

목통증의 90% 이상은
경추 1번의 위치가 어긋나
틀어졌을 때 발생

안녕하십니까? 오늘은 **상경추**를 통해서 치유 근육학을 스타트하려고 합니다. 여러분들이 근육과 골격과 질환을 설명할 때 어떤 근육을 먼저 만질 것이냐를 고민하게 됩니다. 여러분들이 근육에 관해서 잘 모르는 것들 중의 하나가 근육은 천층과 심층까지 그 안에 여러 가지 층으로 나누어져 있다는 것입니다.

목 주변을 이해해야 하는 첫 번째 이유를 먼저 설명 드리겠습니다.

척추에는 구조적인 문제가 있습니다.

목은 C자 커브고, 흉추는 나와 있고, 척추마다 각도가 들어가 있는데, 척추의 각도가 잘못 되어서 통증이 오는 경우가 있습니다.

이것을 우리는 구조적인 문제 또는 척추의 체형적인 문제로 보는데, "척추에 문제가 생겼을 때 근본적으로 잡아야 될 곳이 어디일까?"하는 것을 고민스럽게 생각을 해야 합니다.

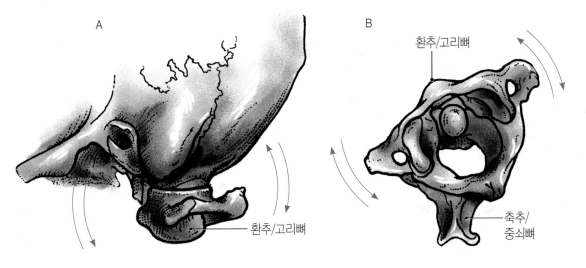

A. 환추후두관절(atlanto-occipital joint, 고리뒤통수관절) : 경추 앞뒤굽히기의 1/2을 담당한다.
B. 환축관절(atlanto-axial joint, 고리중쇠관절) : 경추 전체의 돌리기의 2/3를 담당한다.

예를 들어 허리가 일자로 되는 사람이 있습니다,

등이 새우등이 될 수 있고 목이 거북목이 될 수 있습니다. 원인이 어디에 있든 척추체에 문제가 왔기 때문인데, 이때에는 전제조건이 목을 먼저 풀어야 합니다.

가령 휘어진 못이 있다고 생각을 해 보면 우리가 못을 재활용을 하게 될 때에는 못을 망치로 피는 과정을 겪게 됩니다.

그런데 척추의 구조적인 문제를 실질적으로 해결할 수 있는 가장 큰 중요한 키 포인트는 목의 각도에서부터 시작을 합니다.

경추의 각도를 잡아주면 흉추나 요추의 각도가 저절로 좋아지게 됩니다.

그렇다면 일자허리 때문에 허리 주변에 만성적인 통증의 호소하는 고객이 왔을 때 허리의 근육을 우선적으로 풀 것이냐, 아니면 거기에서 파생되는 복부근육과 장요근과 여러 가지 문제들을 먼저 해결할 것인가를 고민해야 합니다.

그러나 근본적인 문제는 경추로부터 시작을 해야 된다는 것입니다.

경추의 각도를 C자 커브로 만들어주는 과정이 진행되는데, 경추의 각도가 진행되는 목 주변의 관리에 첫 번째 키포인트는 목 뒤에 있는 두판상근이나 승모근이나 견갑거근이 아니라는 것입니다.

30년 동안 수기를 하면서 반대적인 상황은 힘의 반대로 이용한다는 것입니다. 예를 들어서 균형적인 요소가 목에 문제가 있을 때에는 목의 근육을 잡는 것이 아니라 그 길항인 반대의 근육인 대흉근 쪽을 풀어야 합니다.

물론 목의 길항을 대흉근으로 볼 수 있는 여러 가지 비율적인 요소가 있겠지만, 실질적으로 대흉근이 뒤로 넘어가는 근육이 최소한 대흉근의 세 개 파트인 흉골지, 쇄골지, 늑골지의 세 개 파트가 이완이 되고 늘어나면 경추의 각도가 살아나게 됩니다.

그래서 척추의 구조적인 문제를 해결할 수 있는 첫 번째 단계가 경추라는 것을 전제 조건으로 이야기를 했을 때 경추를 해결해 줄 수 있는 실질적인 단계는 우리가 대흉근 부터 풀어야 된다는 것입니다.

그렇다면 대흉근을 풀어 놓고 경추의 C자 커브를 잡아야 하는데, 문제는 옷에 단추를 잘못 끼게 되면 맨밑의 단추가 어긋나듯이 첫 번째 단추인 경추 1번과 2번의 구조적인 요소를 보게 됩니다.

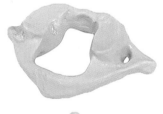

1번경추는 도너츠처럼 생겼고, 2번경추는 핫도그 같이 생겨서 그 위에 경추가 올려지게 되어 있습니다. 두개골이 올라가는데, 1번뼈 바로 위에는 뇌간이 자리잡고 있고, 뇌간 위에는 변형계가, 변형계 위에는 대뇌피질이 있습니다.

그러나 간과해서는 안 되는 것 중의 하나가 경추 위에 있는 뇌간인데요, 뇌간에는 연수라고 하는 또 다른 뇌가 자리 잡고 있습니다.

연수는 생명과 연관이 되고, 호흡과 연관이 되고, 생명중추에 중요한 역할을 해 주는 연수가 있죠. 연수를 생명의 중추라고 하는 것이 경추 1번 위에 있는데, 이 1번과 2번 경추가 틀어지면 우리 몸안에 있는 모든 장기들에 문제가 오게 됩니다.

경추 1번과 2번에서 야기되는 문제를 굳이 찾는다면 연수에서 뻗어나오는 뇌신경 10번인 미주신경을 확인하게 됩니다. 미주신경은 12개의 뇌신경 중에서 10번인데, 이 신경은 사각근과 흉쇄유돌근의 깊은 곳에서 연수를 통해서 내려와 내장기의 모든 기능에 관여합니다.

경추1번과 2번이 틀어지면 미주신경에 영향을 주죠. 640만 조라는(어떤 문헌에서는 400몇 만 조라고도 함)는 척수신경에 영향을 줌으로써 장기에 문제가 생기는 것입니다.

그렇다면 경추 1번과 2번은 풀어주어야 할까요.

여기를 풀 수 있는 첫 번째는 대흉근을 열어주는 것입니다. 대흉근을 열어준 상태에서 경추 1번과 2번을 풀어주면 4가지 큰 변화가 일어납니다.

첫 번째는 뇌압의 상승과 뇌압을 조절할 수 있는 능력이 생깁니다. 두 번째는 혈압의 문제를 일으킬 수 있는 상황입니다. 상경추가 틀어지면 뇌압이 올라가게 됩니다. 그래서 뇌압이 올라가는 문제를 찾아야 됩니다. 세 번째는 640만 조의 뇌신경 흐름이 원활해지며, 네 번째는 림프의 순환이 안 됩니다.

림프의 순환이 안 되면 목쪽과 상기도의 기능이 마비됩니다.

우리가 상경추를 풀어주면 혈압이 떨어지고 뇌압이 떨어지고 림프의 순환이 잘 됩니다. 다시 말해서 640만 조의 뇌신경이 잘 흘러가게 된다는 것입니다.

여기에 문제가 생기면 목이 두꺼워지고, 팔뚝이 두꺼워지고, 팔뚝살이 안 빠진다는 것입니다. 그리고 소통이 안 되는 것입니다.

오늘은 상경추에 대해서 다시 한 번 이야기합니다.

상경추는 경추 1번과 2번에 있습니다. 여기에는 물렁뼈가 없습니다. 모든 뼈에는 물렁뼈가 있어서 뼈하고 뼈 사이에 충격을 완화해주고 뼈끼리 약간 미끌어져 있는데, 상경추에서는 문제가 일어나지 않는다는 것입니다.

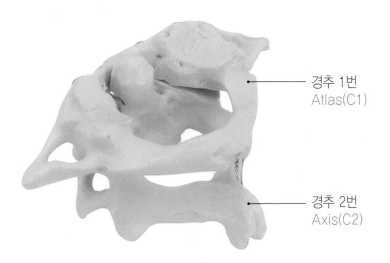

경추 1번
Atlas(C1)

경추 2번
Axis(C2)

그로 인해서 발생되는 4가지의 문제점, 또 미주신경과 내장기의 문제점들. 그래서 여러분들은 상경추를 통해서 측만증을 관리하는 것, 내장기를 관리하는 것, 얼굴과 체형의 틀어짐을 관리하는 하나의 키포인트를 이야기합니다.

상경추를 관리할 때 경추를 같이 관리하는 것, 척추를 전체적으로 관리하기 위해서는 먼저 경추를 관리해야 한다는 것, 경추를 관리하기 위해서는 대흉근을 풀어야 된다는 것, 하나 더 이야기를 한다면 경추와 대흉근과 등에 있는 소원근을 풀어 주어야 한다는 것입니다.

소원근은 액와신경과 요골신경이 나오면서 어깨의 주변과 모든 곳의 통증을 풀어주는 키포인트입니다. 그래서 대흉근을 관리하면 소원근도 같이 관리해주어야 됩니다.

오늘 강의를 한 번 정리를 해 줍니다.

☞ 척추의 구조적인 문제를 해결할 때에는 경추부터 풀어주어야 한다.
☞ 경추의 문제를 해결하기 위해서는 대흉근을 풀어주어야 한다.
☞ 대흉근을 풀 때에는 같이 소원근을 풀어야 한다.
☞ 상경추에 문제가 생기면 6가지 문제점들이 생긴다. 그것으로 인해서 발생이 되는 것들은 여러 가지 임상에서 발견이 될 것입니다.

실질적으로 여러분들이 고객관리를 하면서 안 된다고 하는 부분을 계속 반복해서 설명을 헤주는 것은 상경추를 풀이주는 것을 잘 모르기 때문입니다.

상경추를 견인하는 방법은 밴드에 많이 나와 있고, 여러분들과 오프라인 수업에서 많이 언급하고 알려줄 것입니다. 실질적인 실기 영상과 또 다른 영상은 유튜브에서 계속 올라갑니다.

유튜브에서 구독을 신청해서 여러분들이 영상들을 캡쳐해서 보시고 자료를 확보하시기 바랍니다.

척추

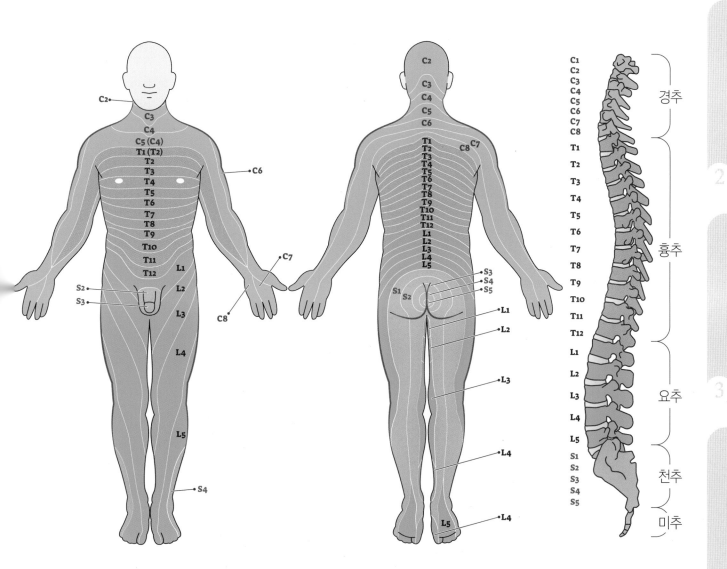

어떤 근육을 먼저 만질 것이냐. 그러니까 여러분들이 근육을 잘 모르는 것 중의 하나는 근육은 천층과 저 깊숙이 있는 심층까지 여러 가지 층으로 나뉘어져 있다는 것입니다.

일단 목 주변을 이해해야 하는 첫 번째 이유를 설명드릴게요.

척추는 구조적인 문제가 있어요. 예를 들어서 목은 C자 커브이고, 흉추는 뒤로 나와 있듯이 척주시스템에는 어떤 각도가 들어가 있는데, 척추의 각도가 잘못 되어 오는 몸의 통증도 있습니다.

그것을 우리는 구조적인 문제, 또는 척추의 체형적인 문제로 잡죠. 척추에 문제가 왔을 때 가장 근본적으로 잡아줘야 될 부분이 어디인가 고민스럽게 생각하셔야 됩니다. 예를 들어 허리가 일자 허리가 될 수도 있고, 등이 새우등이 될 수도 있으며, 목이 거북목이 될 수도 있습니다.

정상

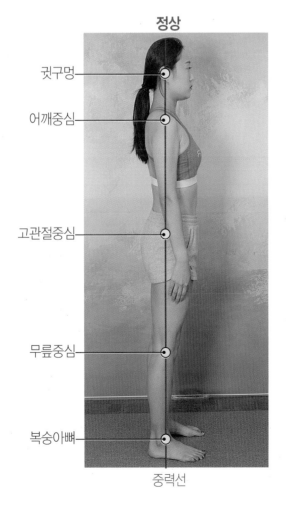

귓구멍

어깨중심

고관절중심

무릎중심

복숭아뼈

중력선

전만

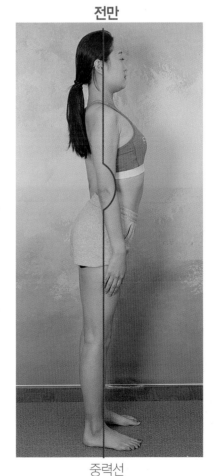

중력선

원인이 어디에 있든 간에 일단 척추 체형에 문제가 왔다 했을 때는 전제조건이 먼저 목을 풀어주는 것입니다.

가령 휘어진 못이 있다고 합시다. 우리가 그 못을 재활용할때는 그 못을 망치로 두드려서 곧게 펴는 과정을 겪게 되죠.

그런데 척추의 구조적인 문제를 실질적으로 해결할 수 있는 가장 중요한 키포인트는 목의 각도에서부터 시작입니다.

그러니까 경추의 각도를 잡아주면 흉추나 요추의 각도가 저절로 좋아지게 된다는 것입니다.

그렇다면 여러분들에게 플레이트 백(plate back)이라는 일자 허리 때문에 허리 주변에 만성적인 통증을 호소하는 고객이 온다면 허리의 근육을 우선적으로 풀 것이냐 아니면 거기에서 파생되는 복부의 근육, 장요근과 여러 가지 문제들을 먼저 해결할 것이냐 고민스럽게 생각하게 되겠죠. 그러나 근본적인 문제는 말씀 드렸듯이 경추로부터 시작되어야 된다는 거죠.

경추의 각도를 C자 커브로 만들어주는 과정을 먼저 진행해야 되는데, 경추의 각도에 관여되는 목 주변 관리의 첫 번째 키포인트는 목 뒤에 있는 두판상근이나 승모근이나 견갑거근 등은 아니라는 거에요. 제가 30년 동안 수기를 하면서 느낀 반대적인 상황은 뭐냐면요, 힘의 반대를 이용한다는 거죠.

예를 들어 균형적인 요소가 목에 문제가 있었을 때는 목의 근육을 잡는 게 아니라 그 길항인 반대 근육인 대흉근쪽을 풀어야 됩니다. 물론 목의 길항을 대흉근으로 볼 수 있었던 여러가지 비율적인 요소가 있겠지만, 실질적으로 대흉근이 뒤로 넘어가는 동작이, 그러니까 최소한 대흉근의 3개 파트인 흉골지, 쇄골지, 늑골지가 이완되고 늘어나면 목의 경추 각도가 살아나게 됩니다. 그래서 척추 구조적인 문제를 해결할 수 있는 첫 번째 단계가 경추라고 전제조건을 했을 때, 그 경추를 해결해주는 실질적인 단계는 우리가 대흉근부터 풀어야 된다는 거죠.

그렇다면 대흉근을 풀어 경추의 C자 커브를 잡아야 되는데, 문제는 옷의 단추를 잘못 끼우면 맨 밑의 단추가 어긋나듯이 첫 번째 경추가 경추 1번과 2번의 구조적인 요소를 보게 됩니다.

1번은 도너츠처럼 생겼구요. 2번 경추는 핫도그처럼 생겨서 그 위에 경추가 올려지게 되어 있습니다. 그 위에는 두개골이 올라가는데, 1번 경추 바로 위에는 뇌간이라는 뇌가 자리잡고 있구요. 뇌간 위에는 변연계이라는 뇌가 다시 얹어져 있고, 변연계 위에는 우리가 알고 있는 대뇌피질이라는 뇌가 얹어져 있습니다. 그러나 간과해서는 안 되는 것 중의 하나가 경추 1번 위에 있는 뇌간인데요.

뇌간에는 연수라고 하는 또 다른 뇌가 자리잡고 있습니다. 연수는 생명과 연관되고, 호흡과 연관되는 우리 생명중추에 가장 중요한 역할을 해주는 연수가 있죠. 이 연수를 우리가 생명의 중추라고 얘기하는 것이 경추 1번 위에 있는데, 이 1번과 2번이 틀어지게 되면 우리 몸안의 모든 장기에 문제들이 오게 됩니다. 거기에서 야기되는 문제를 굳이 찾는다면 연수에서 뻗어나오는 뇌신경 10번인 미주신경을 한번 확인을 하게 됩니다.

미주신경은 열두 개 뇌신경 중에서 10번을 미주신경이라하고, 사각근과 흉쇄유돌근 사이에서 깊은 곳에 있는 연수에서 나와서 쭉 내려가면 내장기 모든 것을 관여합니다. 경추 1번과 2번이 틀어지면 미주신경에 영향을 주죠. 650만 조. 또 다른 어떤 문헌에는 4백 몇 만 조라고 하는 어떤 척추신경 또는 뇌신경에 영향을 줌으로 인해서 장기에 문제가 생기게 되는거죠.

그렇다면 경추 1번과 2번을 풀어주기 위해서 1번과 2번의 근육을 어떻게 풀 것이냐는 거죠. 여기를 풀 수 있는 공간을 활용해주기 위해서는 첫 번째 대흉근을 열어줘야 된다는 거죠. 대흉근을 열어준 상태에서 경추 1번과 2번을 풀어주면 네 가지의 변화가 일어납니다.

첫째, 상경추에서 일어날 수 있는 첫 번째 뇌압의 상승과 뇌압을 조절할 수 있는 능력이 생깁니다.

둘째, 혈압에 영향을 줄 수 있는 상황이죠. 상경추가 틀어지게 되면 뇌압이 올라가게 됩니다. 압이 올라가는 압력을 해결할 수 있는 방법을 찾아야 되구요.

셋째, 우리가 혈압이라는, 혈압 뇌압 그다음에 640만 조의 우리 뇌신경의 흐름이 원활하게 됩니다.

넷째, 이 세 가지 문제 플러스 하나가 림프의 순환이 안 된다는 거죠.

림프의 순환이 안 된다는 것은 목쪽과 상지쪽이 일어나면서 순환기가 망가지게 되는 겁니다. 우리가 상경추를 풀어주면 혈압이 떨어지고, 뇌압이 떨어지며, 림프 순환이 됩니다. 640만 조의 뇌신경이 흘러간다 라고 평가했을 때 여기에 문제가 생기면 목이 두꺼워지고 팔뚝이 두꺼워지고, 팔뚝살이 안 빠지게 되죠. 소통이 안되게 됩니다.

상경추를 해결해주자. 그렇다면 목에 연관되는 상경추 부분을 생각한 상태에서 이제는 여러분들이 근육 파트로 연관을 지어야 됩니다.

오늘은 상경추에 대한 얘기를 다시 정리합니다. 상경추는 경추 1번과 2번에 있습니다. 여기는 물렁뼈가 없습니다. 모든 뼈에는 물렁뼈가 있어서 뼈와 뼈 사이에 충격을 완화해주고 뼈끼리 미끄러질 때 슬라이딩 무브먼트가 있는데, 상경추 부분에는 일어나지 않는다는 거죠.

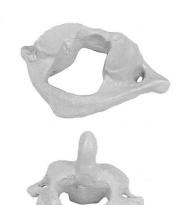

그로 인해서 발생되는 네 가지 문제점과 미주신경의 문제로 인한 내장기의 문제점들을 살펴보아야 합니다. 그래서 여러분들이 상경추를 통해서 측만증을 관리해야 하며, 내장기를 관리하고, 또 얼굴과 체형의 틀어짐을 관리하는 하나의 키포인트를 보게 됩니다.

상경추를 관리하기 위해서는 경추를 관리해야 하며, 척추를 전체적으로 관리하기 위해서는 먼저 경추를 봐야 하고, 경추를 관리하기 위해서는 대흉근을 풀어야 합니다. 여기서 한 가지 더 얹게 되면 경추와 대흉근과 등쪽에 있는 소원근도 풀어줘야 됩니다.

소원근에는 두 개의 신경이 나옵니다. 액와신경과 요골신경이 나오면서 어깨 주변과 모든 것의 통증을 해결해주는 하나의 키포인트가 되죠. 그래서 반드시 대흉근을 관리하면 소원근도 같이 관리할 때는 됩니다.

오늘 정리를 다시 해봅시다. 척추의 구조적인 문제를 해결할 때는 어디 부위는 경추를 풀어야 됩니다. 경추의 문제를 통해서는 대흉근을 풀어야 되고, 대흉근을 풀 때는 소원근을 같이 풀어야 됩니다. 그리고 척추의 구조적인 문제가 와서 상경추에 문제가 생기면 네 가지의 문제점들을 인식해야 합니다. 이로 인해서 오는 문제들은 여러분들이 임상에서 많이 적용할 수 있을 겁니다.

실질적으로 여러분들이 고객관리를 하면서 안 된다는 부분은 상경추를 풀어주는 방법을 모르기 때문입니다. 상경추를 견인하는 방법, 상경추 늘려주는 방법은 밴드에도 많이 나와있구요. 제가 또 여러분과 오프라인 수업에서 많이 언급하고 알려드릴 겁니다.

실질적인 실기의 영상과 또 다른 보탬의 영상은 유튜브에서도 계속 올라갑니다. 유튜브에서 구독을 신청하셔서 여러분들은 올라가는 영상들을 계속 캡쳐하여 보시고 자료를 확보하시길 바랍니다.

항상 여러분들을 응원합니다.

지치지 마시고 제가 최선을 다해서 도와드릴 수 있는 것은 여러분들과 함께할 테니 여러분들 힘내십시요. 화이팅.

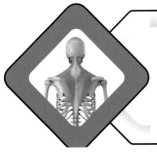

승모근

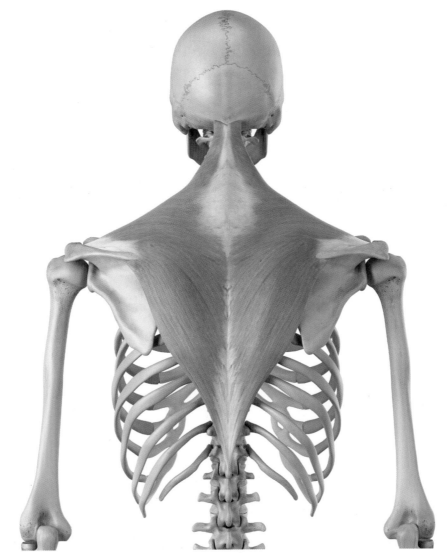

　가장 근본적으로 인체의 천층에 있는 근육, 그중에서 목 뒤쪽에 천층 가장 겉에 있는 근육인 **승모근**부터 설명을 드릴게요. 승모근에 대한 얘기를 하다보면 여러분들이 좀 더 많은 생각을 하게 되는 것이 승모근 자체가 뇌신경 11번 부신경의 지배를 받는다는 것입니다.

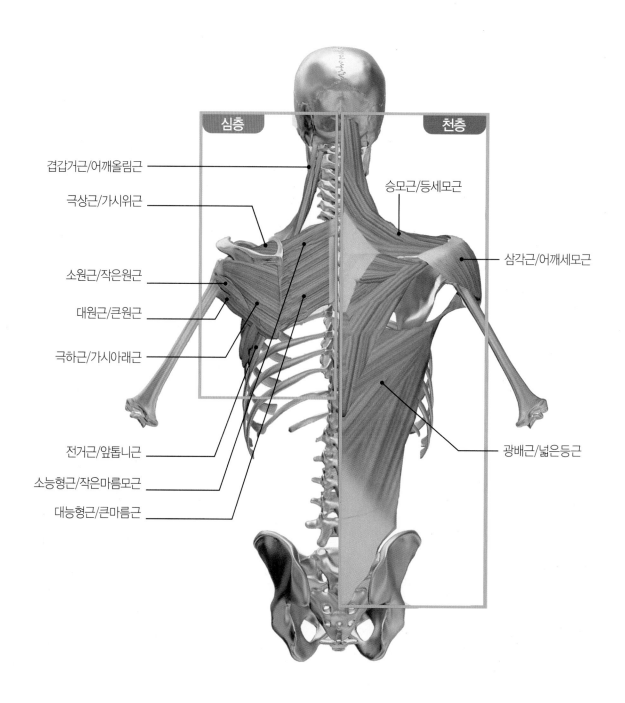

심층

천층

견갑거근/어깨올림근

극상근/가시위근

소원근/작은원근

대원근/큰원근

극하근/가시아래근

전거근/앞톱니근

소능형근/작은마름모근

대능형근/큰마름근

승모근/등세모근

삼각근/어깨세모근

광배근/넓은등근

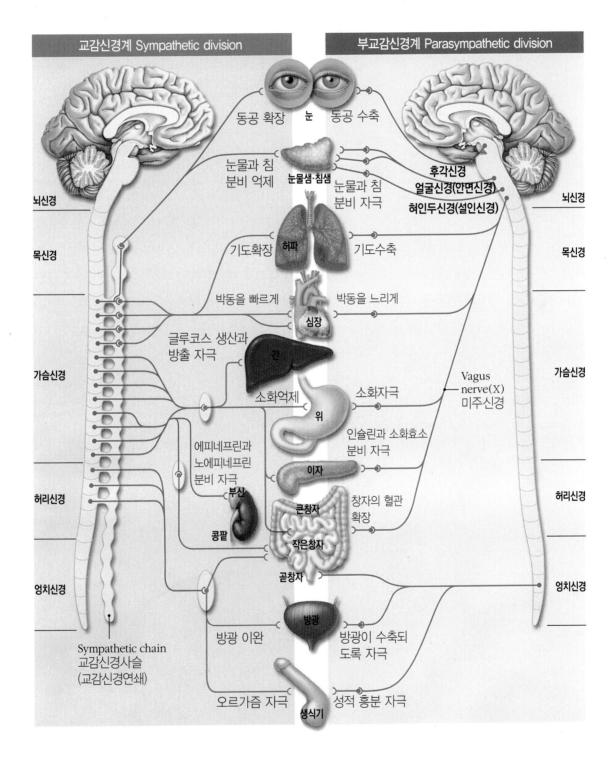

교감신경계 Sympathetic division

부교감신경계 Parasympathetic division

뇌신경

목신경

가슴신경

허리신경

엉치신경

동공 확장 　눈　 동공 수축

눈물과 침 분비 억제　**눈물샘·침샘**　눈물과 침 분비 자극

후각신경
얼굴신경(안면신경)
혀인두신경(설인신경)

기도확장　**허파**　기도수축

박동을 빠르게　**심장**　박동을 느리게

글루코스 생산과 방출 자극　**간**

소화억제　**위**　소화자극

인슐린과 소화효소 분비 자극

에피네프린과 노에피네프린 분비 자극　**부신**

이자

창자의 혈관 확장

큰창자

콩팥

작은창자

곧창자

Vagus nerve(X) 미주신경

뇌신경

목신경

가슴신경

허리신경

엉치신경

Sympathetic chain 교감신경사슬 (교감신경연쇄)

방광 이완　**방광**　방광이 수축되도록 자극

오르가즘 자극　**생식기**　성적 흥분 자극

승모근하고 흉쇄유돌근은 뇌신경 11번 신경이 지배해서 우리가 뇌에서 지배하는 근육으로 여기고 있죠. 승모근은 스님의 고깔모자처럼 생겼다고 해서 승모근입니다. 흉추 12번까지 연결되어 있는 근육이죠. 상당히 예민하고 얇은 근육입니다.

이 승모근을 우리가 고객을 관리할 때 그 사람의 몸의 상태를 알 수 있는 척도로 여기기도 하고, 그 분의 직업군, 때로는 그분의 현재 몸상태도 정확하게 인지할 수 있도록합니다.

승모근의 오른쪽은 간하고 연결되고 왼쪽은 심장과 위장과 연관이 됩니다. 실질적으로 승모근은 뇌에서 지배한다고 하지만 부교감에서 컨트롤해주는 근육이라는 거죠.

우리가 활동하고 움직이면서 뭔가 긴장되어 있는 상태는 교감신경이 컨트롤하는 거고, 부교감신경은 휴식과 쉬는 상태에서 컨트롤되는 것입니다. 우리 몸이 모두 교감신경으로 컨트롤되어 있어도 이 승모근만큼은 쉬고 싶은 욕구가 굉장히 많이 작동합니다. 승모근이라는 근육을 그래서 우리가 스트레스 머슬(stress muscle)이라고 부르는 이유 중의 하나죠.

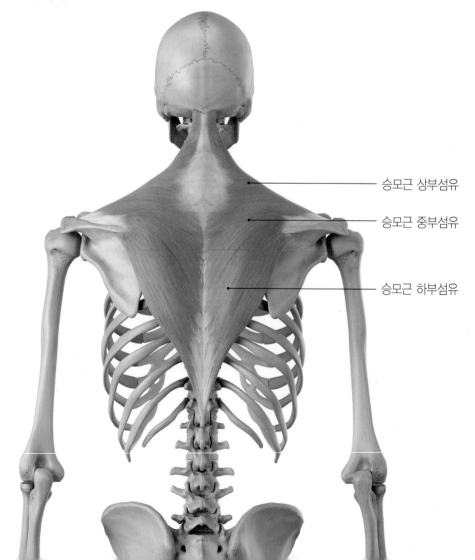

승모근 상부섬유

승모근 중부섬유

승모근 하부섬유

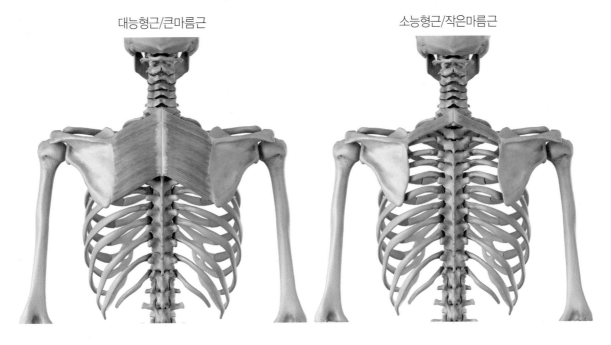

대능형근/큰마름근　　　　　소능형근/작은마름근

승모근을 통해서 고객을 관리할 수 있는 첫 번째는 그 분의 가장 근본적인 몸상태를 근육을 통해서 읽어내는 거고, 승모근을 통해서 해결함으로써 그 심층에 있는 근육으로 들어가는거죠.

승모근 밑에 등쪽으로는 능형근이 있구요. 능형근을 들어내면 그 안에 상후거근이 있고, 그 밑으로 가게 되죠.

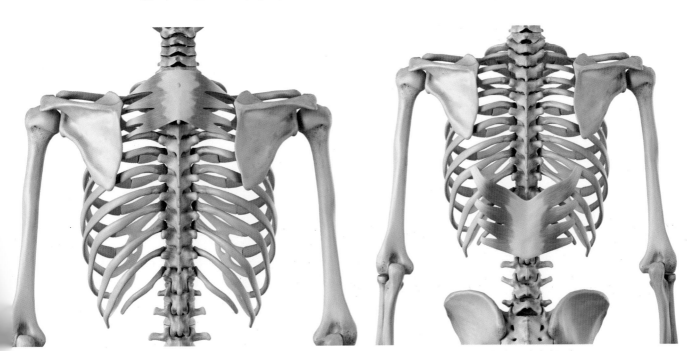

상후거근/위뒤톱니근　　　　　하후거근/아래뒤톱니근

여러분들이 승모근 관리를 할 때 고객을 똑바로 눕힌 상태에서 머리 위쪽에 앉아서 승모근을 잡아보시면 현재 몸상태를 알 수 있습니다.

치유적인 에너지로서는 그 사람이 현재 몸상태가 어떻기 때문에 몸에서 문제를 일으키는지를 알 수 있는 척도를 얘기할 수는 있지만, 승모근을 관리를 못해주면 심층에 있는 근육들을 해결할 수 없기 때문에 여러분들은 승모근부터 차분히 관리한다는 생각으로 시작하셔야 됩니다.

상경추 부분을 어제 공부했습니다. 목 부위에 경추 1번과 2번이 상경추라고 얘기했고, 여기에 문제가 생겼을 때 우리 몸의 장부까지 문제가 된다고 설명을 드렸죠.

미주신경과 같이 등에서 승모근을 해결하지 않으면 우리 몸은 현재 몸의 상태를 개선시킬 수 없는 상태가 됩니다.

여러분들이 알다시피 승모근은 흉추 11번까지 내려가면서 등줄기의 모든 근육과 연결되기도 하고, 인체의 면역력하고도 연관되는 근육입니다. 면역력하고 연관되는 경락으로는 대장경락, 금의 에너지, 폐의 에너지이며, 또 금의 에너지를 면역력과 연관있다고 합니다.

승모근의 근육 상태를 면역력과 연관시키기도 합니다. 승모근의 길항적인 요소를 같이 한번 돌아보면 등이 펴지면 배가 나오는, 복부의 근육을 컨트롤할 수 있는 복횡근하고 길항의 작용이 있어요. 길항은 서로 반대의 작용을 하지만, 반대작용을 통해서 그 에너지를 이기고 치료하는 작용을 길항이라고 합니다.

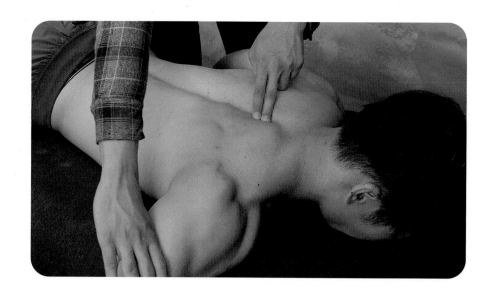

측복근 중 가장 안쪽 층을 수평으로 가로지르는 근육이 복횡근인데, 이 근육이 수축하면 복벽을 축소하여 복압을 높인다. 제7~12 늑연골의 내면, 흉요근막, 장골익이나 서혜인대에서 일어나며, 옆으로 달려서 복직근의 외연에서 건막이 되어 복직근초를 만든다.

제7~12늑간신경이나 장골하복신경으로 지배되며, 늑골을 내방으로 끌어내리거나 복강을 좁게 하는 작용이 있다.

복횡근은 복부 앞쪽의 가장 안쪽에 위치하는 근육이다. 근육의 방향이 유일하게 수평으로 돼 있는 특징이 있어 근육의 모양과 방향이 마치 허리띠의 역할과 비슷하다.

이 복횡근은 근육 섬유의 방향이 허리띠처럼 수평 방향으로 돼 있어 수축하게 되면, 척추를 늘려주는 역할을 하게 돼 척추를 안정화시키고, 또 척추디스크의 압력을 줄여주는 역할을 한다.

복횡근/배가로근

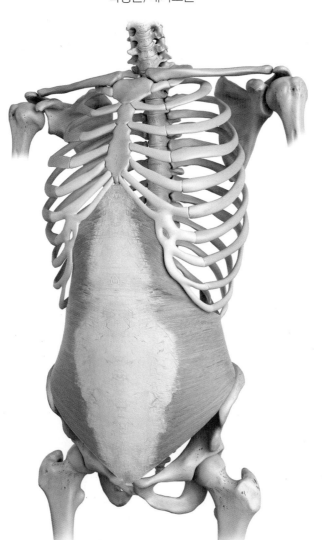

등이 굽은 사람은 배가 나오죠. 그래서 복부를 관리하기 위해서는 승모근을 관리해야 됩니다. 또 역으로 등이 굽은 사람을 해결하기 위해서는 복부에 있는 복횡근을 관리해야 됩니다.

복횡근은 복부 안쪽에서 내장기를 컨트롤하는 근육이므로 그 복횡근을 관리함으로써 승모근을 관리할 수 있습니다.

우리가 알고 있는 일반적으로 얘기하는 코어 머슬(Core muscle)이라는 핵심적인 근육을 복횡근, 다열근, 그다음에 골반저근 세 가지로 얘기하죠. 인체의 체형을 잡아주는 근본적인 근육을 그림으로 봅니다.

승모근을 통해서 자세를 바로 잡아줄 수 있다는 것은 곧 면역력과 연관이 되어 있다는 것을 뜻합니다. 면역력과 연관이 있다는 것은 우리 몸에 부교감적인 요소를 해결해주면서 현재 몸의 컨디션을 알 수 있다는 거죠. 승모근의 긴장을 떨어뜨릴 수 있는 유일한 방법은 내장기를 싸고 있는 복횡근의 관리입니다.

조금 더 치유적인 상황으로 여러분들이 오른쪽은 간의 에너지, 왼쪽은 위장과 심장의 에너지와 연관이 되었다는 것을 잊지 마시고, 승모근의 내용을 쭉 정리하시길 바랍니다.

항상 여러분들을 응원하고 지원합니다. 지치지 마십시오. 항상 달리는 자는 모든 것을 얻을 수 있습니다. 힘내십시오.

두판상근

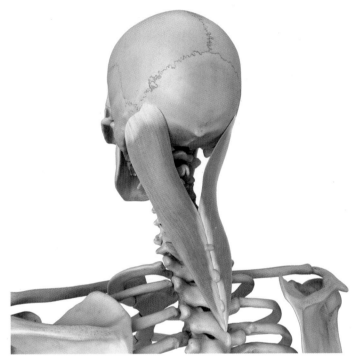

두판상근은 승모근 안쪽에 바로 밑에 들어 있어요.

승모근 밑에 들어 있어서 목 뒤를 받쳐주는 근육이기도 하구요. 제일 많이 우리가 생각할 수 있는 거는 교통사고가 났을 때, 목 뒤로 손이 갔을 때 우리의 목을 받쳐주는 근육이죠. 이 근육을 다치게 되면 일명 '채찍손상'이라고 그래서 목 주변에 손상이 오게 됩니다.

어떤 영화를 보면 흑인이 백인한테 채찍으로 맞아서 살이 파이게 되는 그런 게 있지요. 그것만큼의 손상으로, 고개가 앞뒤로 움직일 때 마지막에 딱 끊길 때 오는 증상을 '채찍손상'이라고 하죠. 이 두판상근의 문제가 오면 여러분들이 알고 있는 것처럼 단순히 통증으로만 이어지지 않구요. 머리로 올라오는 뇌압이 상승되고, 압이 상승됨으로 인해서 감각적으로도 두피나 얼굴쪽에 감각이 둔해지는 증상이 나타납니다.

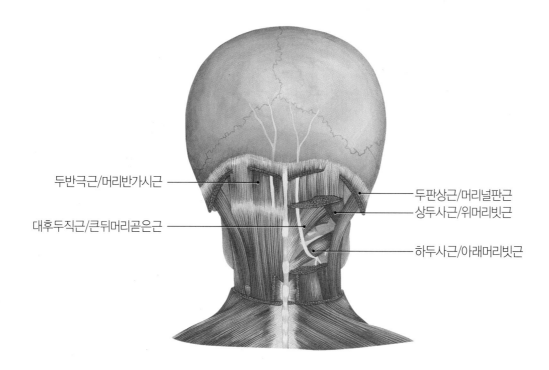

두반극근/머리반가시근

두판상근/머리널판근
상두사근/위머리빗근

대후두직근/큰뒤머리곧은근

하두사근/아래머리빗근

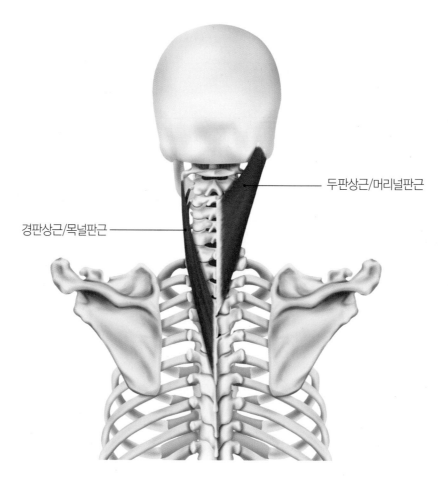

두판상근/머리널판근

경판상근/목널판근

그런데 교통사고가 났을 때 가장 문제점은 손상된 두판상근이 받는 데미지는 채찍 손상으로만 끝나지 않는다는 거예요. 그 증상이 나타나면 일단은 경추 1번과 2번의 상경추가 틀어진다는 거죠. 상경추가 틀어졌을 때 설명드렸듯이 여러 가지 문제점이 오게 되는데, 뇌압이 상승하고 혈압이 상승하고, 그다음에 림프의 순환이 안 되고, 육백사십만 조의 뇌신경의 흐름이 원활하지가 않죠. 이거가 문제가 되면서 목 주변의 긴장도가 높아지고 머리의 감각이 둔해지거나, 또 목 뒤 통증이 오거나, 얼굴이 감각이 둔해지거나, 심한 경우는 안압이 올라가서 실핏줄이 눈에서 터지기도 해요. 그래서 두판상근이라는 근육을 여러 각도로 풀어주어야 합니다.

두판상근을 풀기 위해서는 천층에 있는 승모근을 풀어주면서 약간 깊게 들어가줘야 되죠. 결국 두판상근을 풀어준다는 농작 속에는 승모근을 풀어주는 동작과 견갑서근을 풀어주는 동작이 이어져야 하고, 그다음에 어깨 주변을 받쳐주는 후두하근부터 경판상근까지 풀어주는 동작들이 같이 연관된다고 보시면 됩니다.

여러분들이 두판상근 하나만 딱 끝내고 관리를 마쳐서는 안 되고, 연관되어지는 하나의 조직으로 봐야 된다는 거죠.

두판상근의 다른 경우를 한번 또 설명드릴게요. 치유적인 요소로 설명드린다면, 교통사고가 나거나 어떤 충격에 의해서 뼈가 틀어지게 되거나, 아니면 받은 충격이 안으로 들어오게 되면 가운데 있는 물렁뼈가 영향을 받지 않기 위해 우리 인체의 방어적인 요소가 이 주변의 인대나 근육이 완전히 수축해서 더 이상 다칠 수 있는 상황을 막습니다.

여기서 인위적으로 여러분들이 두판상근을 풀어주거나, 또 과도한 긴장도를 낮춰주면 그때부터는 목디스크처럼 증상이 향후 다른 증상으로 진전할 수 있어요.

예를 들어 "여러분들이 교통사고가 나서 일주일 안에 합의를 봤다. 그 안에 사진을 찍었는데 이상이 없었다."라고 하여도 한 3주 뒤에 생각치도 않은 어떤 증상이 발병될 수도 있다는 겁니다.

우리 인체의 가장 믿을 수 있는 좋은 조건일 수도 있고, 나쁜 조건 중의 하나는 사고를 당하거나 어떤 충격을 받았을 때 본능적으로 거기를 더 강하게 막고 있다는 거죠. 두판상근이 스스로 풀어질 수 있는 시간은 최소한 3주가 지나가야 스스로가 치유하는 과정으로 돌아가게 됩니다.

"교통사고가 나서 목 주변이 스트레스를 받거나 두판상근에 문제가 생겨서 채찍손 상이 오시는 분들은 최소한 병원에서 의료적 치료를 3주 이상 충분히 받은 다음에 엑스레이나 MRI를 찍고, 이상이 없을 때 여러분들이 관리적인 차원으로 해주시는게 안전하지 않을까."라는 생각이 듭니다.

만약에 두판상근의 손상을 받은 사람을 여러분들이 고객관리해준다고 할 때 이런 과정이 충분히 인지되지 않은 상태에서 고객은 3주 이상 후부터 어깨통증부터 팔저림·통증을 호소할 수 있습니다. 이는 여러분들이 잘못해서 그런 게 아니라 근육과 안에 있는 조직들이 이완되고 릴랙스되면서 나타나는 증상이기 때문에 충분히 사전에 고객들에게 그런 설명을 하지 않으면 여러분이 난처한 상황에 빠질 수 있는 부분이 두판상근의 손상과 상경추의 틀어짐입니다.

여러분 스스로 공부를 좀 깊게하여 이런 고객들이 왔을 때 충분히 설명할 수 있어야 됩니다. 뇌는 두 가지 통증을 동시에 인지하지 않습니다.

가장 심한 통증을 인지하고, 그다음 통증이 다음에 올라오기 때문에 처음에 드러나는 통증에 너무 집중하면 그다음 통증이 올라오는 것은 여러분들이 잘못해서 그런 상황이 연출된 줄 알고 많은 마음의 고생을 하게 된다는 것을 인지하시길 바랍니다.

여러분들에게 많은 강의를 하고, 많은 설명을 해드리고 싶습니다. 그러나 인터넷이라는 시간은 너무 많은 양의 촬영시간이 되면 밴드에 올라가지가 않습니다. 아쉽지만 오프라인 수업에 오시고, 유튜브에도 영상들을 계속 올리고 있으니까 유튜브에 들어가서 신원범 교수의 영상을 보세요.

항상 응원합니다.

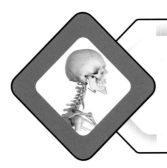

사각근

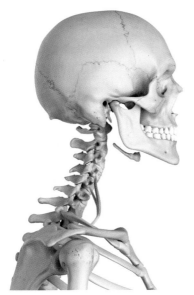

전사각근/앞목갈비근

사각근이라는 근육을 설명할 때는 흉쇄유돌근 옆에 있다. 전사각근, 중사각근, 후사각근으로 나 뉘어진다. 우리처럼 수기를 하는 사람은 전사각 근, 중사각근, 후사각근을 이야기하구요. 더 중요 한 것은 전사각근과 중사각근을 얘기합니다.

사각근이라는 이름은 예각과 둔각의 어정쩡한 각도, 그러니까 직각이 아닌 각도를 사각도라고 얘기하죠. 그 자리에 있으면서 사각근은 제가 공 식으로 자꾸 얘기 드립니다.

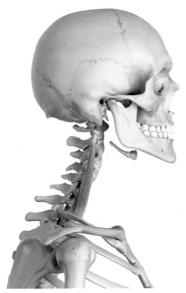

중사각근/중간목갈비근

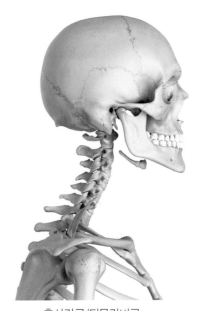

후사각근/뒤목갈비근

우리의 배꼽 위쪽 앞뒤에서 일어나는 모든 상황은 사각근을 늘리고 벌리라고 설명합니다. 흉쇄유돌근하고 사각근 아래로 미주신경이 지나가게 되어 있구요. 이 사각근의 문제는 대부분 팔과 손등으로 나타나게 됩니다.

여러분들이 류마티스관절염이나 관절염으로 의심하는 것 역시 사각근이구요. 여러분들이 생각했던 전거근, 옆구리 통증의 문제 또한 사각근을 통해서 해결해야 됩니다. 전거근을 지배하는 신경인 경추 5번하고 7번인 장흉신경이 이쪽을 통해서 내려오죠.

그래서 사각근을 관리하고 일부를 가진 채 단독 콘트롤합니다.

사각근의 문제를 가진 채 나이가 들게 되면 흉쇄유돌근, 승모근, 사각근의 문제로 인하여 불면증과 연관이 됩니다.

사각근은 쇄골하동정맥이 연결되어 있고, 또 림프와 연관되어 있습니다.

사각근을 통해서 팔의 부기, 팔의 저림을 해결하는데요. 목 디스크랑 많이 헷갈려하는 것 같고, 목 디스크가 아니더라고 흉곽에서 눌리는 것, 또 소흉근에서 눌리는 증상이 있습니다.

허리의 문제도 디스크만의 탓이 아닙니다.

허리에서 나타나는 증상을 좌골신경통 또는 이상근증후근이라고 하죠. 허리 자체 문제보다도 그 신경이 지나가는 길에 문제가 생기는 하나의 증상이죠. 마찬가지로 목에서도요.

여러분들이 알고 있는 디스크, 허리디스크처럼 흉곽출구증후군(Thoracic outlet syndrome)이 나타날 수가 있고. 또 소흉근에서부터 눌려서 오는 증상이 있을 수 있고, 사각근에서 눌리는 증상이 올 수도 있습니다.

고객이 오셔서 팔이 저린다고 호소했을 땐 여러분들이 무조건 디스크로 생각하시면 안 됩니다.

팔이 저리다고 얘기하면 팔을 들어올리라고 해요. 들어올렸을 때 저린 증상이 해결된다는 것은 사각근에서 눌리고 있는 거죠.

들었는데도 저린 것이 그대로에요. 그러면 내려서 팔을 뒤로 빼봅니다. 뒤로 뺐을 때 저린 증상이 거의 없어진다는 것은 소흉근에서 상완신경이 지나가는 길을 누르고 있다는 것이 해결되는 증상이죠.

만약에 올려도 저리고 내려도 저리다는 증상이 왔을 때는 목디스크의 문제라는 것을 염두해 두고 봐야 됩니다.

이때 주의할 점은 엄지손가락을 위로, 손등을 위로, 새끼 손가락을 위로... 먼저 기준을 정하는 것입니다.

목은 C자 커브를 형성하고 있죠. 목이 C자 쪽에서 가장 앞쪽의 정점을 이루고 있는 자리가 경추 4번입니다. 4번의 문제는 많이 오지 않습니다.

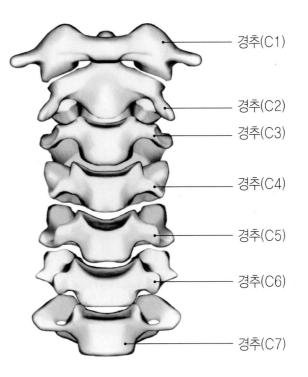

경추(C1)

경추(C2)

경추(C3)

경추(C4)

경추(C5)

경추(C6)

경추(C7)

문제는 주로 5번하고 6번에서 일어나게 되죠. 신경 라인들이 나와서 3번 · 4번부터 5, 6, 7, 흉추 1번까지 신경들은 그대로 내려가서 팔을 통해서 사각근, 전사각근, 중사각근을 통하고 소흉근을 통해서 팔로 내려가는 증상들이 연결됩니다.

우리는 상완신경총의 흐름을 간과해서는 안 됩니다.

팔에서 일어나는 부기, 팔의 부종, 팔뚝살, 또 손의 움직임, 손의 뻣뻣함. 자고 일어났을 때 손이 부어 있는 사람들, 또 손가락이 구부러져서 펴지지 않는 방아쇠증후군, 나이가 들어서 불면증이 오는 증상 등은 물론 흉쇄유돌근부터 다 연관이 있겠지요.

귀에서 소리가 나는 이명은 일단 흉쇄유돌근과 사각근을 같이 봐줘야 되는데, 제가 공식적으로는 "흉쇄유돌근을 뜯어서 관리해주십쇼." 라고 설명을 하지만 귀에서 나는 소리들, 또 이 미주신경의 흐름이 원활하지 못해서 장기의 기능이 떨어지는 모든 것은 사각근과 연관시켜 봐야 됩니다.

그냥 단순히 근육이 시작점 · 정지점의 개념으로 근육을 바라보지 마십시오.

치유의 관점에서 보셔야 됩니다. 이 근육은 우리 인체와 어떤 연관이 있어서 영향을 주며, 이 근육을 통해서 얻을 수 있는 득이 무엇인지도 생각을 해보셔야 됩니다.

배꼽 앞뒤에서 일어나는 모든 상황들, 불면증. 얼굴 상황들. 귀에서 일어나는 소리 등은 모두 사각근과 연관됩니다. 그리고 배꼽 위에서 일어나는 모든 상황은 사각근이고, 얼굴에서 일어나는 모든 상황은 흉쇄유돌근이기 때문에 얼굴에서 일어나는 모든 상황 역시 사각근을 통해서 해결하셔야 됩니다.

사각근은 여러분들이 배꼽 앞뒤에서 일어나는 모든 상황을 해결해주는 키포인트! 팔에서 일어나는 문제, 뻣뻣함, 힘이 없어, 어떤 팔의 무기력함 등은 모두 목의 신경하고도 연관되지만 사각근을 반드시 염두에 두시고 관리하시기 바랍니다.

치유적인 관점에서 근육을 다시 한 번 바라보는 영상들을 계속 여러분들에게 알려드릴 테니까 다시 한 번 들으시고 정리해보시고 받아쓰시면서 듣기 바랍니다.

실기 영상은 계속 유튜브에도 올릴거니까 여러분들은 유튜브에 들어가서 확인해주세요.

흉쇄유돌근

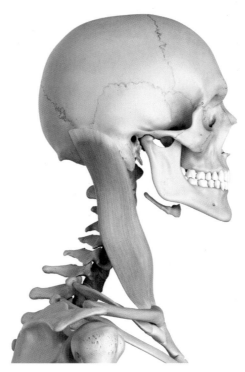

이 근육의 이름은 흉골과 그다음에 쇄골과 유양돌기에 붙어 있다고 해서 흉쇄유돌근이라고 합니다. 의학용어로는 sternocleidomastoid muscle, 줄여서 SCM이에요.

흉쇄유돌근은 척주라인에 붙어 있지 않으면서도 목의 각도에 영향을 주는 유일한 근육입니다. 흉쇄유돌근은 목 주변에서 교근하고 붙어 있으면서 대흉근과 연결해주는 고리입니다. 흉쇄유돌근 아래는 뇌로 올라가는 혈액이 거의 80%까지 지나간다는 경동맥이 들어 있습니다. 여러분들이 단순히 흉쇄유돌근은 지배신경이 뇌신경 11번에서 지배한다는 그냥 교과서적인 의미로만 듣지 마시라는 얘기죠.

물론 뇌신경이 지배하는 흉쇄유돌근하고 승모근은 부신경이 지배합니다. 11번. 그렇고 흉쇄유돌근이 뇌에서만 지배한다는 관점으로 보지 마시고 치유적으로 보시란 얘기죠.

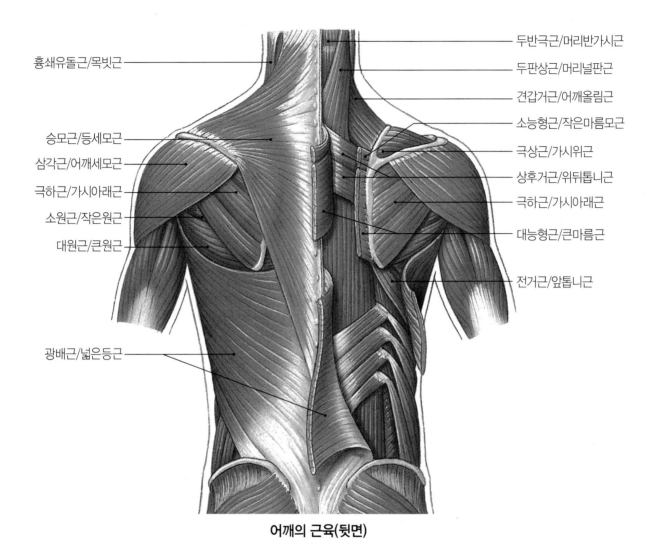

흉쇄유돌근/목빗근

승모근/등세모근

삼각근/어깨세모근

극하근/가시아래근

소원근/작은원근

대원근/큰원근

광배근/넓은등근

두반극근/머리반가시근

두판상근/머리널판근

견갑거근/어깨올림근

소능형근/작은마름모근

극상근/가시위근

상후거근/위뒤톱니근

극하근/가시아래근

대능형근/큰마름근

전거근/앞톱니근

어깨의 근육(뒷면)

치유적으로 보면 먼저 "얼굴에서 일어나는 모든 상황은 흉쇄유돌근을 뜯어서 관리한다."입니다.

흉쇄유돌근을 뜯어서 관리한다는 개념이 매우 중요합니다.

많이 사각근은 늘리고 벌린다는 개념이고, 흉쇄유돌근은 뜯어서 관리하구요. 얼굴에서 일어나는 모든 상황은 흉쇄유돌근을 관리해주는데, 특히 아침에 일어났더니 눈이 부어있어요.

눈의 부기, 또 귀에서 이상한 소리가 들리거나 사각사각 소리가 들리는 것(이명), 또는 이비인후과질환, 목구멍 그리고 눈, 목 등 그러니까 코, 눈 주변, 귀 등에서 오는 질환도 흉쇄유돌근을 관리합니다.

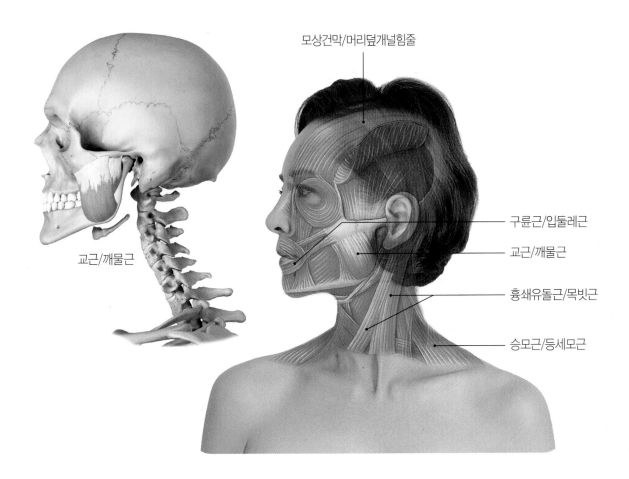

모상건막/머리덮개널힘줄

구륜근/입둘레근

교근/깨물근

흉쇄유돌근/목빗근

승모근/등세모근

교근/깨물근

제가 간단하게 공식적으로 이렇게 설명합니다.

"얼굴에서 일어나는 모든 상황은 흉쇄유돌근을 뜯어서 관리해라."라고 설명을 드리죠. 그런데 주의할 게 있어요. 뇌로 올라가는 혈액의 80%가 연관되다 보니까 여기를 고혈압환자, 저혈압환자, 고지혈증. 고지혈증의 뜻은 다 아시겠죠. 다른 사람의 피는 요구르트 같은데, 이 사람의 피는 요플레같은 상황이죠. 그래서 혈액 자체가 상당히 끈적거리고 문제가 있어요.

그리고 저혈압(정상적인 혈압의 수치보다 떨어져 있는 사람), 고혈압(정상적인 혈압의 상태보다 높아져 있는 사람)인 고객을 관리할 때 흉쇄유돌근부터 먼저 관리하게 되면 뇌로 올라가는 혈류량이 급격히 늘어나서 뇌쪽에서 순환기의 문제가 생길 수도 있어요.

그래서 고혈압, 고지혈, 그다음에 저혈압환자들이나 고객들은 심장에서 먼 곳부터 즉 팔다리부터 관리한 다음에 흉쇄유돌근을 관리합니다.

뇌로 올라가는 혈류량과 연관이 깊기 때문에, 그리고 두통하고도 연관이 깊구요. 또 혈압하고도 연관이 깊어서 혈압이 있거나 뭔가 압이 센 사람도 흉쇄유돌근을 풀어주어야 합니다. 그러나 또 공식적으로 설명하면, 배꼽 위에서 일어나는 모든 상황은 사각근을 늘리고 벌려주세요.

얼굴에서 일어나는 모든 상황은 흉쇄유돌근을 관리해야 됩니다. 공식이 있다 보면 얼굴에서 일어나는 모든 상황은 사각근하고 흉쇄유돌근을 같이 관리해야 되는 상황이 되는 거죠.

조금만 바꿔서 생각해보세요. 그래서 흉쇄유돌근은 여러분들이 얼굴에 변화시키는, 예를 들어 사각턱이나 얼굴을 갸름하게 만들고 싶거나 얼굴의 변화를 주고 싶을 때 반드시 관리해줘야 될 근육 중 하나가 흉쇄유돌근이죠.

흉골과 쇄골과 유양돌기에 붙어 있다는 거 말고, 교근하고 붙어 있다는 것, 대흉근하고 붙어 있다는 것을 다른 관점으로 보세요.

교근은 깨물근이라고 하는데, 교근의 작동이 흉쇄유돌근의 움직임과 연관되고 흉쇄유돌근의 움직임은 쇄골하고도 연관이 됩니다.

쇄골 미인이라는 소리 들어보셨죠. 쇄골의 두드러진 라인이 나타나게 되면 쇄골과 연관되어 있는 상완신경총, 사각근, 흉쇄유돌근의 소통이 원활해지겠지요. 이 쇄골 라인에서 일어나는 모든 상황들이 많이 해결되죠. 특히 림프의 순환과 순환계통에 문제가 있었던 큰 문제들을 해결해주기에 가장 좋은 방법인 흉쇄유돌근을 뜯어서 관리하는 거죠.

사각근을 늘리고 벌린다고 했구요. 흉쇄유돌근은 뜯어서 관리한다는 관점이죠.

다시 한 번 설명을 드립니다. 흉쇄유돌근이란 흉골과 쇄골과 유양돌기와 연관이 되어있으며, 실질적으로 지배하는 신경은 11번 뇌신경 부신경이 지배하지만 신경 레벨로 보지 말고 순환기 관점과 얼굴에서 일어나는 모든 상황은 흉쇄유돌근을 뜯어서 관리한다 라는 게 치유 근육학적 관점에서 드리는 설명이죠.

여러분들은 지금 목 주변의 근육을 하나씩 공부하고 있습니다.

다시 한 번 예전 영상과 자료를 보시고 올려드리는 영상과 사진들을 잘 보시면 많이 도움이 될거라 생각합니다. 항상 여러분들을 응원 ~~~!

대흉근, 즉 심장부위를 눌렀을 때
통증이 오면 동그란 부위 눌러준다.
딸국질이 나올 때에는 마름모 부위를
눌러준다.

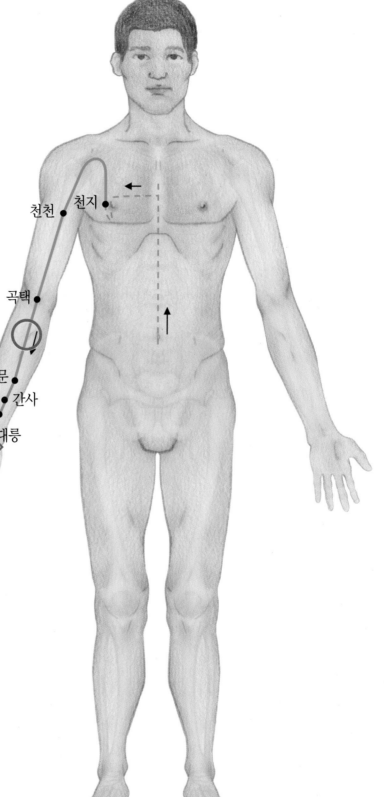

천천 • 천지 •

곡택 •

극문 •
간사 •
내관 •
노궁 • 대릉 •

중충 •

견갑거근

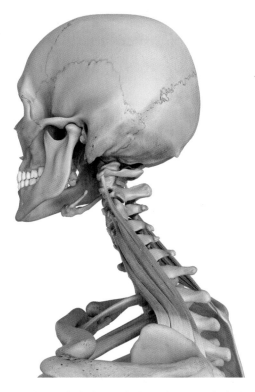

견갑배신경은 경추 5번에서 시작하여 상완신경총을 형성하고, 견갑골을 향해 주행한다. 이 신경은 능형근과 견갑거근을 지배하는데, 이 신경지배의 흐름대로 흐르는 통증을 보면 견갑배신경을 생각해볼 수 있다.

이 신경의 손상은 교통사고 후 오는 편타손상이나 경추횡돌기의 선천성 이상이 원인이 될 수 있다. 그러나 이러한 신경손상은 직접자극이 아니어도 통증이 올 수 있는데, 중사각근 부분의 압통점에 문제가 생기거나 눌리는 자극을 받게 되면 통증을 유발할 수 있다. 어깻죽지나 견갑골부분의 통증은 견갑배신경자극을 의심할 수 있다.

능형근과 견갑거근의 문제나 자고 나서의 문제 등도 고려해볼 신경이다. 경추 5번에서 견갑배신경이 나가서 능형근과 견갑거근을 지배하고, 조금 내려와서 견갑상신경이 나와서 극하근을 지배한다.

견갑거근에 대해서 설명을 하겠습니다.

견갑거근은 목의 동작을 중단시킨다는 데 가장 먼저 키포인트를 주세요. Levator Scapula라는 뜻은 "어깨를 올라준다."라는 뜻입니다. 물론 목 주변에서 움직이는 여러 가지 제한적인 요소를 가진 하나의 근육으로도 보지만, 여러분들이 공식적으로 표현하기 쉽게 설명하면 목의 움직임을 제약하는 첫 번째 동작의 근육으로 잡아주시기 바랍니다.

그러니까 잠을 잘못자서 고개가 움직이지 않거나, 한 동작을 너무 오래하고 있다가 고개를 폈을 때 고개가 돌아가지 않을 때에는 물론 흉쇄유돌근부터 여러가지 근육들이 자발적으로 움직이지만 여기에서는 공식적으로 견갑거근이라는 근육을 놓고 설명합니다.

견갑거근의 뿌리는 경추 5번입니다.

경추 5번에서 뿌리가 나오는 두 개의 근육은 견갑거근하고 능형근이죠.

두 개의 근육이 경추 5번에서 나와서 사각근을 통해서 나오다가 하나의 근육 줄기는 뒤로 넘어갑니다. 우리는 그 신경을 견갑배신경이라고 부르고, 견갑배신경의 역할로는 능형근과 견갑거근 두 개의 근육을 생각하구요.

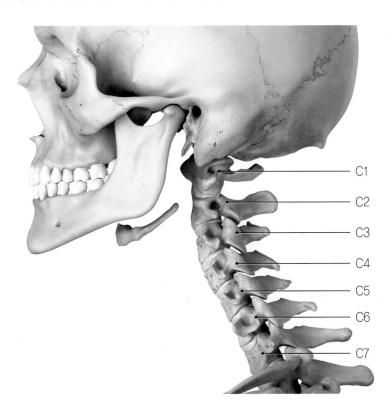

고개가 안 돌아간다고 생각했을 때는 경추 5번을 풀고, 사각근을 늘리고 벌리구요. 그다음에 수기적인 요소로 등과 앞에 있는 근육을 전부 풀어줍니다.

그런데 목의 움직임에 실질적인 영향을 주고 목의 각도에 영향을 주는 근육은 대흉근이죠.

가슴에 있는 대흉근을 세 개 파트로서 끊어서 나눠서 관리해야 합니다. 그리고 나서는 반드시 견갑거근을 풀어주고, 모든 관리를 끝내고 나서는 으쓱으쓱을 6번 정도 시켜주면 고개 움직임에 제약을 둔 것이 많이 풀어지게 됩니다.

견갑거근이 어깨를 올려준다는 근육의 명제로 두지 마시고, 목을 돌려주는 하나의 근육으로 보자라는 게 치유적 관점에서 오늘 설명을 드리고 싶은거죠.

견갑거근과 목 주변의 있는 근육을 생각해보면 능형근도 다시 생각해봐야 되고, 또 사각근과 흉쇄유돌근, 또 목 주변에 있는 여러 가지 두판상근부터 해서 바깥의 천층에 있는 승모근까지 생각하게 됩니다.

목의 움직임은 유두 위에서 일어나기 때문에 두피를 풀어야 되구요. 얼굴의 움직임은 목의 움직임과 연결되기 때문에 사각근과 흉쇄유돌근도 반드시 같이 풀어줘야 됩니다.

그러나 그 뿌리를 경추 5번으로 하고 봤을 때 5번은 우리가 목을 움직이는 하나의 중심축이죠. 5번과 6번이요.

C자 커브의 가장 꼭지점처럼 가장 깊은 것은 경추 4번입니다. 그러나 실질적인 목에서 부하가 걸리고 목의 움직임의 제약을 주는 것은 경추 5번하고 6번입니다.

5번하고 6번은 주로 목디스크가 진행되기도 하구요.

경추 3번에서부터 5번은 횡격막을 지배하는 횡격신경의 지배적인 요소이기 때문에 횡격막이 쭉 내려가서 횡격신경은 저 안에 있는 간까지 영향을 주게 됩니다.

통증과 근육을 조율하는 간에 영향을 줄 수 있는 신경줄기의 뿌리인 경추 5번, 그리고 목의 움직임에 영향을 주는 견갑거근, 그 근육과 같이 연결되는 능형근 등의 라인을 하나의 위기로서 봐주구요. 전반적인 목의 근육이 다 풀어졌을 때는 운동적인 요소로서 여러분들이 봐주면 되지 않을까 생각합니다.

이것은 치유적인 관점입니다.

이것은 근육학적인 관점으로 봤을 때 그 근육은 그런 역할과 기능이 이 정도에서 끝난다고 하지만, 여러분들이 고객관리하는 치료적인 요소 또는 관리적인 요소로서 견갑거근은 그런 관점으로 보셔야 한다는 거예요.

사각근을 반드시 풀어야 됩니다. 그리고 그 뒤로 넘어가는 견갑배신경을 유별나게 봐줘야 되구요. 그다음에 관리가 끝나고 나면 어깨 들었다 났다 으쓱으쓱을 여섯 번 시켜줘서 마무리를 해줍니다. 그리고 유두 위에서 일어나기 때문에 두피와 흉쇄유돌근과 사각근을 동시에 관리해줍니다.

오늘은 치유적 견갑거근에 대한 설명을 정리했습니다.

대흉근

여러분들은 앞가슴에 있는 대흉근의 역할과, 치유적으로 어떻게 관여할 수 있고 어떻게 하면 대흉근을 통해서 우리 몸이 좋아질 수 있을까를 고민해보셔야 됩니다.

대흉근은 흉쇄유돌근하고 붙어 있고 복직근하고 연결되어 있습니다. 대흉근은 상완골에서부터 붙어있구요. 대흉근은 쇄골지, 흉골지, 늑골지의 세 개로 나뉘어집니다. 이 대흉근을 통해서 얻을 수 있는 것들은 체형관리에서 중심이 되는 포인트라고 보시면 되요.

예를 들어 경추 뼈가 C자, 척추뼈가 들어가 있고 요추뼈가 나와 있는 어떤 만곡의 자세에서 허리가 일자허리라고 가정해볼게요. 일자허리라고 단정했을 때 고객은 허리통증으로 삽니다. 허리가 불편하거나 허리 문제를 호소할 때 우리는 허리에만 집중하고 허리를 관리하게 됩니다.

그러나 허리 자체의 체형상의 문제를 근본적으로 해결해주기 위해서는 경추를 풀어주어야 됩니다. 경추 자체가 우리 체형을 풀어주는 하나의 키포인트 근육이구요. 이 경추의 각도를 잡아줄 수 있는 유일한 포인트가 대흉근을 늘려주는 거죠.

대흉근은 흉골지, 쇄골지, 늑골지로 나뉘어져 있어서 끊어서 관리해야 됩니다. 그리고 또 하나는 상완골에 연결되어 있기 때문에 팔의 움직임 또한 같이 연관이 되어 있다는 거죠. 물론 호흡근이라고 명명할 수 있습니다.

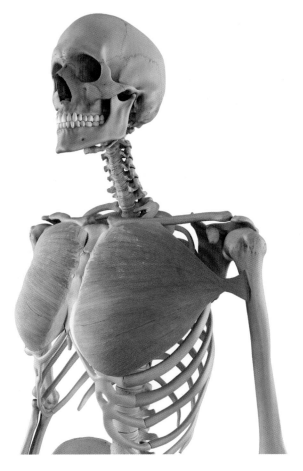

　　대흉근 자체를 우리가 숨을 쉬는 것과 연결할 수도 있지만, 대흉근은 등쪽의 어떤 근육하고도 길항작용이 있습니다. 여러분들이 길항작용 자체를 조금더 생각해보셔야 됩니다. 항상 어떤 힘의 원리가 있으면 반대 힘의 원리에 의해서 그 반대를 해결할 수 있는 능력이 우리 인체에 있거든요. 또 우리가 대항이라는 말을 표현할 때가 있어요. 어떤 근육이 있고 상황이 있으면 여기를 지탱하는 것들이 양쪽에서 버텨서 근육을 잡아주는 하나의 대항적인 요소가 생길 수도 있습니다.

　　대흉근은 우리 인체의 가슴을 펴게 해주고, 호흡의 양을 늘리게 해주고, 또 폐의 기능을 완벽하게 해줄 수 있는 하나의 근육이죠. 대흉근을 통해서 호흡을 하면 횡격막이 충분히 움직일 수 있는 공간적 요소를 확보해주기도 하죠.

　　대흉근을 치유적 관점에서 보자는 거죠. 왜냐하면 여러분들이 대흉근에서 얻을 수 있는 공부는 시작점·정지점과 여기에서 일어날 수 있는 여러가지 상황들을 설명하는 것입니다.

그런데 여자들의 가슴 유방은 대흉근 위에 얹어져 있는 것이지, 대흉근 안쪽에 있는 게 아니거든요. 그러니까 보형물을 유방의 어떤 부위에 삽입을 할 때 대흉근 안쪽으로 들어가면 체형 자체의 큰 변화가 와서 통증을 호소하게 됩니다.

샵을 찾는 분들 중에서 어떤 보형물에 의한 통증 때문에 오시는 분들은 이 대흉근 자체를 해결해주기 위해서는 목 뒤의 근육을 풀어줘야 되죠. 또 충분한 시간을 가지고 근육을 늘려주는 상황을 연출해줘야 됩니다.

여러분들은 대흉근을 통해서 얻을 수 있는 게 단순히 가슴에 있는 근육, 호흡근육, 흉쇄유돌근과 붙어 있고 복직근과 붙어 있는 하나의 줄기로만 생각하지 마시구요. 대흉근을 통해서 체형의 근본적인 자세와 문제를 해결해주는 근육으로 자리를 잡으시면 됩니다.

자, 보세요. 코로 숨을 들이 마십니다. 가슴이 부풀어 오르죠. 입으로 숨을 내쉽니다. 가슴이 가라앉죠. 그래서 그사이에 몸안에서는 횡격막의 움직임에 충분한 영향을 줍니다.

결국 대흉근이 충분히 움직일 수 있는 여건은 경추의 각도가 완만하고 원래의 C자 커브가 완성되어져야지 대흉근의 움직임이 원활합니다.

반대로 얘기했을 때, 목의 각도에 문제가 생기면 대흉근의 문제가 원활하게 소통이 안 된다는 거죠. 대흉근을 통에서 얻을 수 있는 결론적인 얘기는 우리가 목의 움직임과 체형의 움직임과 어떤 각도상의 문제를 해결해주는 중심적인 하나의 포인트로 대흉근을 관리하자는 것이에요.

또 대흉근을 통해서 얻을 수 있는 그림들은 "그걸 통해서 호흡과 연관되어 있고 흉쇄유돌근하고 복직근하고 연결될 수 있는 하나의 연결선상의 근육이다." 이렇게 정리하시면 될 거라고 생각합니다.

소흉근

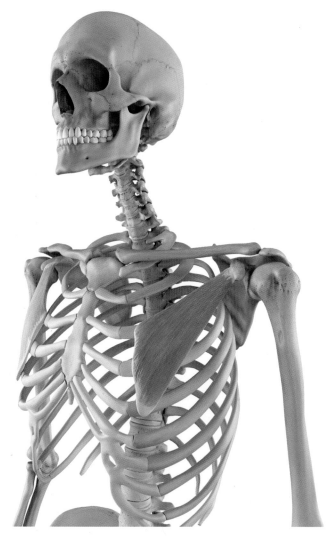

소흉근에 대해서 설명을 드립니다.

소흉근은 대흉근 안에 들어 있죠. 소흉근은 오훼돌기(또는 오구돌기) 라인 안에 연결되어서 늑골과 연관된 근육이죠.

소흉근은 대흉근보다 탄력도가 떨어지고 뼈 안쪽에서 움직임이 있습니다. 피부를 들어내면 대흉근이 나옵니다. 대흉근을 이렇게 들어내면 소흉근이 나오죠. 소흉근을 들춰내면 전거근의 한쪽 부분이 연결되어 있습니다. 그러니까 전거근 위에 있는 근육으로서 대흉근의 안쪽에 있으면서 목에서 내려오는 상완신경이 상완신경 중 팔로 내려가는 길목에 있는 근육으로 호흡의 보조근 역할을 하지요.

또 팔의 움직임, 가슴 호흡의 움직임에 보조를 주는 근육입니다. 소흉근쪽에 있는 틈 쪽으로 상완신경이 내려갑니다. 치유 근육학적 관점으로 한 번 설명을 해볼게요.

목디스크와 허리디스크의 두 가지 디스크를 생각해봅시다.

디스크 자체에 신경이 눌려서 다리로 내려가는 증상을 허리디스크라고 얘기합니다. 그러나 허리 자체가 눌리지 않고도 다리로 내려가는 증상이 올 수가 있죠. 우리는 그 증상을 좌골신경통 또는 이상근증후군의 두 가지로 나눠서 문제적인 요소를 찾아내기도 합니다.

그러나 목디스크에 있는 것들도 마찬가지로 한 가지로 연결시키면 목의 신경 자체가 팔로 내려간다는거죠. 목을 나와서 사각근을 통해서 쇄골하근 밑으로 지나간 다음에 소흉근을 통해서 팔로 내려갑니다. 그런데 목디스크가 아니더라도 일단은 쇄골동정맥과 쇄골라인에서 압박을 당하면 팔쪽이 목하고 어깨 쪽, 팔쪽에서 이렇게 정중신경 라인에서 감각이 둔해지는 증상이 나타납니다. 우리는 그 증상을 흉곽출구증후군(Thoracic outlet syndrome)이라고 부르죠.

이렇게 나타나는 증상이 하나 있고, 다른 한 가지는 여기서는 멀쩡한데 소흉근에서 압박이 와서 팔로 증상이 내려가서 팔이 붓거나 팔 저리거나 부종이 오는 현상들이 나타나기도 합니다. 그렇다면 소흉근에서 나타나는 것, 흉곽출구증후근이 나타나는 것, 한 가지 더 말한다면 사각근에서 내려가는 증상의 세 가지 중에서 소흉근하고 사각근의 증상을 여러분들이 구분을 할 줄 아셔야 됩니다.

고객이 오셔서 팔이 저리다고 호소합니다. "원장님 팔이 저립니다."라고 했을 때 우리는 무조건 목디스크라고 단정을 지으면 안 됩니다.

목디스크라고 단정을 짓게 되면 그 증상 자체가 목에서 기인해서 팔로 내려가는 증상으로 봐야 하는데, 팔이 저려서 내려간다는 증상을 인지했을 때는 먼저 테스트를 해봐야 하죠.

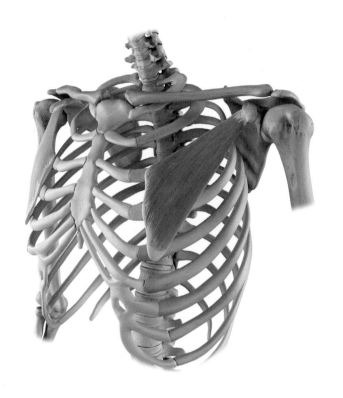

먼저 팔을 들어보라고 합니다. 들었을 때 사각근 라인이 열리면서 틈에 여유가 생기면서 저린게 없어지면 목디스크가 아니고 사각근에서 눌리고 있는 증상이에요.

"올렸는데도 저립니다. 그런데 차렷 자세에서 뒤로 팔을 쭉 뺐을 때는 저린 게 없어졌어요." 이때는 소흉근이 눌리고 있는 증상이에요.

그러니까 올려도 저리거나 내려도 저리다는 어떤 증상이 연계되어 있다고 한다면 일단 목디스크로 의심이 가는거고, 올렸을 때 저림이 없어지면 사각근의 관점에서 관리를 하는 거구요. 내려서 팔을 뒤로 뺐을 때 저림이 없다면 소흉근의 관점에서 여러분 보셔야 됩니다.

나이가 들면 우리 몸은 근육이 위축되고, 대부분 짧아지고 좁아집니다. 그러면서 그쪽에는 혈액순환이 안 되게 되죠. 나이 드신 어르신들이 몸이 아파하는 이유들도 근육이 위축되기 때문에 그렇죠. 그래서 따뜻한 물에 들어가면 그 증상이 없어지거나, 스트레칭을 하면 어떤 증상은 개선되는데, 문제는 왼쪽과 오른쪽을 놓고 기준을 놓고 생각을 해봐야 됩니다.

우리의 오른쪽 가슴에는 심장이 있고, 림프의 70%가 왼쪽 라인에 있습니다. 그러다 보니까 나이가 들면서 다른 근육이 위축되는 것은 우리가 어느 정도 용납할 수 있다 치더라도, 이 소흉근이 짧아져서 심장으로 들어가는 혈관계에 어떤 압박이 일어나게 된다면 심장에 들어가는 혈액이 원활하지 않게 됩니다.

마치 자동차를 운전할 때 연료가 떨어지면 차가 시동이 꺼져가는 것처럼 안타까운 모습. 우리는 그 상황을 심근경색이라고 합니다.

그래서 소흉근의 관리는 심장에 영향을 줄 수 있어요. 다시 얘기하면 심혈관계의 증상과 개선에 영향을 줄 수 있는 것은 소흉근이며, 소흉근을 통해서 우리 몸에서 개선시킬 수 있는 또 하나의 그림을 찾을 수 있어요.

따라서 30대 이후의 분들은 팔을 올린 상태에서 소흉근을 뜯어서 관리할 때 여러분들은 신경을 써야 됩니다. 소흉근의 관점에서 치유적 근육학을 공부하였습니다.

힘내세요.

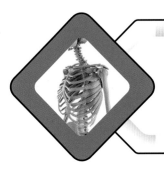

전거근

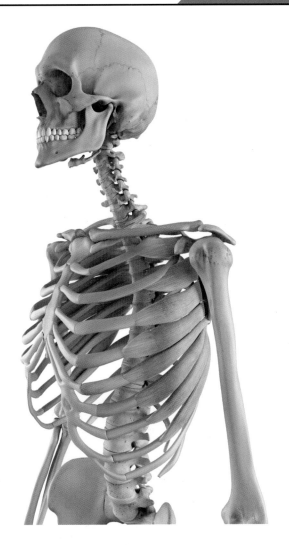

소흉근 밑에는 우리가 늘 얘기하는 옆구리살이라고 표현하는 갈비살 모양의 전거근이 연결되어 있습니다. 이 **전거근**의 통증을 호소하는 여러 가지 증상 중에서 골프 치시는 분들이 옆구리가 아프다고 병원에 가서 엑스레이를 찍어 봐서 골절 유무를 확인합니다. 골절 유무를 확인해서 골절이 아니라고 하면 병원에서는 건초염으로 보고 물리치료를 하거나 전기치료를 해주죠.

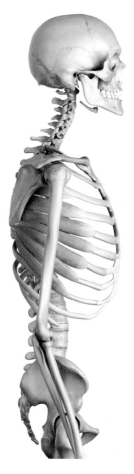

그런데 그것이 왼쪽 전거근이면 함부로 전기치료를 할 수 있는 상황이 아니고, 수기적인 요소도 함부로 시행할 수 있는 그런 포인트가 또 아니기도 합니다.

전거근의 지배신경 자체가 경추 5번에서부터 7번 라인에서 나왔어요. 사각근을 통해서 쫙 내려갑니다. 우리는 이 신경을 장흉신경이라고 부릅니다. 장흉신경이 전거근을 지나서 오른쪽 라인은 간까지 약간 영향을 주게 되는 하나의 신경줄기에요.

그래서 여러분들은 이 전거근의 통증을 단순히 옆구리의 증상으로 보셔서 옆구리를 어떤 강한 도구로 비비거나 세게 누르면 늑간 통증을 호소해서 호흡에 영향을 주는 늑간통까지 오게 됩니다.

전거근의 통증을 해결할 수 있는 방법은 사각근을 풀고, 사각근을 늘려서 벌려주는 거죠. 늘리고 벌려주고, 벌리고 늘려주는 과정에서 상완신경이 흘러가는 라인을 충분히 풀어주게 되지요. 이게 원활하게 될 수 있도록 소통시켜주는데, 이 근육은 늑간에 붙어 있는 근육이기 때문에 일반적인 다른 근육처럼 푹신푹신 하거나 탄력도가 있거나 충격을 잘 흡수할 수 있는 근육이 아니기 때문이에요.

이 전거근을 풀어줄 수 있는 방법은 전거근과 연결되는 라인을 보셔야 되요.

자 보세요. 치유적 관점의 근육학이에요.

어떤 여러분들이 메디컬적 또는 아나토미적인 해부학적인 근육학 관점으로 보시지 마시란 얘기에요. 관리적인 차원에서 전거근을 본다면 이 전거근을 풀 수 있는 키포인트를 찾을 수 있을거예요.

이것은 사각근이라고 알려드렸잖아요. 전거근이 배쪽으로 흘러가는 외복사근과 붙어 있습니다. 그렇다면 전거근의 문제는 배쪽에 있는 외복사근의 흐름을 풀어주면 좋아지겠지요. 이 전거근은 뒤쪽으로 넘어가서 견갑골 밑으로 지나서 등쪽에 있는 늑간으로 쭉 연결되죠. 우리는 그 근육을 능형근(Rhomboid muscles)이라고 합니다.

그러니까 능형근과 전거근과 외복사근을 하나의 흐름으로 볼 때 두 개의 흐름을 같이 풀어줘야지 전거근에 영향을 준다는 거죠. 여러분들이 잘못 관리해서 전거근을 비

비거나 누르면 그것 때문에 호흡에 영향을 주고, 잘못하면 늑막염까지 올 수 있는 상황
이 오거든요.

그렇기 때문에 있는 능형근을 어떤 충격을 주지 않고 잘 풀어주고, 그다음에 배에
있는 외복사근을 풀어준 다음에 전거근 자체는 흔들어주거나 롤핑(rolfing)적인 요소
로, 그 라인을 풀어서 에너지를 잡아주는 동작으로 관리를 하셔야 됩니다.

욕심을 가지고 관리하면 근육은 다치게 되어 있어요. 항상 근육 자체에 문제가 오는
게 아니라 근육이 뼈와 연결되는 부분, 우리는 그 부분을 힘줄 또는 건(tendon)이라고
부릅니다. 이 건 부분에서 오는 문제이기 때문에 여러분들은 이 건 부분의 포인트를
잡기 위해서 그 부분을 너무 크거나 넓게 잡지 말고 작게 조밀조밀 관리해준다면 충분
한 효과를 보실 수 있습니다.

단순히 통증뿐만 아니라 여성분들이 많이 호소하는 "옆구리살을 빼고 싶어요."라고
찾아오시는 분들도 마찬가지입니다. 사각근을 통해서 에너지를 좋게 해주고 외복사근과
등에 있는 능형근을 관리함으로 인해서 외복사근과 능형근을 통한 전거근의 어떤 관리
와 또 전거근을 직접적으로 관리할 때는 롤핑과 흔들어주는, 바이브레이션 정도의 가
벼운 손으로 주는 파동을 얘기합니다. 어떤 기계적인 요소가 아니구요. 이런 것들 자
체가 몸을 살려주는 요법이라고 할 수 있습니다.

여러분들 생각해보세요. 고객이 호소해요. "아, 나 옆구리가 너무 아파요. 그런데 여
러분들은 목을 풀고 있어요." 설명이 원활하지 않으면 고객은 이해를 못합니다. 그래
서 제가 늘 주장하는 거는 이론이 받침되지 않는 수기는 수기가 아니다. 여러분들이
그런 설명할 수 없는 수기동작을 일으키고 있으면 여러분들은 잘 하고 있더라도 고객
은 인정하지 않습니다.

그런 고객은 다시 여러분들을 찾지 않습니다. 힘들고 어려워도요. 이론적 바탕이 있
는 수기, 그리고 여러분 스스로가 마음적으로 충분히 이해하고 그 바탕 위에서 고객을
충분히 만족시킬 수 있는 수기요법의 전문가가 되시기 바랍니다.

힘내세요.

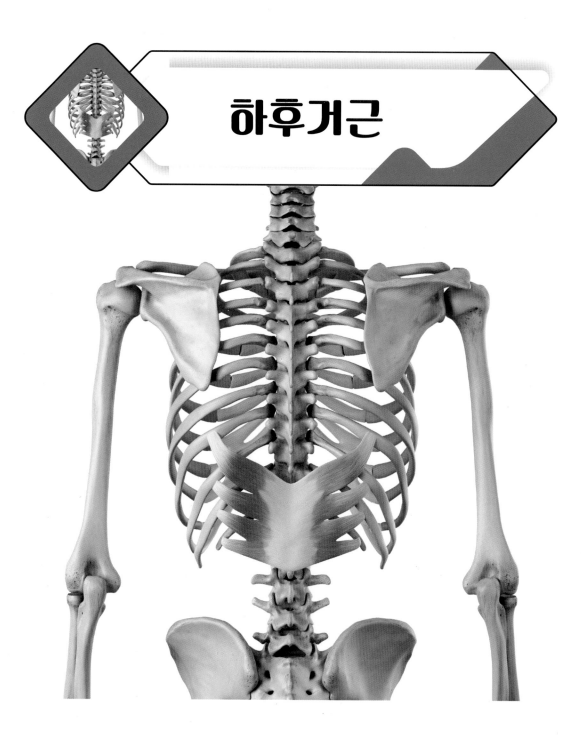

하후거근

하후거근은 '선생님 근육'이라고도 하고, '성가신 자녀요통'이라고도 합니다. 우리 인체에서 마지막까지 통증이 남아 있으면 거의 하후거근의 영향이라고 보시면 됩니다.

여러분들이 이 하후거근은 가장 안쪽에 있으면서 선생님들이 통증을 호소한다고 표현됐던 이유는 뭐냐면, 몸을 반쯤 기울여서 몸의 각도를 또는 몸의 틀어짐을 마지막까지 잡아주는 근육이기 때문에 성가신 자녀요통 또는 허리의 장난꾸러기 통증이라고도 표현을 하죠.

기침을 하고 허리가 아프면 요방형근입니다. 우리가 기침을 할 때 허리가 아프거나 어떤 동작을 했을 때 허리가 아플 때 그 주범은 요방형근으로 보죠. 요방형근의 문제는 바지가 끌릴 때 아프고, 또 바지가 끌리거나 돌아앉지 못하거나, 잘 때 허리가 아픈 모든 증상들과 일반적으로 기침할 때 허리 아픈 것까지는 요방형근이죠.

근데 기침할 때 허리가 아픈 것과 상관 없이 허리통증이 우리에게 남아 있으면 거의 하후거근입니다. 우리 몸을 45도까지 굽혔을 때 45도 밑으로 내려가는 것은 척주기립근이 받아주지 못합니다. 그 안쪽에서 일어나는 것은 거의 뼈 쪽에서 또는 그 안에 있는 최고의 그 척추 안쪽에서 증상이 들어오기 때문에 그때 문제가 오게 되면 좀 많이 다치거나 통증이 오게 되죠.

여러분들이 허리의 통증의 일반적인 것들은 디스크, 아니면 염좌, 척추관협착증, 전방전위증, 척추분리증, 또 한의학적으로는 요·신허요통 등으로 나눠지기도 합니다.

우리가 고객관리할 때 허리는 다 좋아지신 것 같은데 마지막까지 증상이 크게 개선되지 않거나, 이 근육은 다 나은 것 같은데 속이 불편하다고 했을 때 마지막까지 허리통증이 나타나는 것이 하후거근입니다.

그래서 여러분들은 하후거근을 통한 관리는 허리의 마지막까지 오는 통증의 하나이고, 허리 증상의 마지막 과정으로 보시면 됩니다.

능형근

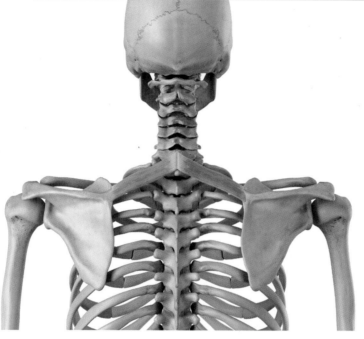

겉의 통증과 깊은 등 속의 통증과 라운드 숄더(Round shoulder)

소흉근 · 견갑거근과 형성되는 힘의 균형이고 통증 유발

견갑골 안쪽으로 통증을 유발한다.

능형근은 견갑골을 사이에 두고 전거근과 장력싸움을 하는 근육이다.

능형근은 목디스크가 있을 때, 일자목일 때 통증을 유발한다.

목디스크(dorsal scapular nerve C4,5)로 능형근이 마비되면 견갑골 불안정성이 심해진다.

능형근은 견갑골을 모아주는 근육으로 승모근 중부 · 하부와 밀접한 관계를 갖는다.

능형근은 흉추의 전만과 후만에 관여하고 심장과 연관되는 근육이다.

견갑골 외전은 전거근이고, 능형근은 전거근과 함께 살펴야 하고, 능형근을 이완시키는 근육은 대흉근이다. 그래서 반드시 대흉근도 함께 살펴야 한다.

소능형근은 견갑극에 부착되며, 위쪽 견갑상극에는 견갑거근이 부착되어 있다.

시작	소능형근C7-T1의 극돌기
정지	견갑극근~하각의 견갑골 척추연
	대능형근T1-T7의 극돌기
기능	견갑골을 내전(후인), 거상, 하방회전→상완의 강력한 내전과 신전 보조
	저항에 대항해 앞으로 밀 때 날개형 견갑골을 방지 팔굽혀펴기
신경	견갑배신경 경추 4번 5번 – 사각근 관리!!!
동작	주된 협력근 : 승모근
길항근	대흉근, 소흉근

문제는 대부분 자세불량에서 초래된다.

☞ 장시간 앞으로 기대거나 라운드 숄더자세로 일하는 것(글쓰기, 작업)에 의해

강력한 대흉근에 대항하느라 쉽게 망가지는 근육

☞ 안정 시 천층의 쑤시는 통증(자세와 상관없다)
☞ 견갑하근, 승모근(특히 중부), 극하근의 통증 포인트를 먼저 제거하여야만 능형근이 드러난다.

연관 통증

☞ 대·· 소흉근 → 승모근 중부, 능형근

능형근에 대해 설명할게요. 우리는 승모근 안에 들어 있는 근육을 확인할 수 있어요.

승모근은 겉의 천층에 있고, 그다음 층에는 능형근이 들어 있습니다.

능형근의 지배신경은 견갑배신경인데요. 경추 5번에서 그 신경이 나와요. 사각근을 통해서 왔다가 한 줄기가 뒤로 넘어갑니다. 넘어가서 등쪽에서 내려 가면서 두 개의

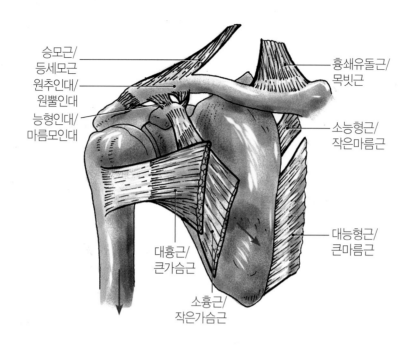

승모근/
등세모근
원추인대/
원뿔인대
능형인대/
마름모인대

흉쇄유돌근/
목빗근

소능형근/
작은마름근

대능형근/
큰마름근

대흉근/
큰가슴근

대능형근/
큰마름근

소흉근/
작은가슴근

신경을 지배하는데, 그 근육이 신경을 지배하는 데 신경의 하나는 견갑거근하고, 다른 것은 능형근입니다.

여러분들이 알고 있듯이 어깨를 이렇게 모아주기 등에서 미닫이 문을 드르륵 문을 열 때, 라운드숄더 어깨가 말리는 것 등이 튀어나오는 후만, 앞으로 나오는 전만의 영향을 줘요.

이 근육이 문제가 생기면 능형근에만 문제를 일으키는 게 아니라, 목디스크가 오게 되어 능형근 자체도 약간 마비감이 오면서 근육이 위축되어 견갑골에 언밸런스가 오게 되요. 견갑골을 뒤에서 모아주는 역할을 하는 게 견갑 중부인데, 승모근 중부와 하부 근육하고도 그 역할을 같이 합니다.

이때 능형근을 보면 그 가운데 안쪽에, 사실은 능형근 안쪽에 들어 있는 상후거근이라는 근육이 있는데, 이곳의 통증을 한의학적으로는 고황의 통증이라고하여 심장과 연관된다고 표현합니다.

겉으로 볼 때는 승모근이고, 능형근이고, 상후거근이지만, 이곳의 문제는 결국 심장 안에서까지 영향을 주기 때문에 결국은 능형근도 심장에 영향을 주는 근육이라고 표현합니다.

여러분들이 능형근을 통해서 얻을 수 있거나 해결할 수 있는 것 중의 능형근하고 전거근이 하나의 장력에 의해서 맞닿아 있지만 사실 하나의 근육으로 본다는 것이에요.

옆구리에 문제가 있거나 옆구리살을 빼고 싶으면 능형근을 통해서 해결을 해주기도 합니다.

옆구리에 있는 전거근을 잘못 만지면 늑막염 같은 증상이 올 수도 있어요.

또, 등에 오는 통증이 있어요. 등쪽에 오는 전반적인 통증 중에서 능형근 안쪽에서 오는 통증처럼 잔존할 때에는 극하근부터 먼저 살펴봐야 합니다. 극하근의 통증을 먼저 해결해줘야지 능형근의 통증이 올라옵니다.

다시 정리 해보면 능형근은 우리 뒤쪽에서 견갑골을 안쪽으로 모아주는 근육이고, 이것의 통증은 심장과도 연관이 있고, 여기의 문제는 견갑거근과 같이 견갑배신경이 지배를 하고, 또 목디스크가 오게 됐을 때 여기에 문제가 생기면 견갑근의 언밸런스가 생기기도 한다는 것입니다. 또 여러분들이 이제 여기가 문제가 생기면 라운드숄더, 안쪽으로 모아주는 문제, 전만, 후만 등 어깨에 관련된 문제를 전반적으로 설명하구요. 결국 능형근의 안정을 찾으려면 그 길항인 반대에 있는 대흉근이 힘의 에너지가 균형이 맞아야지 능형근의 에너지도 맞다고 봅니다.

결국 치유 근육학적 관점에서 볼 때는 대흉근을 컨트롤하는 하나의 근육으로 보세요. 대흉근은 목의 각도를 컨트롤하기 위한 하나의 근육, 그다음에 등 쪽으로 오는 통증의 근육, 목디스크가 왔을 때 해결해줄 수 있는 근육, 라운드숄더나 어깨가 말려 있는 증상이나 후만·전만의 했을 때 근육, 극하근에 통증이 왔을 때 통증을 해결해주는 근육 등으로 보세요.

그 깊이는 승모근 안에 들어 있는 근육이면서 그 연계와 상후거근과 승모근과 연결되는 근육. 또, 대흉근과 길항적인 요소를 또 어쩌면 같이 가는 근육. 또 전거근과 연결되는 하나의 근육. 이런 식으로 여러분들이 하나의 큰 그림을 보면서 능형근을 조금 이해를 하셔야 될 것 같습니다.

그냥 근육 하나만 보면서 아 시작점이 뭐야? 정지점이 뭐야? 이렇게 보지 마시고. 그 근육이 전반적으로 연결되는 하나의 큰 그림을 보시구요. 여기에 대한 실기 영상은 유튜브에도 계속 올라갑니다.

능형근에 대한 이야기를 계속하겠습니다. 능형근은 등쪽의 근육인데, 승모근 안쪽의 근육이고 견갑골 내측에 있는 근육입니다. 이 근육에 통증이 오면 견갑골쪽 안쪽에 통증이 나타나는 트리거 포인트가 나타납니다.

능형근이랑 짝을 이루는 근육은 대흉근·전거근이며, 능형근은 가만히 있어도 통증이 와요. 이것은 작업을 하거나, 어떤 것을 들거나 통증의 양상이 갑자기 나타나는 것이 아니라 가만히 있어도 통증이 오는 근육입니다.

겉의 통증과 등쪽의 깊은 통증과 라운드숄더와 관여하게 되고, 소흉근·견갑거근과 형성되는 힘의 균형이 통증을 유발합니다.

목디스크하고도 연관이 됩니다. 견갑배신경...경추 4번과 5번 사이에서 나와서 하나의 줄기가 나오는 견갑배신경의 지배를 받아요. 능형근은 견갑골과 같이 견갑배신경의 지배를 받기 때문에 실질적으로 풀어줄 때에는 등쪽에서도 풀어주지만, 일단은 사각근 라인부터 풀어주어야 합니다.

목디스크가 있으면 근육 자체가 약해져서 어깨가 약해서 앞쪽으로 쏠려나오는 양상이 됩니다. 흉추의 전만과 후만에도 관여하는 그런 근육입니다.

소능형근은 경추 7번에서 흉추 11번의 극돌기에서 시작하고, 견갑극근 하각의 척추변에서 끝나고, 대능형근은 흉추 1번에서부터 흉추 7번의 극돌기에서 끝나게 됩니다.

기능은 견갑골의 내전, 후인, 거상, 하방외전, 상완의 강력한 내전과 신전을 보조하고 저항에 대항을 해서 앞으로 밀 때에 어깨 나가는 견갑골을 방지해 줍니다. 팔굽혀펴기 할 때 도움을 줍니다.

신경은 견갑배신경이 지배를 하고, 동작의 주된 근육은 승모근과 연관되어 있고, 갈항근은 대흉근하고 소흉근입니다.

문제는 능형근이 자세불량하고도 연관이 되는데, 굽히고 쓰는 동작, 컴퓨터를 하거나 작업을 하는 동작에서 많이 문제가 됩니다.

안정시 편안해도 통증을 유발하기 때문에 이곳에 통증이 오게 되면 극하근도 같이 봐주어야 합니다.

능형근을 볼 때에는 승모근의 안쪽에 있는 근육이라는 것을 잊지마세요.

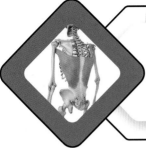

광배근

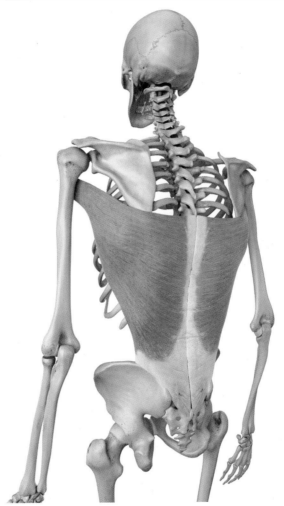

광배근에 대한 설명을 드리겠습니다.

등쪽에 넓게 퍼져 있어서 광배근을 '박태환 근육', '수영선수 근육'이라고도 하며, 등쪽에서 V자 모양으로 쫙 뻗어져 있는 근육입니다.

여러분들은 광배근이 등에서부터 넓게 퍼져 있어서 전체적으로 등에 관련된 근육으로 생각하게 됩니다. 꼬리뼈 라인에서부터 상완골 뒤쪽까지 연결되어 있습니다.

이 근육이 넓기 때문에 전반적으로 우리 몸에 담이라는 결리고 통증에 관련된 근육이라고 생각합니다. 담이랑 연관되어 있다는 것이 틀렸어요. 담은 아예 움직이지 못하게 브레이크가 걸린 거고, 결리는 거는 움직임은 있되 통증이 오는 거죠.

광배근은 넓게 뻗어서 꼬리뼈까지 연결되기 때문에 오십견이나 어깨에 문제가 있을 때 광배근의 연결라인까지인 꼬리뼈까지 풀어줘야 된다는 전제조건이 있어요. 허리통증의 주범은 못 되지만, 동조자으로서의 역할은 아주 톡톡히 하는 근육입니다.

허리통증의 주범을 우리는 요방형근으로 잡죠. 요방형근에 문제가 왔을 때는 허리통증이 왔다라고 하죠. 요방형근 한 번 짚고 넘어갈게요.

요방형근의 문제는 기침할 때 아프고, 바지가 한쪽이 끌리고 돌아눕지 못하구요.

자다가 허리가 아프다고 한다면 요방형근이죠. 그런데 요방형근의 통증은 요방형근 혼자서 절대로 작동하지 않아요. 요방형근은 광배근하고 하후거근하고 통증이 같이 시작됩니다. 그래서 증상 자체는 요방형근, 광배근, 하후거근의 증상부터 시작이 되지만 그 치료는 반대인 장요근의 에너지를 풀어야 됩니다.

결국 허리의 문제는 허리에서 해결하는 게 아니라 배를 통해서 그 에너지를 풀어야 됩니다.

제가 여러분들에게 치유적인 설명과 임상 실기를 많이 보여주는데, 허리가 아파서 업혀서 들어오신 분들, 급성 요통으로 꼼짝 못하고 오시는 분도 허리를 풀지 않습니다.

복식호흡을 하게끔 하고 소장을 민 다음에 간이 충분히 움직일 수 있는 공간을 확보해놓으면 대부분 통증은 사라지게 됩니다. 그래서 여러분들은 꼭 통증있는 부위만 보지 마세요. 항상 거기와 반대의 힘, 즉 길항의 에너지를 보면서 풀어줘야 됩니다.

이 영상들을 계속 반복적으로 보면 "제가 허리가 아프다는 고객을 전제조건으로 놓고 급성 요통이든 어떤 요통이든 간에 허리를 풀어놓으면 근육이 완전히 이완되어서 고객이 일어나지 못하는 상황이 올 수 있습니다."라고 얘기합니다.

사실 고객이 일어나지 못해도 등척성 운동과 여러 가지 저항운동을 시켜서 다리와 복부와 골반에 충분한 운동을 하게 하면 고객들은 그 상태로 회복하게 됩니다.

그러니 "여러분들은 그런 경험이 없고, 두려움이 앞서기 때문에 눕히지 마십시오."

라고 수업시간에 상당히 많이 얘기합니다. 그러나 안 눕힐 순 없는 상황이잖아요. 눕혔을 때는 요방형근과 광배근, 하후거근이 문제가 됐지만, "내가 그곳에 손을 대면 이 사람이 일어나지 못하겠구나."라는 생각을 가지시고 배에 있는 장요근을 풀어서 안쪽에 있는 소장까지 에너지를 전체적으로 돌려서 풀어주셔야 됩니다.

결국 광배근이라는 근육은 허리움직임의 주동적인 역할을 하는 건 아니지만 광배근을 해결해주지 않으면 허리에서 일어나는 증상이 해결되지 않습니다. 그러나 그 자체를 광배근이 아니고 배에 있는 장요근으로 봐야 된다는 겁니다.

그래서 이제 여러분들이 광배근도 그렇고 제가 앞으로 요방형근, 그다음에 다시 한번 장요근을 볼 것이고, 그리고 허리 주변에서 싸고 있는 척주기립근들, 또 그 옆에 있는 외복사근부터 전체적으로 어디 하나 통증이 관여 안 하는 근육은 없습니다.

수기요법이라 하다보면 어떠한 상황이든 항상 전신관리를 들어가게 되거든요. 전체 근육을 풀어주게 되지요. 이제 여러분들은 공부하다 보니까 공식이 필요해요. 예를 들어 어깨통증은 극상근, 치료는 소원근, 허리의 주범은 요방형근, 그 관리는 광배근과 더불어 배에 있는 장요근. 자꾸 이런 공식을 알려줘야지 여러분들이 편하시기 때문에 일단 오늘의 공식은 허리에 통증이 오면 요방형근을 동조하는 광배근과 하후거근이 같이 아프고, 어깨의 증상이 나타나도 광배근의 증상까지 같이 꼬리뼈까지 풀어준다는 것을 오늘 치유적 근육학의 개념으로 광배근을 한번 다시 한번 생각해보기 바랍니다.

힘내시구요. 근육은 잘라서 공부하는 것도 재밌지만, 함께 늘려서 같이 공부하는 것도 재밌습니다.

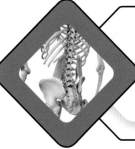

요방형근

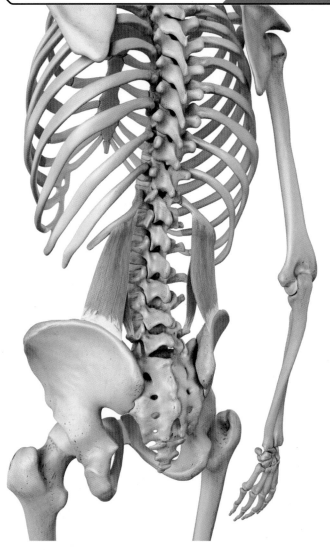

오늘은 **요방형근**에 대한 보강을 하겠습니다.

허리통증을 일으키는 주범인 요방형근. 치유 근육학 관점에서는 요방형근을 어떻게 볼것이고, 요방형근을 어떻게 관리할 것인가 생각해보기로 합니다.

요방형근은 허리통증의 주범입니다.

요방형근은 척추와 늑골과 골반에 붙어 있고, 위에는 통증을 일으키면서도 혼자서 절대 그 상황을 인지시키지 않구요. 우리 몸에서는 동조하는 근육이 있습니다. 광배근 하고 하후거근이 허리통증을 동조하죠.

그러나 요방형근 하나만의 증상을 가지고서 생각해 볼 게 있어요. 요방형근에 문제가 오면 일단은 기침할 때 아파요. 돌아눕지 못하구요. 또는 바지가 끌리구요. 잠잘 때 허리가 아픕니다.

허리통증을 우리는 요방형근 혹은 광배근·하후거근이 협응해서 일어난다면 관리는 과연 허리에서 해야 될 것인가 생각해봐야 됩니다.

우리는 힘의 균형 중에서 길항이라는 요소를 생각하게 됩니다. 제가 두 손을 이렇게 맞댔습니다. 그러면 한쪽에서 대는 힘과 반대쪽에서 받는 힘이 서로 어떤 의지적인 요소가 될 때 그 힘이 유지되겠죠. 우리는 그 상황을 길항, 즉 반대의 힘이라고 합니다.

허리의 증상의 대부분은 허리 자체의 큰 문제를 가지고 허리 자체를 해결하려고 하시면 안 됩니다. 여러분들이 저랑같이 공부하고 제가 30년 동안 임상을 하면서 배운 노하우를 전달할 때는 제가 반드시 복부를 통해서 해결하라고 설명했죠.

여러분들은 "허리의 문제는 허리에서 해결하지 않는다. 허리의 문제는 배를 통해서 해결한다. 그것은 곧 길항작용을 해서 해결한다. 허리의 문제는 요방형근, 광배근, 하후거근이 문제를 일으키므로 그 해결은 배에 있는 장요근을 통해서 해결한다."라고 알고 있어야 합니다.

실질적으로 여러분들이 잘 해부해서 보면 요방형근은 저 뒤에 깊은 곳에 있습니다. 요방형근과 연결된 요추 1번 라인을 다시 한번 생각해보게 합니다. 우리 몸에서 척수 신경이 일자로 쭉 내려오다가 갑자기 확 달라지는 지점이 요추 1번입니다.

우리는 요추 1번을 하지 관리의 시작점이라고도 생각할 수 있습니다.

허리통증은 요방형근에서부터 시작된다고 하지만, 요방형근은 혼자서 그 증상을 일으키지 않습니다. 따라서 주변의 근육을 같이 봐주면서 그 근육이 단순히 허리만의 문제가 아닌 전체적인 등쪽 허리의 문제를 해결해주는 근육으로 보고, 그 문제 해결은 배에 있는 장요근을 통해서 해결한다고 보시면 됩니다.

기침을 할 때 허리가 아프다, 돌아눕지 못한다, 바지가 끌린다, 잠잘 때 허리가 아프다 등은 일반적인 허리의 통증이구요.

여성분들, 특히 30대 중반의 여성들이 오셔서 허리가 아프다라고 했을 때 일단은 이거는 살짝 덮어두구요.

여자분들의 해결 상황을 보자면 첫째 변비가 있는지 확인을 하셔야 됩니다. 둘째로는 자궁에 어떤 문제가 있으시면 허리에 통증이 오기 때문에 근종이나 자궁에 문제가 있는지 확인을 해야 되고, 세 번째는 여기에 문제가 없다라고 했을 때 여자분들은 갑자기 살이 찌거나 피임기구 착용이 오래됐을 때, 루프나 이런 것들 때문에 오는 증상도 있다는 것을 인지하셔야 됩니다.

여러분들이 통증의 원인을 알고 있거나 그 상황을 이해하고 있을 때는 물론 교과서적으로 허리의 문제는 허리 자체로 봐야 되고, 현재 아픈 포인트로 봐야 되고, 거기를 만져봐야 되고, 또 느껴봐야 되고, 그 증상이 언제부터 왔냐부터 물어봐야 됩니다. 그러나 허리의 문제는 교과서적으로 나오는 것보다 일단 경험학적으로 또는 치유학적으로 요방형근이라는 큰 근육을 먼저 놓고, 그런 문제가 기침할 때 아프지 않거나 어떤 문제가 아프지 않다면 일단은 허리 자체의 문제가 아닌 또 다른 문제가 온다고 보셔야 됩니다.

기력이 떨어져도 허리가 아파요. 우리는 그것을 신허요통의 개념으로 봅니다. 신허는 몸의 에너지적인 요소입니다. 그러나 신허인지, 또 변비가 심한 건지, 자궁에 문제가 있는지, 아니면 신장이나 내장기 기능이 떨어져서 오는 기능적인 요소인지도 확인을 해봐야 합니다. 또한 다쳐서 오는 증상과 어떤 상황 때문에 밸런스가 깨져서 오는 증상과, 안쪽의 힘과 바깥의 힘의 길항이 깨져서 오는 여러 가지 상황을 고려해서 허리를 보셔야 됩니다.

그래서 여러분들이 저랑같이 실기하면서 "허리의 문제는 과연 어디에서부터 다가가야 할 것이냐?"라는 고민도 해보셔야 됩니다.

장요근

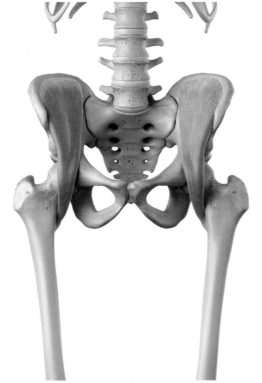

장골근/엉덩근

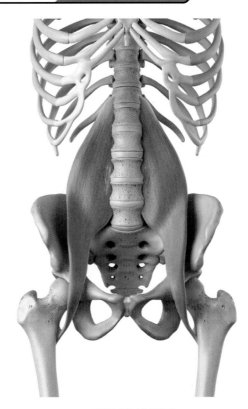

대요근/큰허리근

장골근하고 대요근을 합하여 우리는 장요근이라고 합니다. 이 **장요근**은 횡격막에 붙어 있습니다. 그래서 허리하고 골반과 그다음에 대퇴, 심하면 무릎까지 연결될 수 있는 하나의 근육입니다.

여러분들이 몸을 바로 세워주는 축이 되는 근육인데, 이게 짧아지면 오리궁둥이가 되서 대퇴근막장근하고 장경인대에 영향을 주면서 무릎에도 영향을 줍니다.

짐승은 장요근이 짧아서 두 발로 걷지 못하는 상황이 되구요. 어르신들이 나이가 들수록 몸이 굽어지는 것도 장요근의 영향입니다.

제가 설명했던 것 중의 하나가 바지가 끌릴 때는 요방형근이고, 치마가 돌아가거나 바지가 옆으로 돌아가는 상황은 거의 장요근의 문제입니다.

여기서 제가 책에 없는 실전적인 치유테크닉을 설명드리고 싶은 것이 있습니다. 허리통증을 유발하는 것은 요방형근이라고 그랬고, 요방형근은 허리통증을 혼자서 일으키지 않습니다. 그러니까 요방형근은 광배근하고 하후거근하고 같이 통증을 일으킵니다. 그 관리는 반드시 배에 있는 장요근을 통해서 길항적인 힘의 요소를 해결해줘야 된다고 설명드렸었습니다. 다시 한번 설명드리면 "허리의 문제는 허리에서 느낌이 있고 통증이 있을지언정 그 관리 자체는 배에 있는 장요근을 통해서 한다."라는 거죠.

우리가 다리가 약해지면 대퇴골쪽에서 연발로 뚝뚝 소리가 나기도 하구요. 또 서 있을 때 통증이 오기도 합니다. 이때에는 밸런스를 고쳐야 되는데, 장요근은 실질적으로 소장 뒤에 숨어 있기 때문에 왼쪽을 밀어주면서 자극을 주고 스트레칭을 해줘야 됩니다.

똑바로 누운 상태에서 한쪽 다리를 불편한 다리를 밑으로 떨어뜨려 줍니다. 떨어뜨려서 늘린 상태에서 그 부분을 핫팩이나 온열로 늘려주면서 스트레칭을 해주는 게 가장 좋습니다.

장요근은 횡격막에 붙어 있기 때문에 호흡과 연관된 근육이에요. 또 뒤에는 요방형근이 붙어 있죠. 그래서 숨쉬는 것하고도 연관이 있고, '배에 있는 허리근육', 또는 '숨겨진 악동같은 근육'이라고도 표현합니다.

또 장요근은 호흡과 연관이 되며 요추 전반, 오리궁뎅이 하고 연관됩니다. 여기에 문제가 생기면 허리에서부터 통증이 오면서 대퇴근막장근과 장경인대에도 긴장을 줘서 무릎에도 영향을 준다는 것을 잊지 마세요. 장요근의 관리는 스트레칭으로 풀어줘야 됩니다. 그리고 소장을 밀어서 장요근까지 깊은 마사지해주고 풀어줘야 됩니다.

서혜부에 통증이 오면 일단 걷는 운동 많이 하셔야 됩니다. 허리에 오는 통증은 우리가 수영이나 자유형이나 배영을 하라고 하고, 이 대퇴근막장근과 쭉 연결되듯이 오면서 여러분들이 알고 있는 장요근의 문제는 약간 경사진 곳을 걸어줘야지 그 증상이 많이 개선되구요. 스트레칭이 가장 효과적입니다.

나이가 들수록 장요근이 짧아지거나 힘이 빠지면 발을 끌고 다니게 되요. 질질질. 끌고 다니면서 끄는 힘 때문에 무릎의 근력도 떨어지게 되고, 몸의 균형도 떨어지고 골반의 경사각도도 움직이지 않기 때문에 몸의 전체적인 균형이 깨지죠.

중력 상황에 들어오지 않으면 몸은 망가지게 됩니다. 그러니까 여러분들이 체형적인 요소에서 중력 상황으로 들어올 수 있는 최소한의 균형적인 요소인 허리의 문제는 반드시 배를 통해서 해결해야 합니다. 즉 장요근을 통해서 해결합니다.

장요근은 골반에도 영향을 주고 요추 전반을 통해서 오리궁댕이와 연관될 수 있고, 무릎·고관절에서 소리가 날 수도 있습니다. 장요근의 문제는 결국 직립 보행과 연결이 되고, 또 대퇴근막장근하고 장경인대에 영향을 줘서 무릎의 통증에도 영향을 줍니다. 또 배에 숨어 있는 허리근육이라는 것을 잊지 말고 치유 근육학적 관점에서 한번 생각해보시기 바랍니다.

복직근

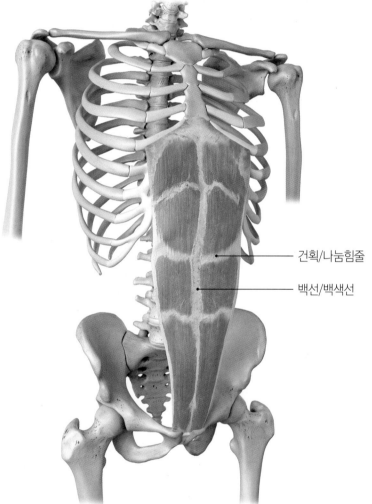

건획/나눔힘줄

백선/백색선

　복직근은 배에 있으면서 허리가 불편한 사람들이 운동을 해야하는 근육으로 착각하고 있는 근육입니다.

　이 복직근은 골반의 안정성을 강화하는 하나의 대표적인 근육으로 볼 수 있습니다. 그다음에 골반의 각도에도 영향을 미치는 아주 중요한 근육이라고 생각합니다.

그러나 여기에 문제가 생기면 우리 몸의 전반적인 내장기를 싸고 복횡근과 외복사근·내복사근의 어떤 연결고리에 문제가 있습니다.

복직근은 복횡근을 뚫고 들어가 있습니다. 그래서 복직근 자체는 골반 치골에서부터 늑골까지 연관되서 굴곡과 골반과 척추에도 영향을 주지만, 내장기를 잡고 있는 근육 중 복횡근을 보조해주는 근육이기도 하죠.

이 복직근을 활용할 수 있는 방법은 여자들이 유방암으로 유방을 절제했을 때 외부의 보형물이 아닌 근육으로 쓸 수 있는 근육이 이 복직근입니다. 그래서 이 복직근을 말아서 여성들의 유방을 만들어주기도 합니다.

이 복직근은 호흡하고도 연관이 됩니다. 복압하고도 연관이 되죠. 그래서 호흡적인 요소와 압력적인 요소를 같이 콘트롤해줍니다.

임신을 하게 되면 복직근 자체가 두 개로 벌어지면서 늘어나게 됩니다. 벌어졌다가 늘어졌다가 출산하게 되면 다시 원래대로 돌아오거든요.

우리는 이렇게 벌어져서 돌아오지 않는 상황을 복직근 이개증으로 부르기도 합니다. 그래서 늘어나는 탄력도와 벗어나는 힘의 에너지와 잡고 있는 힘의 에너지의 균형적인 요소가 연관됩니다.

복직근의 힘 하고 장요근의 힘의 밸런스를 생각해보셔야 되요. 치유 근육학적인 관점에서 배를 풀어준다는 것은 배의 에너지와 복직근의 에너지와 골반의 각도하고도 연관이 되지만, 저 안쪽에 있는 어떤 힘의 균형과 힘이 한쪽으로 타이트하게 늘어지게 되면 골반이 앞으로 전방경사가 되면서 엉덩이가 오리궁댕이라고 표현하는 요추정방형이 심해지면서 체형의 균형이 깨지게 됩니다.

그래서 디스크가 있거나 어떤 문제가 있을 때는 많은 분들이 윗몸일으키기 운동을 하라고 하는데, 신 교수가 주장하는 것은 증상이 있거나 통증이 있을 때는 절대 하지 말아야 될 1순위 운동이 윗몸일으키기 입니다.

그러나 근력적으로 밸런스가 맞아지면 운동을 해도 괜찮습니다. 배의 힘과 등쪽 힘이 일 대 일로 균형적인 요소가 맞을 때 우리는 그것을 길항적인 요소라고 하는데, 복직근의 밸런스가 깨졌을 때는 등쪽에서도 힘의 균형이 완전히 깨지게 되죠.

그리고 배를 싸고 있는 네 개의 근육층들은 복횡근과 복직근, 외복사근·내복사근입니다. 그러니까 겉에서부터 얘기하면 외복사근→내복사근→복직근→복횡근의 순으로 있기 때문에 그다음에 복직근과 복횡근 및 내장기를 싸고 있는 근육의 전체적인 균형과 밸런스가 맞아야 된다고 합니다.

물론 골반각도 영향을 줍니다. 복직근, 척주기립근, 대둔근, 햄스트링, 대퇴사두근이며, 외적으로 가장 중요한 외복사근의 영향을 주는 가장 큰 하나의 요소가 이 복직근이라고 보시면 될 겁니다.

복직근은 우리 힘의 균형과 원칙에 척추하고 대립되어 있는 아주 중요한 곳으로 여러분들이 복직근을 이해하시고 복직근을 활용하는 하나의 큰 그림을 보시구요. 올라오는 영상과 자료를 보시오.

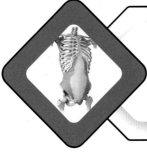

복횡근

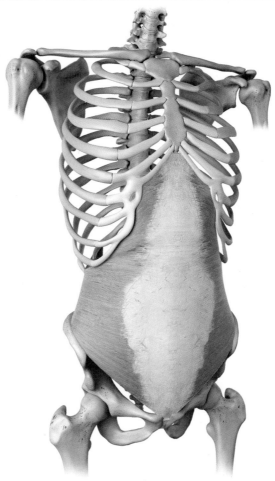

복횡근에 대한 미용학적 관점과 임상적 치유 근육학적 관점의 두 가지를 설명하겠습니다. 복횡근은 가장 안쪽에서 내장기를 싸고 있는 근육이죠. 그래서 이 복횡근을 코어 머슬(Core muscle)에 넣습니다.

코어 머슬이라는 것은 우리 인체를 지탱해주는 가장 근본적인 근육인데, core란 우리 몸의 핵심을 뜻합니다.

코어와 연관되는 근육을 주로 세 가지를 얘기하죠. 대표적으로 복횡근, 골반저근, 다열근이라고 얘기하지만, 승모근은 지배신경이 흉추 7번에서부터 12번까지의 레벨에서 복횡근을 지배합니다.

복횡근은 내장기를 가장 안쪽에서 싸고 있습니다. 복횡근이 이렇게 있으면 거기에서 이렇게 근육이 꽂아져서 연관됩니다. 이거는 복직근이죠. 그리고 겉에는 내복사근과 외복사근이 연결됩니다.

복횡근은 가장 안쪽에서 내장기를 싸고 있어서 '코르셋근육'이라고도 부릅니다. 이 복횡근에는 배가 나오는 것, 또 복부비만, 또 내장기 기능하고도 연관이 됩니다.

그런데 특이하게도 복부 가장 안쪽에서 있으면서도 복횡근과 힘의 균형을 길항으로 잡고 있는 것이 등쪽에 있는 승모근입니다. 승모근 기능의 문제가 생기면 복횡근조차도 앞으로 나오게 되구요. 승모근 기능이 타이트해지면 복횡근이 안쪽으로 들어갑니다.

그래서 배를 관리하고 싶으면 등쪽의 승모근을 풀고, 승모근을 관리를 해라. 또 굽은등이나 등의 문제를 해결하고 싶으면 배에 있는 복횡근을 관리해주면 등이 펴진다는 이론적인 길항적인 요소가 하나의 힘으로 작용합니다.

복횡근을 보게 되면 물론 소장하고도 연관되구요. 임신 출산과도 연관이 됩니다. 여러분들이 복부의 지방도를 떨어뜨려 배를 타이트하게 만들고 싶거나 가느다란 허리를 만들고 싶다면 복횡근의 탄력도와 힘의 균형을 유지하는 것을 우선적으로 잡으셔야 된다는 겁니다.

복횡근은 내장기하고도 연관되지만 인체의 균형적인 요소의 코어근육으로 봐야 됩니다.

나이가 들수록 복횡근에 조금 더 힘을 써주시면 균형적인 요소가 결국 복횡근을 발달시켜 몸의 균형과 연관됩니다.

치유 근육학적으로 우리가 복횡근을 어떻게 봐야할지 생각해봅시다. 이 복횡근 안쪽의 내장기를 싸고 있는 근육이 느슨해지면 내장기들의 밸런스가 깨져서 몸 아래쪽으로 내려가게 되죠. 또는 앞으로 밀려나오게 됩니다. 그래서 여러분들 고객이 바로 누운 상태에서 호흡을 통해서 외복사근, 내복사근 혹은 복횡근, 복직근 등 배속에 있는 근육들을 하나씩 컨트롤해주는 것보다는 전체적인 힘의 균형을 잡아줘야 됩니다.

치유 근육학적으로 복횡근을 잡아줄 수 있는 유일한 방법은 배에다 손을 대고 복식 호흡을 통해서 전반적인 균형과 힘의 밸런스를 잡아주는 것입니다.

결국 복횡근의 균형 자체는 골반저근에 영향을 주구요. 다열근에 영향을 주고 몸의 내장기에 원칙적으로 자리 잡고 있는 힘의 균형적으로도 영향을 준다는 겁니다.

복횡근을 코어머슬의 하나로 보는 것도 중요하지만, 우리 몸의 기초가 되는 내장기를 싸고 있는 중심적인 근육으로 보시는 게 치유 근육학적으로 좋을 겁니다.

여러분들에게 우리 몸에서 크게 상초, 중초, 하초로 나눠서 힘의 균형과 어떤 원리적인 요소를 설명할 때 복부를 가장 근본적으로 둘러싸고 있는 복횡근을 설명하였습니다.

다시 한 번 내용을 읽어보시구요.

복횡근 동영상을 보시면서 가장 안쪽에서 내장기를 싸고 있는 일명 '코르셋근육'이라고 부르는 이 근육에 대한 이해도가 결국 체형의 균형과 등쪽의 승모근, 등쪽의 자세와 복부의 전체적인 균형하고 연관된 사실을 다시 한 번 주지하시기 바랍니다.

교근, 광경근

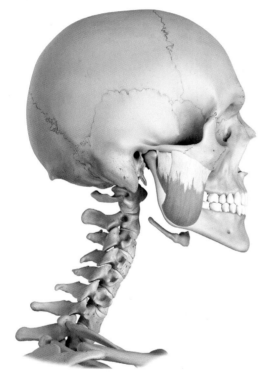

교근/깨물근

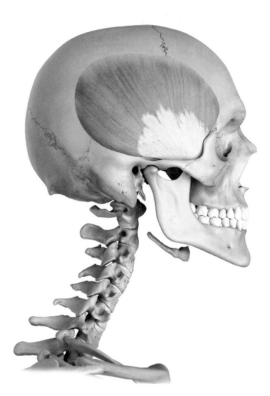

측두근/관자근

치유 근육학 중에서 오늘은 얼굴에 있는 근육들을 설명합니다. 교근과 광경근과 측두근에 관한 이야기를 할까 합니다.

얼굴에 해당되는 질환이 참 많죠. 우리는 구안와사, 안면마비, 또 악관절의 장애나 악관절의 틀어짐 등에 신경쓰게 되는데요.

교근은 두 개의 뇌신경이 지배합니다. 안면신경과 삼차신경이 지배하게 되죠.

구완와사가 왔을 때 "어느 근육을 풀어주면 좋을까?"라는 치유적인 관점을 설명드리려고 합니다.

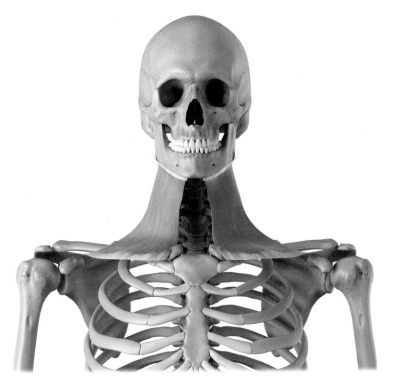

광경근/넓은목근

2

3

4

구완와사가 와서 입이 돌아가고 눈이 감기지 않는다. 어떤 얼굴에서 변화가 있으면 우리는 그 근육을 풀어주는데, 첫 번째는 두피를 풀어줘야 됩니다. 유두 위에서 일어나는 모든 상황은 두피를 풀어줌으로 인해서 기혈을 돌리고, 근막의 에너지를 돌려준다는 생각을 먼저 가지셔야 됩니다.

두 번째는 두피를 풀고 났을 땐 얼굴이 마비가 된 쪽하고 마비가 되지 않은 쪽이 아직 있죠. 그러면 일단 마비가 된 쪽은 눈이 감기지 않으면서 한쪽으로 쏠리게 됩니다. 예를 들면 이렇게 쏠리게 되죠. 여기가 마비쪽이 됩니다. 그러면 마비된 쪽을 당겨와야 되는데 정확한 방향으로서 당겨와야 된다는 거죠.

그래서 입에서부터 귀 옆에 있는 교근으로, 눈에서부터 교근으로, 코에서부터 교근으로, 이마에서부터도 교근으로 내려주는 관리를 시행하셔야 됩니다.

우리가 깨물근이라고 부르는 교근은 단순히 음식을 씹는 근육으로서, 또 우리가 먹는 동작으로만 생각하지만, 교근은 교묘하게도 뇌신경 두 개가 지배하면서 얼굴에 거미줄처럼 넓게 퍼지면서 신경이 얼굴 전체를 지배합니다.

여러분들이 알고 있는 교근의 방향이 넓은데, 이렇게 넓게 퍼져 있는 교근을 어떻게 풀어야 될 것인가를 생각해야 합니다. 이 교근은 먼저 풀어서 될 곳이 아닙니다. 교근을 해결해주기 위해서는 반드시 머리 위에 있는 측두근을 먼저 풀어야 되는데, 이 측두근에는 측두동맥이 흘러가기 때문에 여러분들이 손을 붙이고 난 상태에서 측두근을 관리하게 되면 혈관에 멍이 들게 되서 아프게 됩니다.

그래서 교근을 관리하기 전에는 반드시 측두근을 먼저 풀어야 되는데, 손을 벌린 상태에서 측두근을 풀어서 관리합니다.

또 하나는 얼굴의 움직임에 가장 많은 영향을 주는 근육이 또 어디인지 생각해봐야 되요.

피부에 가장 낮게 붙어서 영향을 주는 근육 광경근이라는 근육이 또 있습니다. 이것도 여러분들이 풀어줘야 되는데, 이곳은 영향을 주는 것 중의 하나가 흉쇄관절과 그다음에 쇄골과 어깨가 만나는 관절, 또 사각근도 영향을 줍니다.

결국은 얼굴에서 일어나는 모든 문제는 흉쇄유돌근, 사각근, 두피, 그다음에 광경근 교근, 측두근 등입니다. 얼굴에는 여러 가지 근육이 있죠. 구륜근, 안륜근, 수미근, 비근근 등 많은 근육이 있습니다.

그러나 미세하게 근육을 하나씩 잡을 순 없습니다. 그래서 큰 근육을 설명드리는 것인데, 교근에 집중해라, 그리고 측두근을 풀고서 교근에 집중하게 됩니다. 마비가 된 쪽은 어깨 견정으로, 극상근 안에 있는 견정이 극도로 혈액순환이 안 됩니다. 그래서 그 쪽을 깊게 풀어줘야 된다는 거예요.

구완와사가 왔을 때는 이마의 주름으로 판별하세요.

그러니까 이마의 주름이 양쪽에 다 잡힌다면 구완와사로 보지 말고 뇌혈관 질환·뇌출혈로 보고 응급상황으로 봐야 돼요. 그리고 이마의 주름을 확인했을 때 이마의 주름이 한쪽에 있을 때가 구완와사예요.

와사가 왔을 때도 우리가 눈 주변의 감각이 마비가 되면서 눈이 감기지 않게 됩니다. 그럴 땐 생리식염수나 젖은 수건으로 눈을 덮어서 안구건조증도 막아줘야 됩니다.

전반적인 상황을 다시 한 번 설명하면 교근과 측두근, 광경근 등은 모두 여러분들이 생각했던 것보다 더 예민하다는 거예요.

교근에는 두 개의 뇌신경이 지배해요. 안면신경과 삼차신경.

그래서 얼굴에서 일어나는 어떤 축소나 관리 상태는 교근을 중심으로 해야 되는데, 교근을 중심으로 하게 되면 반드시 측두근을 먼저 풀어줘야 됩니다. 또 얼굴을 연결해 주는 광경근도 영향을 줘요. 또 얼굴에서 일어나는 상황들은 측두근도 풀지만 두피와 그 다음에 흉쇄유돌근과 사각근을 풀어서 전체 흐름을 좋아지게 해야 합니다.

실기를 통해서 여러분들과 많이 다가갈거라 생각합니다. 그러나 이렇게 이론적인 부분도 한번 쭉 들어보시고 생각하는 게 여러분들의 실력을 키워나가는 하나의 과정입니다.

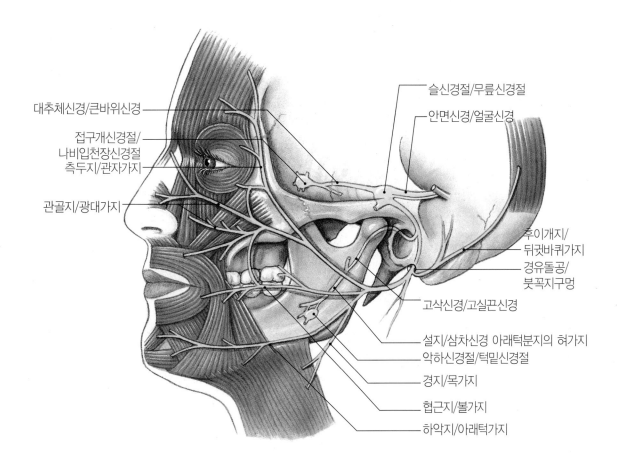

디스크

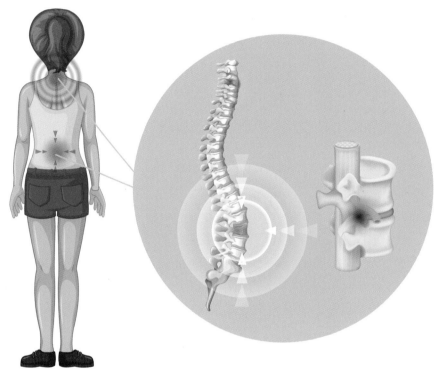

일반적으로 척추뼈 마디마디를 척추라 하고, 전체 기둥을 척주라고 합니다. 그리고 뒤로 돌려보면 노랗게 지나가는 이 부분이 신경 부분이죠. 신경이 옆으로 눌렀을 때 디스크가 나왔다고 표현합니다.

골반의 각도부터 디스크까지 여러분들이 인지하시고 보셔야 되는 게 골반의 틀어짐 자체가 영향을 주거든요? 그래서 여러분들이 디스크를 논하기 전에 먼저 골반의 각도를 먼저 보셔야되요. 골반각도가 엑스레이로 봤을 때 틀어졌냐 어쨌냐를 먼저 보시게 되죠.

골반공간 안의 밑에 있는 구멍, 그리고 골반의 틀어짐. 이 상황들을 먼저 이해하지 못하면 여러분들이 허리디스크를 함부로 논하실 수가 없게 됩니다.

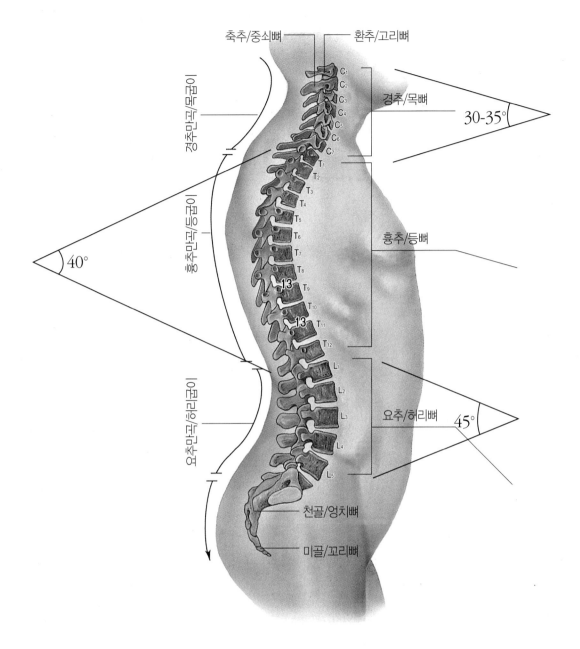

그러니까 죄송하지만 여러분들이 아무것도 모른다고 생각하고 설명을 드려야 할 것 같아서.

여기를 횡돌기라고 하고, 여기 극돌기라고 하는 라인에서 척추가 1자로 들어가 있는 상태가 건강한 상태라고 얘기하고, 목 C자 커브, 흉추가 뒤쪽으로 나와 있는것, 허리의 만곡 자체가 기본적인 각도 양상으로 진행되어야 됩니다.

허리디스크는 디스크 자체의 문제로 튀어나온 것을 먼저 고민하지 마시구요. 척추의 각도를 먼저 잡아준다고 생각하시면 우리 몸에는 가장 좋은 치유력이 있어요. 그걸 자유치유력이라고 하는데, 척추의 각도를 잡아주지 않은 상태에서 디스크를 해결하려고 하면 그 자체는 임시 방편밖에 안 되요.

많은 디스크환자들이 재발하는 이유는 척추의 각도를 먼저 해결해주지 않고 그래서 문제되는 것만 자꾸 해결하려고 하다보니까 무게중심이 깨져 있는 상태에서 있기 때문이에요. 통증이 자꾸 야기가 되는 겁니다.

디스크를 먼저 본다고 생각하지 마시고 체형적인 요소를 먼저 볼 줄 알아야 됩니다. 제가 피부미용인들에게 그런 이야기를 많이 합니다. 우리가 진단을 내릴 수 있는 직업은 아니구요. 진단과 치료를 할 수 있는 직업도 아닙니다. 그러나 엑스레이를 보면서 이해할 수 있는 직업군이라고 생각합니다. 그래서 요즘 아픈 고객들이 엑스레이를 들고 옵니다. 그럴 때 여러분들이 엑스레이를 참고 삼아서 한번 보신다면 뼈의 각도상에서 체형의 틀어짐을 먼저 인지를 하실 수 있습니다.

최소한 공부를 한다고 하는 사람들은 척추 모형 정도는 가지고 있으셔야 되구요. 그 다음에 이거를 이해할 수 있는 상황들로 보셔야 됩니다.

그림 그리기식으로 공부해봤자 여러분들에게 도움이 안 되거든요. 실질적인 근육은 심부 안에 있고 피부 안에 있어요. 조직이 있고 근육이 있고 근막이 있기 때문에 뼈의 틀어짐을 잡아준다는 그 자체는 뼈만 잡는게 아니에요. 근육과 근막과 또 림프와 모든 조직을 같은 각도로 해서 원래대로 잡아주면 스스로 치유될 수 있는 자체의 힘과 에너지가 생겨서 튀어나와 있는 디스크에 어떤 막이 형성됩니다.

디스크가 터졌다 하더래도 실질적으로 우리 몸에서는 자연치유가 작용해서 그곳으로 막아주고 방어하구요. 우리 몸의 통증이 오는 기전에는 칼슘이 와서 그걸 막는 작용을 합니다. 그러니까 디스크는 바른 체형을 유도한다면 실질적인 치료가 된다고 보겠습니다.

오늘도 디스크에 대한 얘기를 간단하게 얘기하고 향후 여러분들에게 엑스레이를 보여주면서 설명할 수 있는 시간을 가질 것입니다.

뻔뻔 근육학

제 **2** 부

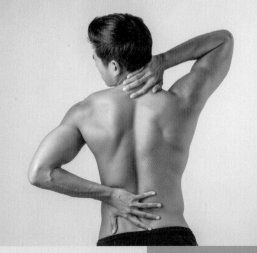

2-1

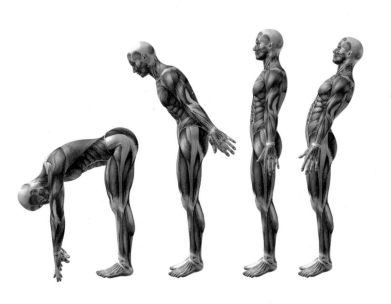

안녕하십니까.

근육을 하나씩 하나씩 설명을 드리는 데 많은 시간을 할애하려고 합니다.

여러분들에게 차분히 말이 빠르지 않게 천천히 설명을 드려볼까 해서 이렇게 진행합니다.

뻔뻔 근육학이란 '살려주는 근육학'을 뜻합니다.

우리가 사람을 만지는 것이 결국 사람을 살리는 것입니다. 우리가 하는 수기 테크닉도 사람을 살려주는 하나의 이론으로 가자. 그리고 "근육을 만져주는 하나의 행위 자체, 또 사람의 몸을 만져주는 하나의 행위 자체도 결국 사람을 살린다는 하나의 개념으로 보아야 된다."라고 봅니다.

뻔뻔 근육학 첫 시간에는 근막(fascia) 부분과 근육 부분을 설명드리고자 합니다.

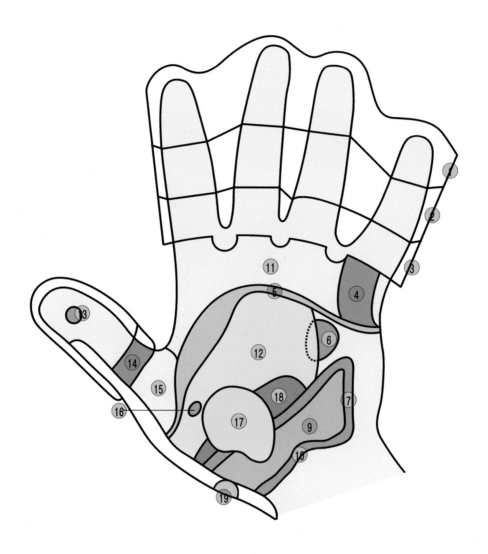

1 머리/뇌/부비동	8 회맹판/돌막창자판막	15 심장
2 목	9 작은창자(소장)	16 부신
3 눈/귀	10 구불주름창자(S상결장)	17 신장/콩팥
4 팔/어깨	11 가슴/폐	18 췌장(이자)
5 횡격막/태양신경총	12 위	19 방광
6 비장/지라	13 뇌하수체	
7 결장/주름창자	14 갑상선/부갑상선	

손바닥의 반사구(왼손)

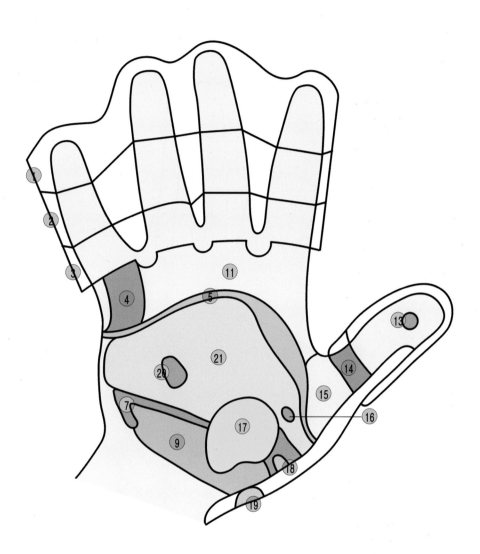

1 머리/뇌/부비동	8 회맹판/돌막창자판막	15 심장
2 목	9 작은창자(소장)	16 부신
3 눈/귀	10 구불주름창자(S상결장)	17 신장/콩팥
4 팔/어깨	11 가슴/폐	18 췌장(이자)
5 횡격막/태양신경총	12 위	19 방광
6 비장/지라	13 뇌하수체	20 쓸개(담낭)
7 결장/주름창자	14 갑상선/부갑상선	21 간

손바닥의 반사구(오른손)

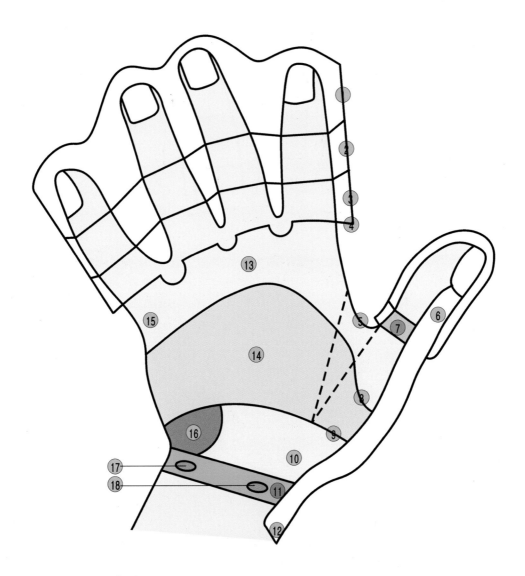

1	머리/얼굴/부비동	7	갑상선/부갑상선	13	가슴/폐
2	목	8	횡격막/태양신경총	14	등 상부
3	눈/귀	9	허리선	15	가슴/폐/등 상부
4	어깨상부	10	요부/힙	16	무릎/다리/힙
5	견봉 사이	11	서혜림프절/난관	17	난소/고환
6	척주 구역	12	미골/꼬리뼈	18	자궁/전립선

손등의 반사구(왼손)

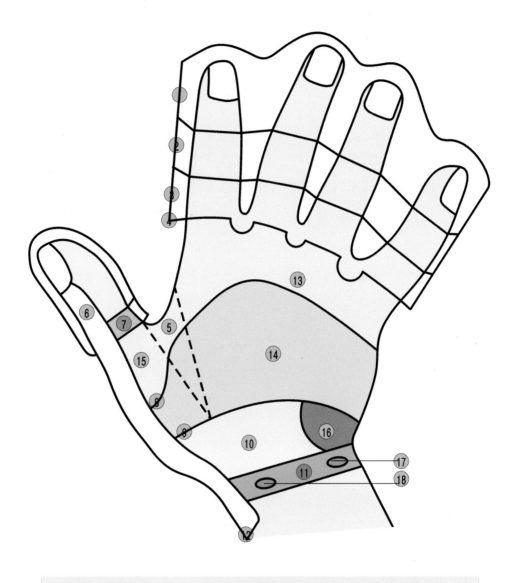

1	머리/얼굴/부비동	7	갑상선/부갑상선	13	가슴/폐
2	목	8	횡격막/태양신경총	14	등 상부
3	눈/귀	9	허리선	15	가슴/폐/등 상부
4	어깨상부	10	요부/힙	16	무릎/다리/힙
5	견봉 사이	11	서혜림프절/난관	17	난소/고환
6	척주 구역	12	미골/꼬리뼈	18	자궁/전립선

손등의 반사구(오른손)

근막은 근육을 싸고 있는 막으로 보지만, 근막을 근육으로 비유하는 학자들도 많습니다.

교수님도 임상에서 30년 가까이 일도 하고 많은 것을 공부하고 많은 것을 보기도 하지만, 사람의 몸을 만진 지 30년 동안 "이것이 근육인가, 근막인가, 또 근막이라면 이 근막의 기능이 우리가 알고 있는 것 같이 한정되어 있는가?"라는 생각이 들어요.

근막 위축을 제거하는 것이 신체 평형을 유지시키는 것이고, 회복시키는 것이에요. 하나의 거미줄같이 연결되어 있는데, 굳어 있거나 뭉치면 뭉친 부분으로 인해서 몸에 변형이 올 수도 있고, 자세가 틀어질 수도 있고, 변형으로 인해서 통증이 나타날 수도 있습니다.

그래서 근막의 변형을 해결해 줄 수 있는 가장 좋은 방법은 근막 위축을 제거해주는 거예요. 신체평형 상태를 회복시켜 주는 것, 즉 통증을 제거해서 자세를 교정해 주는 과정으로 가야 되지 않을까요?

그래서 통증을 이해하려면 먼저 근막을 이해해야 돼요. 통증을 이해하려면 거미줄처럼 엉켜 있는 근막을 이해해야지 이해가 된다는 뜻입니다.

근막은 또 천층과 심층, 그리고 아주 최심층으로 나누어지는데, 피부 바로 밑에 있는 진피층을 천층이라고 부르고, 근육·뼈·신경·혈관과 내장을 싸고 있는 안쪽을 심층으로 봐요.

우리가 많이 고민하는 부분이 심층의 부위입니다.

뇌와 중추신경계를 싸고 있는 격막까지를 최심층이라고 합니다.

외상으로 오는 질환들, 정상적인 중력선에서 벗어나 있는 나쁜 자세들, 또 통증으로 오는 염증들. 염증은 여러분들의 생각과 일반인들의 생각이 개념적으로 틀린데, 일반인들은 곪고, 터지고, 피가나고, 찢어지고...이런 부분들을 염증이라고 생각합니다.

수기적인 요소에서 염증은 부어 있는 건들이 서로 건드리는... 차에 비유하여 이야기하면 접촉사고가 일어난 듯한 그런 현상을 우리는 염증의 개념으로 봅니다.

염증의 개념으로 보았더니 조직과 계통을 보아서 근막을 통한 특정부위에 통증과 변형이 오게 됩니다.

연결되어 있는 거미줄같은 근막들 중에서 몇 개의 거미줄이 뭉치니까 힘의 균형이 깨져 한쪽으로 쏠리면서 조직이 딱딱해지고 굳게 됩니다. 그런 조직에서는 혈액이 원활하게 들어가거나 나오지 못하게 되는 것입니다.

결국 통증이란 혈액이 들어오고 나가는 상황이 안 되는 것이 아닐까 생각합니다.

나이가 들수록 스트레칭을 해주라고 합니다.

급성질환과 만성질환 가운데 만성질환은 조직 안에 혈액이 몰려가지 못하거나 또 들어간 혈액이 소통을 못하는 상태입니다. 그래서 만성질환은 급성질환보다 운동요법을 병행을 하면 효과가 좋아요.

만성질환은 관리적인 측면+운동요법이 병행되어야 상황이 개선됩니다. 여러분들이 생각할 수 있는 근막을 통한 특정부위의 통증과 변형이 근막과 관절의 변형까지 일으키게 됩니다.

류마티스성에서 오는 변형이나 정상적인 사람들의 관절에서 오는 관절이 부어서 오는 변형도 있습니다. 근육이 붓거나 근육이 당겨져서 오는 구조적인 변화에 의한 변형도 있을 것입니다.

근막을 이해하게 되면 통증을 이해할 수 있게 됩니다. 근막의 깊이에 따라 천층과 심층, 최심층까지 제대로 알고 있어야 합니다.

한편 골격계는 뼈와 뼈가 구조적으로 연결된 것이며, 뼈와 뼈를 연결해주는 것을 인대라고 합니다. 인대는 딱딱합니다.

뼈하고 근육을 연결해 주는 것을 텐던(tendon, 건, 힘줄)이라고 합니다. 힘줄은 힘을 쓰는 포인트... 힘을 써서 우리 몸에서 무엇인가 발현할 수 있는 것이에요.

그런데 '골격계의 오해'라고 이야기하는 것은 뼈들의 집합체가 아닌 구조적인 연결 상태를 뜻합니다. 그래서 고객관리를 하거나 통증제거를 하여 고객의 자지러지는 통증을 막아서 2차적인 변형을 막기 위해서는 그 사람의 형태를 봐야 합니다. 이때 틀어진 것을 눈으로 보게 됩니다.

그러면 저것이 근육의 변화일까, 아니면 뼈가 틀어진 것일까를 생각하게 됩니다. 뼈가 틀어졌다. 그러면 건도 당겨져 있을 것이고, 인대도 당겨져서 서로 위축되어 있을 것이고, 그 상태로 근육도 변형되어 있을 것이고, 근육이 변형이 되어 있으면 혈액(정맥, 동맥) 순환도 잘 안 될 것이고, 그 안에 들어있는 기능적·신경적 문제도 있을 것입니다.

뻔뻔 근육학적으로 몸을 살려주려면 몸이 변형된 단계별로 생각을 해야 합니다. 안쪽에 있는 뼈부터 만져야 되지 않을까요.

그러나 뼈를 만지기 전에 겉에 있는 인대·건·근육부터 살펴보아야 합니다. 그러면 어느 부분을 풀어주어야 돌아간 뼈가 돌아올까, 또 틀어진 뼈가 돌아올까를 알게 되겠지요. 물론 모든 기관에는 피가 들어가야 하고…… 참 많은 질문들을 하고 많은 이야기들을 합니다.

임상에서 고객을 관리하는 것은 공식대로 되지 않습니다. 항상 변수가 있는데, 고객들은 와서 이야기합니다. "원장님, 제가 혈압이 올라가고 있습니다. 혈압이 올라가서 머리에 두통이 있고 심계항진도 있고, 우리 부모의 가족력도 있습니다. 혈압으로 돌아가신 분도 있습니다."

이런 이야기들을 전해 들으면 우리는 의료인이 아니기 때문에 병원에 가서 진료받기를 권해 드리기도 하고요. 병원에서 해줄 수 있는 역할이 있고요.

우리처럼 고객관리를 해주는 사람들은 교과서같지는 않지만 고객한테 임상적으로 설명해서 그들에게 심리적인 안정감을 줄 수 있는 요소, 또는 우리 인체에서 방어적인 기질로 나타나는 과정들을 설명해서 그들이 납득할 수 있는 수준까지 이야기 하는 것도 중요하지 않을까 생각합니다.

심장에서 혈액을 내보내요. 심장의 역할은 인체의 구석구석에 피를 보내는 것이에요. 나이가 들거나 몸에 문제가 생기면 혈액이 못가게 되는데, 이때 심장에서는 자기의 역할을 다하려고 최선의 노력을 합니다. 그래서 저 조직 안에 피를 보내기 위해 심장의 압력을 높이려고 하니까 혈압이 높아지는 것입니다.

혈압이 높아지고 정상혈압보다 나빠진다는 것은 염증반응도 마찬가지 개념이지만 스스로 그렇게 되어요. 그 사람을 의료적으로 처치해주지 않고 마사지나 자연치료 요소로 좋아지게 할 수 있을까요?

원인을 찾아 보려고 하고, 피를 집어 넣으려고 했더니 압력이 약하더라. 압력을 높여 피가 안 들어가는 조직에 피가 들어가도록 외부에서 도움을 준다고 하면 심장도 압력을 높이지 않을까 생각합니다.

그래서 몇몇 실험도 해보았고 임상가들이 종아리를 주물렀습니다. 종아리를 주물러 주고 말초부위를 마사지해주었더니 혈압이 떨어지더라, 혈압이 떨어지니까 마사지가 혈압과 상관관계가 있지 않을까 생각합니다.

애기들이 태어나면 엄마들이 등을 마사지해줍니다. 그러면 면역력이 좋아진다고 합니다. 마사지를 통해서 혈액순환의 속도와 순환이 원활해진다고 하면 이것 또한 면역력이 좋아지는 하나의 과정이라고 생각합니다.

여러분들이 이런 것을 보며 이야기합니다. 골격이 틀어졌어요. 그래서 건과 인대와 근육들이 모두 굳어져 있어요. 피가 들어가게 잘 쓰다듬어 주어야 될 것입니다.

손으로 마사지를 해줍니다. 때로는 눌러서 비비기도 하고, 뜯어주는 마사지도 하고, 때로는 들었다가 놔주는 마사지도 합니다. 그런 과정에서 피가 들어가면 안정적인 조직이 되고, 만성요통이나 만성통증들은 반드시 운동적인 요소를 가미해서 스트레칭을 해주면 그 조직의 균형이 맞추어지기 시작합니다.

여기에서 하나의 문제점은 피가 들어 왔다고 그 문제점이 다시 없어지느냐입니다. 아니라는 것입니다. 그것은 뇌가 중력선 안에 들어와 있던 모습을 정상이라고 인지했던 타이밍이 있었습니다. 그래서 3주 이상을 틀어져 있던 것을 인지하게 되면 몸에서는 틀어져 있는 비정상을 정상으로 인지했다가 그 상황을 잡아 주었다고 하루 아침에 뇌가 정상으로 인지할까요? 아니요.

비정상적인 것을 정상으로 인지했기 때문에 정상으로 만들어주었어도 이것을 다시 정상으로 인지하려면 또 3주 이상의 시간이 걸려요.

그래서 고객을 관리할 때 한번 관리를 해 주면 48시간 이내에 몸을 다시 관리해주어야 합니다. 그렇게 해서 48시간 안에 몸을 주기적으로 관리해주면 3주 이상의 시간이 지나면 비정상적인 몸이 정상적인 몸으로 인지하게 됩니다.

여러분들 보세요.

사람을 만져준다. 근육을 만져준다. 변형된 곳을 풀어주며 잡아준다. 아픈 곳의 통증을 없애준다. 이때 가장 큰 관건인 혈액이 들어가야 됩니다. 우리 인체는 스스로 느끼지 않으면 그 과정에 중력선 안에 들어오게 됩니다. 이것이 수기요법의 원리입니다.

앞에서 '골격계의 오해'는 뼈의 집합체가 아닌 연결과 연결을 하는 구조적인 연결상태를 뜻한다고 했는데, 여기에는 반드시 피가 들어갈 수 있게 상황을 연출시켜 주어야 됩니다. 골격과 중력선, 인대, 건의 바른 자세 등은 통증과 자세를 잡아 줍니다.

근막을 해부해보면 속은 그물처럼 연결되어 있어요. 근육을 싸고 있는 막끼리는 연결되어 있는데, 근막끼리 뭉쳐서 오는 통증을 '근막통증증후군'이라고 해요.

근막과 근막이 뭉쳐 있는 부분은 마사지로 뜯어냅니다. 이 경우 병원에 가면 주사로 부분을 떨어트려서 통증을 케어해요.

한의원에 가면 한의사 선생님들은 그 사이에 침을 넣어서 MPS 개념으로 통증점을 깨서 케어 해주고 한계점까지 늘려줍니다. 우리 몸의 가동 범위까지 늘려서 근육에서 오는 통증 포인트를 넘겨서 한번 갔다오면 그 부위를 깨뜨려 놔야지 증상이 해결됩니다.

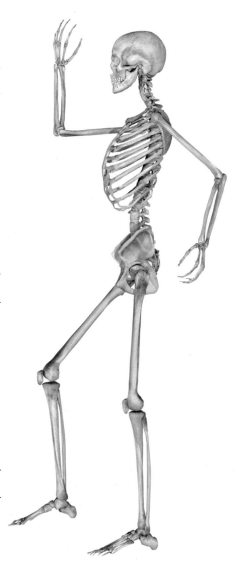

이런 개념에서 다시 근막을 이용하여 통증의 개념을 설명합니다.

오늘은 근막에 대한 설명은 깊게 하지 않고요. 우리 몸 중에서 천층, 심층, 최심층 중에서 맞딱 드리는 통증이 근육과 뼈와 혈관의 개념으로 봐 주어야지 않을까 생각합니다.

가만히 있어도 아파요. 이런 것은 신경에서 오는 통증이라고 생각하고요.

움직이면 아파요. 이것은 근육입니다.

움직여도 아프고 가만히 있어도 아파요. 근육 과 신경계의 어떤 문제들의 차원이 높아졌다는 뜻입니다.

그러면 이분이 해결할 수 있는 것이 무엇이냐면

1. 통증을 줄여주어야지 자세가 돌아온다.

2. 자세가 돌아와야 통증이 줄어든다.

어느 하나도 틀리고 맞다고 할 수 없습니다.

그러나 어떤 자세에 혈액순환이 더 많이 되느냐에 달려 있습니다. 혈액순환이 되게 끔 잡아준 다음에 뇌에서 인지할 수 있는 충분한 시간을 주어야 합니다. 그것이 1주, 2 주가 아니고 3주라는 시간 동안 ... 고객과의 소통 중에서 내가 이 사람의 몸을 만져서 한 번에 좋아지게 만드는 것은 불가능하다고 보면 됩니다.

교수님도 30년 동안 임상을 하고 있는 입장 이고 수없이 많은 고객을 관리했지만, 한번에 좋아진 케이스는 있었습니다. 그러나 일정 시 간이 지나면 처음과 같은 통증이 다시 오기 때 문에 48시간 안에 계속 케어해야 된다는 것이 기본입니다.

자, 이제 근육(muscle)의 중요성을 설명하겠 습니다.

우리 인체는 약 70%가 근육입니다. 근육에 는 수의근과 불수의근이 있습니다. 내가 움직 일 수 있다는 의지대로 움직이는 것이 수의근 은 약 40%이고, 나의 의지와 상관없이 움직이 는 불수의근은 약 60% 입니다.

예전에는 신경이 지배하는 어떤 하나의 지 배적인 모습의 한 포인트만 보았습니다. 그래 서 근육을 "아, 그렇구나." 하고 보았는데, 지 금은 신경이 지배를 해주지만 근육이 신경을 품고 있다고 표현합니다.

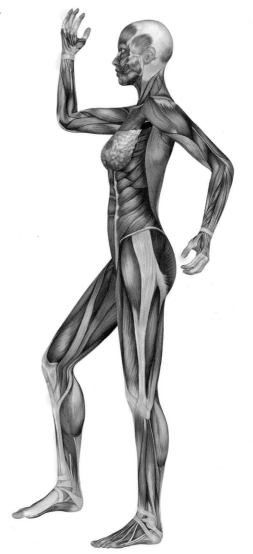

옛날에는 근육을 신경이 지배하는 하나의 덩어리로 보았는데, 지금은 근육이 신경과 혈관을 품고 있다고 표현하는 것을 인정해야 해결이 됩니다.

교수님이 오프라인 수업에서 많은 것을 이야기해줍니다.

심장에서 피가 나갑니다. 영양분과 산소를 가지고 전신을 돌아다니는 혈관을 통해서 나가는 것을 '동맥'이라고 부르고, 다시 차분히 심장으로 들어가는 혈관을 '정맥'이라고 합니다. 동맥은 심장의 박동에 의해서 전신으로 돌아갑니다. 정맥은 혈관 안에 판막이 있어서 피가 올라가면 판막이 닫혀서 피가 올라갑니다. 이제는 계속 근육의 수축과 이완을 통해서 판막이 움직이게 됩니다.

우리는 이제까지 동맥이라는 혈관에 집중하고 살았습니다. 정맥은 그냥 노폐물이 올라가는 혈관이라고 생각하고 살았는데, 마사지와 수기요법의 개념은 대부분 정맥적인 요소에 포커스를 맞추었습니다.

왜냐하면 심부에 있는 것을 강하게 만지거나 고통스럽게 만지지 않고, 피부를 통해서 심층에 있는 근육을 만져주면 정맥이 순환되어 동맥의 순환이 더 빨라져서 혈액순환이 원활하게 됩니다. 그래서 정맥의 순환에 관여하는 그것이 무엇이냐, 정맥에 크게 영향을 주는 것이 무엇이냐 하고 보니 그것이 근육이 있어요. 체중의 70%가 근육이고, 수의근이 40%인 근육이 신경과 혈관을 품고 있어요.

그런데 우리는 교정할 때 뼈에서 '두두득' 소리가 나거나 뼈를 탁 집어 넣었을 때 무엇인가 쾌감을 느끼는 분들도 있고요. 그것이 제대로 교정이 되었다고 느끼는 분들도 있고요. 받는 고객들도 그래야지 제대로 들어갔다고 생각을 합니다.

그런데 우리 몸은 리셋기능이 상당히 강합니다. 이것을 '자연치유력'이라고도 하고, '회복력'이라고도 합니다.

과연 수기를 해주는 분들은 어디까지가 조력자인가? 스스로 회복되는 데까지 해 주는 것이 아닐까 생각을 합니다. "교정이라는 것은 항상 근막과 근육이 릴렉스되어야 한다." 그래야 이해를 해요.

근육은 수축과 이완을 통해서 혈관을 움직여서 우리 몸에서 혈액순환을 시킵니다. 그래서 정맥과 동맥이 원활하게 순환하면 혈액 안에 NK세포, 대식세포, 포도당, 산소부터 적혈구, 백혈구 모두 들어 있으면서 자연치유력이 일어나게 됩니다.

혈액이 움직이는 것은 근육의 힘입니다. 이 근육의 문제를 어디까지 보느냐가 중요합니다. 관절, 혈관, 근육...근육이 좋아진다고 하면 근육이 강화된다는 것이 아니고 근육의 수축과 이완이 원활해서 정맥순환과 안에 있는 혈관과 신경의 소통이 원활하다고 하는 것이 전제조건입니다.

근육이 좋아진다고 하면 혈관·근육·신경까지 회복되고 내장기질환까지 개선되어야 된다고 생각합니다. 그래서 어느 책을 보면 "근육을 주물러라. 특히 그 포인트 중에서도 종아리를 잡아라. 종아리를 주물러주면 당뇨병까지도 좋아질 수 있다."고 언급하고 있습니다.

저자가 일본 분인데, 교수님도 그 책을 보면서 의아하게 생각했는데 만성질환 중에서 DM...당뇨병.. 한방에서는 소갈병이라고 하는 이 당뇨병은 원래 낫지 않는다고 단정을 짓고 있는 질환입니다. 물론 현대에서는 많이 개선시켜주는데 어떻게 감히 마사지로 근육을 통해서 당뇨병까지 좋아지게 할까 하고 책의 내용을 보고 또 고민을 해보았더니 답은 피가 통하더라는 것입니다.

종아리를 주물렀더니 피의 순환이 잘 되었습니다. 근육의 60~70%가 배꼽 밑의 하지에 있고, '제2의 심장'이라고 하는 마사지하면 '종아리에 있는 승산이라는 비복근' 즉 가자미근이 만나는 부분이므로 이 근육을 마사지하면 혈액순환이 원활하게 된다고 보았습니다.

그래서 근육의 관점을 우리는 조금 더 심도 있게 봐주어야겠다고 생각하고 있습니다. 그것은 근육을 만진다는 것이 사람을 살려줄 수 있다는 뜻이에요. 디스크질환을 앓고 있는 분들 중 수술을 해야 될 상황이 아닌 경우도 어마어마하게 많다는 것입니다.

저자들마다 이야기하는 것이 다를 수 있고, 임상가들마다 주장하는 것이 다를 수 있지만, 어쩌면 97% 정도는 근육의 통증이 아닐까 생각합니다. 진짜 수술을 요하는 것은 3% 정도이고, 나머지는 근육의 혈관과 순환이 원활하지 않아서 오는 것인데, 이는 하나의 질환으로 보아야 한다는 것입니다.

또 하나는 맹장염도 진짜 '충수염'이라는 개념보다는 근육의 밸런스 요소에서 오는 하나의 상황이라고 볼 수도 있고, 또 예를 들어 우리가 CVA환자라고 뇌혈관쪽에서 오는 환자 중에 중풍이 오면 마비된 쪽의 엄지발가락쪽 발톱이 죽어가면서 발톱무좀 같은 것이 생겨요.

엄지발가락쪽에 연결된 근육이 족삼리 라인으로 내려가는 전경골근입니다. 전경골근 라인은 위경락 라인입니다. 족삼리에서 연결되어서 전경골근으로 내려가서 엄지쪽으로 넘어갑니다. 엄지라인에 문제가 생기고 요추에 문제가 생기면 비경락의 공손이라는 혈자리하고 연결됩니다.

그래서 결국 전경골근 라인에 문제가 생겼더니 발톱에 혈액순환이 안 되고, 근육이 원활하지 않았으니 이쪽에 신경과 혈관이 원활하지 않아서 무좀이 왔어요. 그 사람을 치료한다고 하면 발톱무좀만 치료하면 되는데, 수기적인 관점에서 보면 전경골근을 통해서 혈액순환을 시키고 근육의 기능을 살려주고 근육의 밸런스나 보행의 바름과 체중의 밸런스를 잡아서 순환을 원활하게 해서 근육 안에 있는 신경과 혈관이 원활해진다고 하면 2차적으로, 원래대로 근본적인 치료를 한다고 하면 회복되지 않을까 합니다.

여러분들은 현상을 보고 자꾸 이야기합니다. "저 사람 발톱무좀이구나." 하면서 발에 독성을 일으키는 발톱무좀약을 써서 발톱은 좋아지게 하지만, 결국 생각보다는 좋아지지 않는다는 것입니다.

뇌혈관질환으로 인해서 순환계와 신경계에 문제가 생기면 전경골근에 문제가 생겨 엄지발가락에 힘이 들어가지 않을 때에는 먼저 전경골근과 그 라인을 먼저 도와주어야 된다는 것입니다.

조금 더 이야기하면 엄지 안쪽에서 튀어나온 부분 옆에 비경라인의 공손이라는 혈자리가 있습니다. 그곳은 엄지발가락의 외반무지증하고도 연관되고 비경락과 공손과 연결되는 공손의 라인을 잘 찾아보면 결국 전경골근과 연결됩니다.

마치 조금 전에 중풍환자를 예를 들었듯이 문제가 생기면 정상적인 체중의 60%가 뒷꿈치로 와야 되는데, 그쪽으로 무지외반증이 있는 분들의 대부분 체중이 앞쪽으로 쏠려서 밸런스가 깨져요.

여기도 분명히 통증이 오는 포인트가 있더라는 것입니다. 여구 라인, 독비 라인... 위중 라인, 즉 무릎 주변의 통증들.

그 다음에 전체적인 근육들의 밸런스가 깨졌으니까 골반이 앞쪽으로 돌아오면서 대퇴골두가 돌아갈 것입니다.

2-2

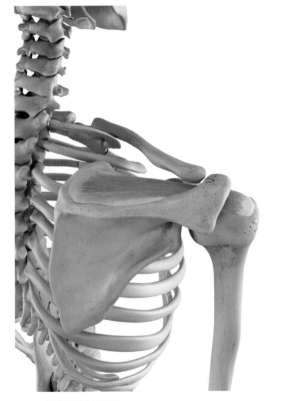

극상근/가시위근

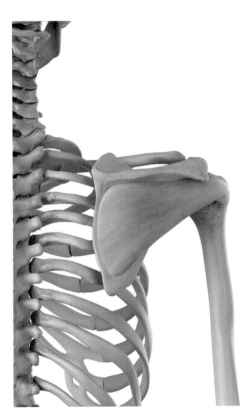

극하근/가시아래근

극상근을 다시 설명할게요. 극상근은 어깨 위에 있는 근육이죠. 극상근으로 인해 오는 문제들이 많기 때문에 다시 한번 설명드릴께요.

어깨의 감초라고 해서 어깨질환에는 극상근, 극하근, 소원근, 견갑하근이 기본적으로 관련되어요. 극상근은 견갑골의 극상와에서 시작해서 상완근의 대결절에서 끝납니다. 기능은 상완의 외전, 상완골두를 잡아당겨서 어깨를 외전시킬 때 작용하고 견갑상완관절의 위쪽을 안전시키는 역할을 한다.

이 근육이 문제가 되면 상완골두를 어깨관절을 통해서 안으로 잡아당길 때 상완의 하방전위를 방지합니다. 중풍환자들의 경우 어깨가 마비되면 어깨가 빠지거든요. 이걸 하방전위되는 것을 얘기하는 거구요. 이것이 문제가 되면 어깨에 '뚝뚝' 소리가 나는데, 어깨에 '딱딱' 거리는 소리가 나고 팔을 외전할 때 소리가 나고 반면 어깨를 크게 움직일 때 나는 소리는 어디서 나는 소리냐면 여러분들이 알고 있는 능형근에서 나는 겁니다.

팔을 안쪽으로 밀어줄 때 극상근에 문제가 있으면 이렇게 안되구요. 이 상태에서 위로 올라가지 않게 되면 극하근에 문제가 오게 되는 거죠.

극상근이 부분적으로 파열되면 팔을 올릴 때는 괜찮은데 내릴 때 너무 아파서 비명을 질러요. 그래서 극상근 테스트에서 팔을 밀었을 때 통증이 와요. 그러나 손을 견갑근쪽으로 올려줄 때의 문제는 극하근의 문제입니다.

견갑상신경은 경추 5번과 6번의 줄기에서 나오다가 상완신경으로 내려가서 한 줄기가 뒤로 넘어가기 때문에 약간 거리의 차이가 있지만, 어쨌든 여기도 사각근으로 풀어줘야 합니다.

제가 상체에서 일어나는 모든 문제는 사각근을 풀어야 된다고 설명을 했듯이 이 부분에 대해서는 좀 더 심도 있게 봐야 합니다. 보시는 영상들은 여러 가지가 저번에 올렸던 거랑 많이 겹치겠지만, 그림 중에서 팔을 이렇게 안쪽으로 밀어주는 그림이 극상근을 테스트하는 거구요. 팔을 위로 올렸을 때 손이 위로 올라가지 않는 건 극하근이라고 설명드렸습니다.

여기에 설명된 내용과 용어를 보시고, 여러분들이 다시 한번 참조하시면 좋겠습니다. 극상근은 일단 어깨 위에 있는 문제들을 나타냅니다. 그리고 어깨에서 소리가 날 때 아령을 들고 팔을 들었다 놨다 하는 운동을 하면 어깨에서 소리가 나는 게 많이 좋아집니다.

어깨의 겉에 있는 피부에서 나오는 게 승모근이에요. 승모근을 들어내면 나오는 근육을 극상근이라 하고, 여기 견갑골이 이렇게 있죠. 견갑골 아래쪽에 있는 근육을 극하근이라고 해요. 극하근을 이렇게 봤을 때 여기에 이 부분에서 연결되는 대원근이 있구요. 그 옆에 소원근이 있어요. 여기서 두 개의 신경이 이렇게 나와요.

이 신경이 액와신경하고 요골신경입니다. 그래서 극하근 안쪽에는 견갑하근이 나옵니다. 문제는 어깨에서 일어나는 모든 통증의 주범은 극상근이라는 거예요. 그리고 치료는 여기를 통해서 해요. 이 소원근에서 해결을 해야 되요.

그래서 어깨통증이 극상근에서 오더라도 증상은 여기에서 나타나요. 이거는 가짜 통증이에요. 이것을 우리는 가성통증이라고 불러요. 문제는 극상근입니다. 그리고 소원근을 치료해야 합니다.

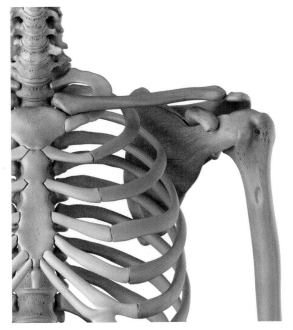

견갑하근/어깨밑근

그래서 극상근·극하근·소원근·견갑하근의 밸런스가 깨졌을 때 오는 증상이 회전근개 파열입니다. 이렇게 팔을 들었을 때 아프다고 하면서도 올라가면 회전근개 파열이고, 올릴 때 '아!'하면서 어떤 동작을 해도 안 올라가면 그것은 오십견이에요. 우리는 그거를 유착성관절낭염이라고 부르죠.

오십견을 해결하려면 견갑하근을 뜯어주어야 하는데, 그것은 뒤에 보여드릴게요.

여러분들이 아셔야 될게 고객을 처음에 관리할 때 고객이 취할 동작을 엄지 방향을 위쪽으로 올릴 것인지, 손등을 위로 올릴 것인지, 손바닥을 위로 올릴 것인지를 먼저 정하셔야 되요. 잘못해서 먼저 손바닥으로 테스트하고 두 번째 손등으로 올리면 의미가 없다는 거예요. 같은 동작에서 관리하는 패턴으로 가야 되요.

제가 손등으로 해볼게요. 손등으로 올렸어요. 그랬더니 통증이 와요. 그래서 제가 "어디가 아픕니까?" 했더니 손으로 "여기가 아픕니다."라고 짚었어요. 저는 그 자리를 표시한 다음에 파스나 조그만 테이프를 붙여줍니다. 붙여놓고 조금 만져준 상태에서 똑같은 동작을 시킵니다. 그리고 나면 통증이 없습니다. 없어지고 다른 곳에서 증상이 나타나요. 아프다고 하면 그 곳을 짚어요. 다시 파스를 붙이고 자극을 준 다음에 다시 올리면 두 개의 동작 말고 곤란한 또 다른 데서 통증이 유발되어요. 거기에 또 파스를 붙이고 자극을 줍니다.

내가 포인트를 찍어주는 게 아니라 고객이 어디가 아프다고 얘기할 때 그 자리를 정확하게 찍어서 하나 포인트를 정하면, 그 포인트에 자극을 주고 다시 원상회복시켜서 다시 증상이 나타나면 또 포인트를 잡고, 그리고 고객이 세 번째 자리를 잡으면 세 개의 포인트를 붙입니다.

그렇게 해놓으면 고객의 움직임이 올라가요. 그러면 파스를 붙여 놓고 오늘 한 동작을 시킵니다. 그리고 나서 다음날까지 그 동작이 유지되고, 그 다음날에는 손바닥을 위로 해서 세 번째 포인트를 찾습니다. 그게 더 괜찮아지면 엄지손가락을 짚어서 세 개의 포인트를 찾아 관리하는 게 3 포인트 요법입니다.

똑바로 누워보세요. 오십견인 상태를 보여줄게요. 겨드랑이에서 펴고 손이 들어가서 안쪽을 파고 들어야 견갑하근이 잡혀요. 이 속에서 (이 안쪽에서) 파줘야 견갑하근에 자극이 주어지기 때문에 오십견은 이렇게 풀어줘야 되요. 그러나 건강한 사람이라면 원래 견갑하근인데요. 이런 방향으로 틀어주게 되겠죠. 팔을 돌려서 여기다 집어놓고 튀어나와 있는 각도를 손을 이용해서 뜯어주는 것이 원래 견갑하근을 풀어주는 자세에요. 그러나 어깨가 아픈 사람은 팔이 이렇게 돌아가지 않아요. 그래서 똑바로 누운 상태에서 겨드랑이에 손을 넣고 견갑하근으로 안쪽으로 파서 풀어줘야지 견갑하근이 풀리면서 오십견인 팔이 올라가요.

3 포인트 요법을 설명드렸습니다.

정상적인 각도는 C자 커브에요. 책에서는 5.5~6kg이 머리의 무게라고 합니다. 그런데 저는 여러분이 이해하기 쉽게 10kg으로 해볼게요. C자 커브가 되면 역학적인 무게중심이 오게 되어 여기가 됩니다. 어깨에서 느끼는 무게에서 문제는 일자가 되거나 거북목이 되는 게 문제에요. 일자목이 될때는 10 곱하기 1이 되어 10kg이구요. 거북목이 되면 10 곱하기 4가 되어 양쪽 어깨에 20kg의 쌀 포대를 얹은 것과 마찬가지입니다.

그래서 목디스크의 개념을 해부학 관점이 아니라 관리자적 치료 즉 치유학적 관점에서 설명하면 첫번째 시스템은 1번, 역학적 무게중심을 0으로 만들어줘야 되요. 역학적 무게중심을 0으로 만드는 시스템을 만드셔야 된다. 그러니까 어떻게 되겠어요. 먼저 고객의 어깨를 C자 커브로 만드는데, C자 커브를 만들려면 목의 각도에 영향을 줄 수 있는 근육은 대흉근이에요.

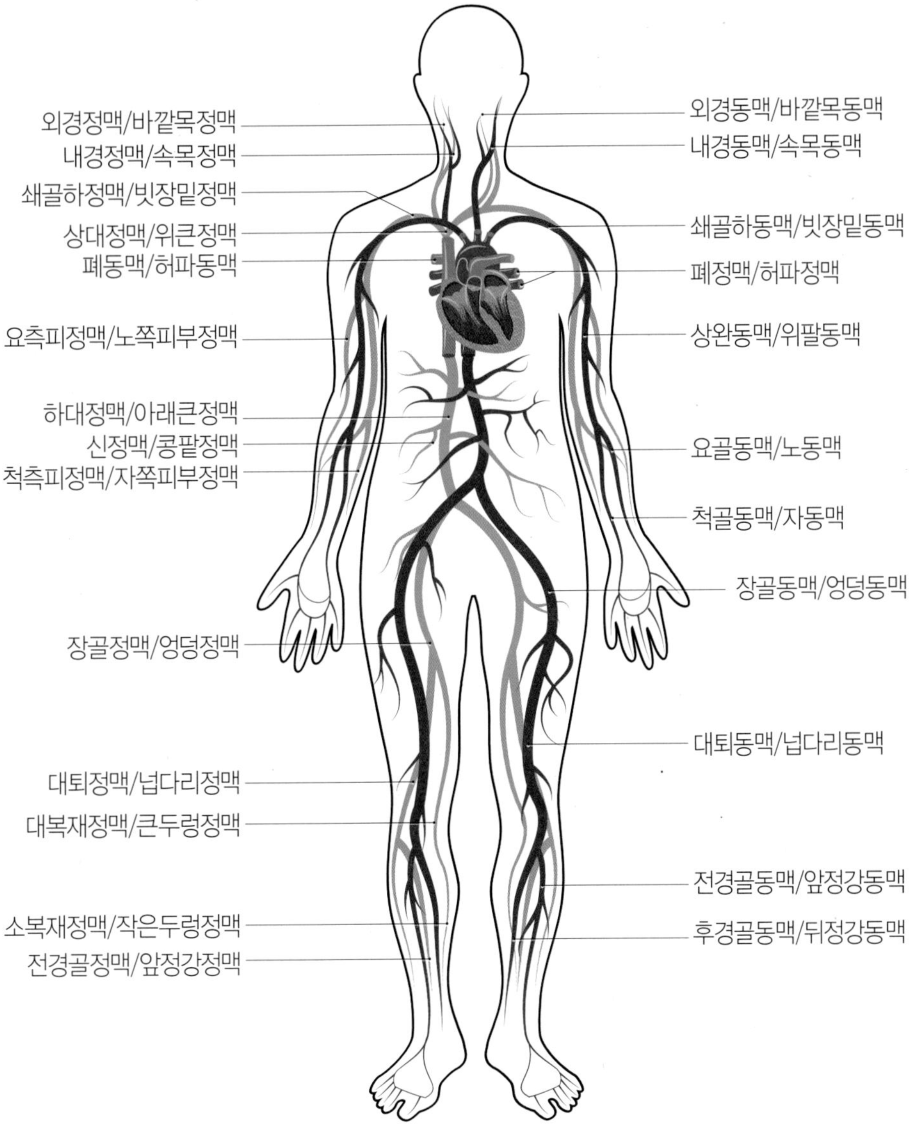

외경정맥/바깥목정맥
내경정맥/속목정맥
쇄골하정맥/빗장밑정맥
상대정맥/위큰정맥
폐동맥/허파동맥

요측피정맥/노쪽피부정맥

하대정맥/아래큰정맥
신정맥/콩팥정맥
척측피정맥/자쪽피부정맥

장골정맥/엉덩정맥

대퇴정맥/넙다리정맥
대복재정맥/큰두렁정맥

소복재정맥/작은두렁정맥
전경골정맥/앞정강정맥

외경동맥/바깥목동맥
내경동맥/속목동맥
쇄골하동맥/빗장밑동맥
폐정맥/허파정맥
상완동맥/위팔동맥

요골동맥/노동맥

척골동맥/자동맥

장골동맥/엉덩동맥

대퇴동맥/넙다리동맥

전경골동맥/앞정강동맥
후경골동맥/뒤정강동맥

대흉근에 자극을 주고 늘려주어야 하는데, 대흉근은 세 개의 파트로 나눠집니다. 즉 쇄골지, 흉골지, 늑골지로 나닙니다. 대흉근은 늘려줘야 목의 각도가 나옵니다. 라운드 숄더가 왔거나 목의 각도가 잘못된 사람은 목이 뒤로 넘어가지가 않아요. 대흉근이 펴져야 뒤로 넘어갑니다. 그래서 우리가 목을 관리하는 근본적인 근육은 대흉근입니다. 그리고 역학적 무게중심이 0이 되게 만들어서 목의 각도를 만들어야 되는데, 이 C자 커브의 가장 정점에 걸려 있는 포인트가 경추 4번이에요. 경추 4번이 C자 커브의 정점에 걸려 있어요.

그런데 경추 4번의 바로 밑에 5번과 6번이 있어요. 목디스크가 주로 일어나는 포인트는 5번하고 6번이에요. 무게중심의 중심적인 요소는 4번에서 걸릴지 몰라도 중심축은 경추 5번하고 6번에서부터 목디스크가 주로 일어나게 되는 거에요.

만약 목디스크가 경추 1, 2, 3번이나 4번에서 일어나면 이 증상은 얼굴과 두피 뒤쪽의

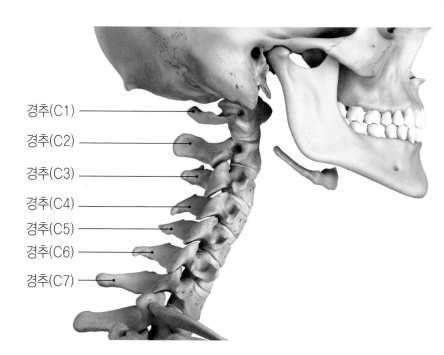

경추(C1)
경추(C2)
경추(C3)
경추(C4)
경추(C5)
경추(C6)
경추(C7)

감각까지 다 이쪽으로 오게 되구요. 목디스크가 4번은 밑으로 오게 되면 어깨에서 팔뚝으로 증상이 나타나요. 그러니까 지금 우리가 알고 있는 목디스크 증상이 나타났을 때는 팔로 내려가는 방사통이에요.

방사통은 뻗어나가는 통증을 말해요. 그러면 목디스크 고객을 관리할 수 있는 가장 최적의 상태를 찾으려면 일단 C자 커브인 역학적 무게를 0으로 만들고, 길항근인 대흉근을 풀어준 다음에 목에서 나온 신경 사이의 무게를 해결해줘야 됩니다.

목뼈와 목뼈 사이에는 물렁뼈가 들어 있습니다. 결국 이곳을 지나가는 신경을 건드리는 게 디스크에요. 그러면 얘가 다시 안쪽으로 들어갈 수 있는 상황을 만들어줘야 됩니다. 그 얘기는 뼈와 뼈 사이가 관절의 모빌리제이션, 즉 관절가동이 충분히 일어날 수 있게 해야 됩니다.

이 경우 병원에서는 목을 견인해서 공간을 열어서 빨아들이는 요법을 하죠. 이것이 견인요법이고, 수기요법에서는 이쪽뼈와 이쪽뼈를 움직여서 관절 안으로 빨아들일 수 있는 상황을 만들어줘야 돼요. 다시 말해서 자연치유적인 요소를 만들어줘야 된다는 것이죠.

여기가 자연신경이 있는 부위거든요. 여기에는 반드시 존재하거나 같이 해야 될 부분이 있다는 거죠. 첫 번째가 혈액순환이 이뤄져야 되요. 자연치료의 근본적인 우선

순위는 피가 돌아야 된다는 거에요. 그거는 동맥순환이든 정맥순환이든 하나의 사이클이 돌아야 이 상황이 해결되요.

이 사이클이 해결될 수 있으려면 결국 우리 몸에서 혈액을 내보내는 곳이 어디인지 봐야 되요. 거기가 심장인데, 실제로는 간이 실질적인 혈액순환의 중심이라고 보시면 되요. 간의 움직임의 배수혈은 흉추 9번이구요. 간이 움직이려면 복식호흡을 해서 횡격막을 움직이게 해야 됩니다. 간의 움직임이 작동하면 우리 몸의 전체적인 혈액과 영양분을 공급시키는데, 이렇게 간의 움직임은 한의학적으로 근육과 통증을 주관합니다.

그래서 지금부터 목에 대한 이론적인 요소를 실기로 좀 보여드릴까 합니다.

여기가 먼저 흉골이죠. 여기 쇄골이 연결되죠. 여기는 관절이에요. 이걸 흉쇄관절이라고 불러요. 흉골과 쇄골 가운데에 있는 관절. 이 관절을 넘어가면 쇄골이 또 어깨와 연결되잖아요. 여기 나와 있는 근육이 있죠. 붙어있죠. 얘가 뭐에요? 흉쇄유돌근이에요.

흉골과 쇄골과 유양돌기에 붙어 있다고 해서 흉쇄유돌근이라 해요. 그다음에 쭉 넘어가다 보면 가다보면 첫 번째 걸리는 데가 있어요. 이것도 한 번에 넘어가서 딱 걸리는 것이 전사각근. 전사각근과 중사각근. 이게 사각근이에요. 이 틈으로 신경이 지나가죠. 이게 뭐에요. 이게 상완신경이 여기로 지나가고 이 밑에 있는 근육이 쇄골하근이고, 여기가 대흉근이죠. 대흉근을 들어내면 소흉근이고, 소흉근 틈으로 상완신경이 나와서 밑으로 내려가는 거구요.

지금부터 수기요법을 하다가 여러분들이 이해해야 될 것 중 하나가 흉쇄유돌근이에요. 사각근, 전사각근, 중사각근의 상완신경을 확인할 줄 알아야 되구요. 쇄골하근을 당겨서 쇄골 밑으로 놓고 그것을 비벼줄 줄 알아야 되구요. 소흉근을 자극할 줄 알아야 돼요.

그래서 목디스크나 팔에 대한 문제는 흉쇄관절을 알아야 해요. 만약 팔이나 어깨가 아프단 분들은 여기를 잡고 흉쇄관절을 풀어줘야 됩니다.

그래서 흉골과 쇄골이 연결되는 이 라인, 여기도 하나의 관절이므로 여러분들이 무시하지 말고 풀어주고 가야 됩니다. 그다음에 흉쇄유돌근, 고객이 힘을 뺐을 때 해야 되요. 흉쇄유돌근에

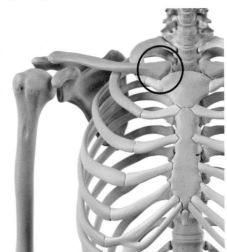

힘이 들어간지 보셔야 되요. 만약 흉쇄유돌근에 힘이 들어가면 추골동맥에 영향을 줘서 위험할 수 있습니다.

여기에 혈관이 있어요. 머리로 80%가 들어가는 여기를 경동맥이라고 하죠. 경동맥 뒤의 척추에서 20%가 들어가는게 추골동맥인데, 여기에 힘이 들어가면 뒤에 추골동맥에 힘이 들어가버려요.

그래서 흉쇄유돌근이 튀어나오면 절대로 앞에서 놓고 교정을 하면 안 되요. 흉쇄유돌근 뒤에 전사각근 보이잖아요. 중사각근. 상완신경이 지나갑니다. 이것을 인지하고 느껴보셔야 되기 때문에 여러분들이 흉쇄관절을 흉골과 쇄골에 관련된 관절에서 찾아보셔야 되고, 흉쇄유돌근을 찾아보셔야 되고, 전사각근하고 중사각근으로 내려가서 쇄골을 찾아야 되요. 손을 이렇게 놓고 이렇게 팍 다시 한번 잘 보세요. 손을요. 거꾸로 놓으셔야 되요. 놓고 얘를 파고 들어가야 되요. 파고 들어가서 걸면 딱 상완신경이 걸려요.

이렇게 하지 말고, 손을 놓고 뒤집어서 들어갑니다. 상완신경을 확인해보시라는거 하나, 쇄골하근을 자극주라는 거 하나, 그다음에 벌려서 소흉근을 잡고 소흉근을 자극주는거 하나, 이거. 여러분들에게 쉽게 알려주는 거니까 동작 관리를 확인하셔야 되요.

엉덩이를 들어보세요. 들었다가 하나, 다시. 뺄고 다리 뻗고, 자, 이쪽 다리 들어보세요. 안쪽 다리. 집어넣기. 이거를 SLR 테스트라고 해요. 호흡 들이마쉬고, 손잡고 호흡. 이번에 한번 제가 쭉 연달아서 해볼게요.

조금 빠르게 합니다. 여러분들은 천천히 해도 되는데. 다시 한번 후, 밀고 소장 눌러서 장요근 압박 주고. 다시 깍지 끼고. 코 숨. 숨 뺄고 후 ....

똑바로 눕고 자 두 다리 구부리고 엉덩이 들어보고 같이 내리고. 다시 뻗고, 좀 있다 내리고. 느낌이 편해지셨죠? 완전 다르죠.

좋습니까?

다시 설명합니다. 입에서부터 소장까지의 길이는 12m에요. 우리 소화관의 길이 총 12m 중에서 소장의 길이가 7m이고, 동양인은 서양인보다 장의 기이가 60cm 더 길어요. 채소류를 섭취하니까. 근데 소장은 오른쪽에 붙어 있고 왼쪽이 떨어져 있어요. 횡격막은 호흡을 하면 간은 시계반대방향으로 돌고 소장은 약간 연동운동을 해요. 소장의 움직임이 주는 공간이 확보되면 간은 시계반대방향으로 도는데, 간이 돈다는 의미는 한방적으로 간은 근육과 통증을 주관해요. 그리고 우리 인체에서 가장 많은 양의 혈액을 품고 있어요.

입에서 음식물을 씹어서 넘겨서 위장으로 들어가면, 위장은 완전히 멸균소독을 하여 수분의 20%만 흡수한 다음에 그 에너지 음식을 소장으로 넘기면 소장과 간에서 전체 수분의 80%를 흡수하고 영양분은 소장이 빨아서 다시 간으로 보냅니다.

이 순환을 '간문맥순환'이라고 하죠. 그래서 소장이 움직일 때 간이 움직일 수 있는 공간이 확보되는데, 몸이 안 좋거나 몸에 어떤 문제가 생기면 소장의 움직임이 둔해지기 시작해요. 결국 간의 혈액은 문제가 없지만 간기능이 떨어지는거죠. 그래서 피곤하다고 얘기하는데, 결국 소장이 움직여주는 그 자체가 간의 움직임은 활동성을 줘야 되는거고, 간의 움직임이 활동성을 갖게 되면 몸에서 근육과 통증을 해결한다는 거에요.

그러면 간이 더 움직일 수 있는 공간은 두 가지로 확보를 시켜주는 거에요. 첫번째는 펌핑작용으로 인해서 뇌로 보내주는데, 고원상태에서는 잡고 흔들림을 주관하고 숨겼을 때 직선으로 내려갔다가 직선에서 숨이 멈추면 위로 쳐 올려주는거 하나, 숨 들이마실 때 올라오고 숨 내실 때 직선으로 내려갔다가 마시고 올라오는 단계를 한 5회 이상 반복해요.

이렇게 해준 다음에 위로 공간이 확보되면 이제 소장을 밀어내게 되죠. 소장을 밀 때는 우리 몸에는 항상성을 유지하려고 하는 에너지가 있기 때문에 소장은 작은 '제2의 뇌'이기 때문에요. 얘가 움직이지 않게 해주는 근육을 괴롭혀야 됩니다.

그래서 숨을 들이마시고 내쉬고, 직선으로 눌러서 소장의 에너지를 꽉 잡아주는 거죠. 그리고 몸에서 인지하기 전에 놔버리는 거에요. 다시 숨 내쉬고 후. 그 상태에서 다시 직선으로 두 번 밀구요. 다시 직선 두 번. 그다음에는 위의 끝머리 유문에 붙어있기 때문에 30도 방향으로 또 직선으로 두 번. 숨 뱉을 때 후. 그리고 나서 다시 직선으로 두 번.

이렇게 자꾸 하면 어떤 작용이 되냐면 소장이 자유롭게 움직이면서 간은 자기 활동성을 찾게 되고 횡격막의 움직임이 원활해지면서 650개의 근육이 원활해지면서 동맥 순환이 원활하게 되어 자연치유적인 요소가 일어나게 됩니다.

급성 요통인 사람은 소장을 민 상태에서 뒤에서 자극을 주면 장요근이 잡힌다는 거죠. 이렇게까지 실습 수기에서도 마사지가 여러 가지가 있어요. 우리가 허리가 아플 때 수기로 만져주면 우리 몸에서 스스로 치료하는 NK 세포가 있어서 가만히 두게 되면 뇌에서 아픈 쪽에 예를 들어 5개만 가라는 명령이 떨어져요. 또 다른 것도 가겠는데, 고객이 호소한 어깨가 아프다고 하면 그곳에는 5개의 에너지만 가서는 안 되고 20개 이상이 가야 된다는 거죠. 그래서 뇌에 또 다른 명령을 내릴 수 있는 방법은 통증이 더 심한 포인트를 만져서 뇌에다 인지시키는 방법입니다.

그래서 여러분들이 아픈 부위를 만진다는 게 중요해요. 고객들은 그 아픈 부위를 만지면 싫어하거든요. 왜 아픈데를 만지냐고. 아픈데는 만져줘야 스스로 치유하는 에너지가 나온다는 거죠.

어깨에 문제가 와서 가동범위에 문제가 생기거나 어깨통증이 왔을 때 어깨 주변을 한번에 풀어줄 수 있는 방법이 있을까를 찾아야 된다는 거죠. 그 방법을 보여드리겠습니다.

깍지껴서 먼저 고객 옆에서 완전히 철푸덕 앉으셔야 되요. 그래서 고객이 나한테 깍지낀 상태에서 당겨와야 되요. 당겨와 있는 상태에서 손에 힘을 주고 관절가동범위까지 잡고 하나, 둘, 셋. 내가 쫓아다니면서 하게 하지 말구요. 당겨와서 내 몸에서 붙은 상태로 하나, 둘 , - 다섯. 반대쪽. 하나 — 다섯.

중요한 것은 나한테 밀착되야 된다는 거죠. 알겠죠?

기본적으로 어깨에 통증이 있거나, 팔이 너무 오래 아프거나, 회전근개 파열이 너무 오래 되어서 어깨가 고통스러운 분들이 있어요. 그러신 분한테 포인트를 잡아서 치료해주는 방법이에요. 흉골과 쇄골의 관절을 흉쇄관절이라고 합니다. 여기를 만져보면요. 만약에 이쪽 어깨가 안 좋으면 이쪽 관절을 잡고 여기를 풀어줘야 됩니다.

여기를 여러분들이 수기하면서 여태까지는 생각지도 않았던 자리거든요. 그런데 어깨 움직임에 아마무시 못할 정도로 영향을 주는 것이 흉쇄관절이에요. 여기를 잡고 계속 자극을 주구요.

그런 다음에 만약 오른쪽 어깨가 아프다고 하시면 근육에다가 이렇게 파스를 붙이세요. 두 번째는 쇄골과 어깨가 만나는 포인트에 푹 들어가는 자리가 있어요. 여기를 잡고 또 시계방향으로 돌리구요.

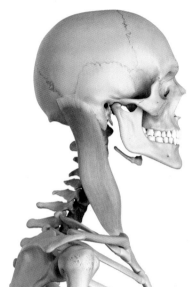
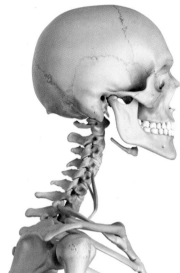
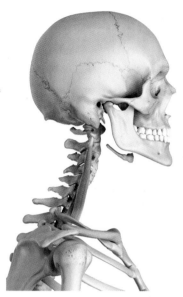

흉쇄유돌근/목빗근 전사각근/앞목갈비근 중사각근/중간목갈비근

그래서 이 포인트에 두 번째로 파스를 붙이세요. 그 다음에 이 쪽에 두 개를 손대면 삼각형 구도가 그려지게 되죠. 여기에 보면 흉쇄유돌근이 있지요. 흉쇄유돌근은 흉골과 쇄골과 유양돌기가 만나는 게 흉쇄유돌근이잖아요.

흉쇄유돌근 옆에 지나가는 전사각근과 중사각근이 있어요. 그 사이로 상완신경이 나오거든요. 여기에다가 붙입니다.

이렇게 붙여놓으면 어깨각도와 어깨통증이 현격하게 줄어요. 이 세 개 포인트. 그 다음에 여러분들이 고객의 몸에 그림을 그려도 된다면 아까처럼 3 포인트 요법을 그려서 애가 여기로. 삼각형 나오죠. 삼각형 두 개. 이 포인트를 잡아놓고 다시 한번 원, 투-.

그래서 다시 한번 삼각형을 잡아서 안쪽에서 삼각형을 다시 한번 그려주는 포인트를 잡아주면 통증이 잡아지게 되요. 균형적인 요소를 잡아주기 위해서는 하나의 포인트를 더 잡을 수 있는데, 여기가 메인이며, 반대쪽에도 하나 더 잡아줍니다.

이 상황이 균형적인 요소의 포인트를 잡아주는 어깨의 비책의 포인트입니다. 흉쇄 관절, 쇄골이 끝나는 관절. 그 다음에 사각근에 삼각형을 그려서 여기서부터 삼각형 라인에서 다시 삼각형 구도를 다시 그려주는 그림. 그 다음에 사각형, 사각근에 포인트를 그려주는 그림. 포인트에요.

여기를 모르겠으면 일단은 여기에 포인트를 잡아주는데, 반드시 시계방향으로 잡고 풀어줘야 되요.

안면비대칭을 관리해주는 포인트를 알려드릴건데요. 유두 위에서 일어나는 모든 상황은 두피를 풀어줘야 되고, 얼굴에서 일어나는 모든 상황은 흉쇄유돌근을 풀어주고요. 배꼽 위에서 일어나는 모든 상황은 사각근을 풀어야 소통이 되요. 그런데 머리쪽에 해부해보면 머리쪽의 문제점은 안에서 정맥이 크다는 거에요. 동맥이 작고. 얘는 머리에서 피가 내려가는 중에 소통이 되어야지 올라가는 중에 문제가 아니기 때문에 목쪽은 일단은 가볍게 해주는게 우선이에요. 변화를 주려면. 채우려고 하지 마시고.

그래서 상경추를 당겨주는 기본적인 동작을 해주면 좋구요. 목 주변에 어떤 동작을 해서 목 상하를 충분히 받아줄 수 있는 동작을 풀어주는 것도 중요해요.

그래서 목을 풀어준다는 것은 목의 문제를 변형시켜주는 것보다도 지금 머리에 몰려 있는 혈액이 밑으로 내려갈 수 있는 정맥을 한번 흔들어준다는 거라고 보시면 되구요.

그래서 두피를 풀어주는 설명하겠습니다. 두피는요. 다음에 도구를 잡고 할 때 측두근을 풀어주어야 되는데, 머리 주변의 혈관은 동맥이 많기 때문에 손을 모아서 풀면 혈관에 멍이 들 수도 있고 아파요. 그래서 일단 주변을 풀 때도 손을 벌리고 풀어줍니다.

손을 벌려서 머리 주변에 소통을 확실하게 시켜줘야 됩니다. 그리고 모상근막 자체로 풀어줘야 되고, 쭉 풀어지게 됐을 때 그 포인트 라인은 헤어라인이에요. 중요합니다.

측두근을 풀어주고, 이 부근의 백회 라인을 풀어준 다음 머리 위에 손을 올려 크로스시켜서 쪼개듯이 해서 백회 라인을 이렇게 풀어줍니다.

다시 헤어라인을 풀어주고, 다시 백회 라인을 풀어줍니다. 그리고 나서 손을 벌려서 측두근을 풀어 줍니다. 측두근은 교근이기 때문에 충분히 풀어주어야 됩니다. 측두근은 손을 벌린 채로 풀어주고, 흉쇄유돌근은 뜯어서 관리하고, 사각근은 벌리고 늘려 줍니다.

이렇게 한 상태에서 그 다음 패턴이 중요합니다. 손을 눈 밑에 대고 광대뼈를 넘어 턱으로 넘어가요. 그대로 손을 미끄러지듯 타고 내려가서 콧망울까지 손이 옵니다. 그 상태에서 직선으로 갑니다. 벌리죠. 딱 벌린데까지 가게 되면 쭉 다시 넘어갑니다. 넘어가서 코 밑에서 직선으로 갑니다.

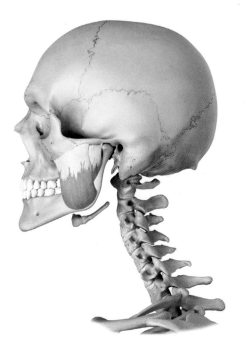

교근/깨물근

교근은 이 신경줄기가 이렇게 거미줄처럼 통해 있기 때문에 교근은 이 손으로 잡고 근육을 풀어줘야 됩니다. 완전히 하나, 둘, 셋 —— 여섯 하고 잡고 악악악악~~~~ 이 렇게 하는 거에요.

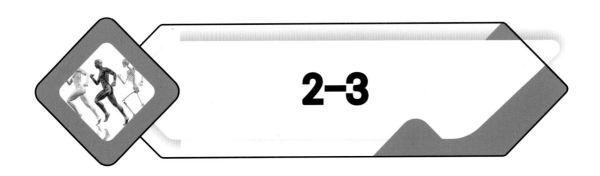

모든 고객관리는 다음의 원리에 의해서 합니다.

사람이 몸이 좋아진다고 생각하는 것은? 왜 좋아질까? 어떻게 하면 좋아질까?

수기를 하는 사람의 입장에서는 사람의 몸이 좋아져요.

피부샵에서 고객관리를 하면서 그 사람의 몸을 오일 마사지를 하든지, 아로마 마사지를 하든지 그 사람의 몸이 베드에서 일어났을 때 얼굴의 변화, 탄력도......본인에게 만족도를 줄 수 있는 어떤 결과치를 만들어내는데, 그렇다면 수기는?

수기도 마찬가지라는 것입니다.

고객이 일어났을 때 "어 좋아졌어." 하는 결과치를 만들어내야 하는데, 그 결과치를 만들어내는 것이 무엇이냐면 원리가 있어야 됩니다.

사람의 몸은 중력선 안에 들어와야 되고(중력선=gravity line), 피가 돌아야 됩니다.

이것이 하나의 기본 원리인데, 여기에서 파생되는 이유는 중력선은 그만두고 피의 순환을 보겠습니다.

혈액순환을 보면 심장에서 피가 나가요. 심장의 박동에 의해서 전체 산소와 영양물질·백혈구·적혈구 등을 보내는 것을 동맥이라고 하고, 동맥이 전신으로 보내서 쓰이고 남은 찌꺼기를 받아서 그것을 심장으로 다시 보내는 것을 정맥이라고 합니다. 여기가 모세혈관으로 갈라지고, 이것을 정맥이라고 합니다.

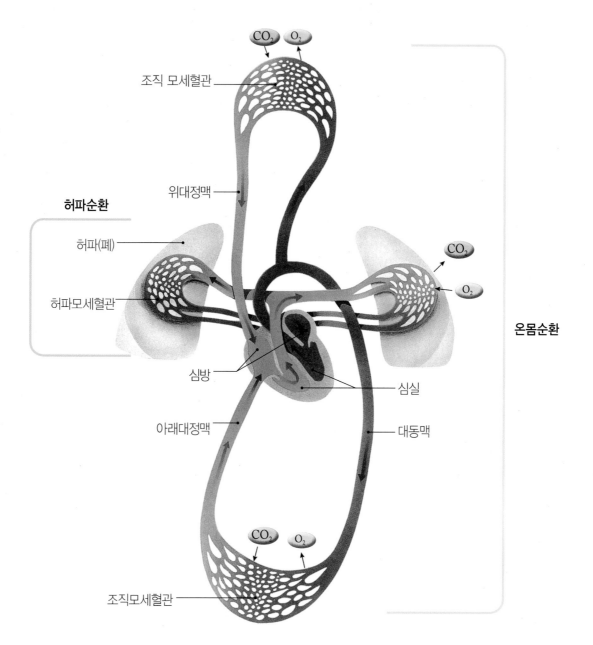

조직 모세혈관 — CO_2 O_2

위대정맥

허파순환

허파(폐)

허파모세혈관 — CO_2 O_2

심방

온몸순환

심실

아래대정맥 — 대동맥

조직모세혈관 — CO_2 O_2

심장의 박동에 의해서 나가는 과정은 아래로 쭉 내려갔지만, 그것이 다시 올라올 때는 심장으로 바로 올라오는 것이 아닙니다. 올라올 때는 혈관 안에 있는 판막을 거쳐야 합니다.

판막에 피가 들어오면 판막이 닫히면서 피를 위로 쳐 올려줍니다. 그래야지 피가 올라가면서 순환이 되는데, 이것이 왜 중요하냐면 우리가 수기를 할 때는 동맥은 만지지 못하고 겉에서 만지는 것은 전부 정맥이기 때문이에요.

그러면 원리적인 요소는 정맥의 순환이 빨라지면 동맥의 순환도 빨라지겠다. 그러면 혈액 안에 들어 있는 NK라든가, 대식세포(백혈구) 등 몸을 살리는 모든 에너지가 정맥의 순환이 원활해지면 동맥은 더 빨라지겠다. 결국 우리 몸이 좋아지는 것은 피가 들어간다는 것입니다.

심장이 전신으로 피를 보내는데, 나이가 들어서 손끝이나 발끝, 즉 구석구석 먼곳의 근육이나 근막이 굳으면 피가 들어가지 못해서 심장이 피를 보내기 위해 압력을 올리게 됩니다. 압력을 올려서 피를 막힌 부분에 보내야 되는데, 팔에서 피의 압력을 견디는 힘은 5이고, 머리에서 견디는 압력은 2인데, 5의 압력으로 올리면 머리에서 터질 수밖에 없습니다.

그러면 나이가 먹은 분들이 혈압이 올랐다는 것은 순환의 문제가 생겼기 때문입니다. 심장에서 먼곳부터, 즉 손끝, 발끝...말초부위를 마사지하거나 근육을 풀어주면 즉 정맥을 풀어주면 혈압이 떨어질 수밖에 없습니다. 혈압이 떨어지는 원인 중에서 종아리를 잘 풀어주면 혈압이 20 이상 떨어져요. 그래서 정맥의 순환을 시켰어요.

정맥순환을 시키는 하나가 판막인데, 판막의 움직임이 혈관 안에서 밀고 닫고 하는 과정에 있을 때 근육이 수축하는 것입니다.

지금 설명하는 것이 뻔뻔 근육학 3편으로 원리는 근육의 수축과 이완입니다.

그러면 근육이 몇 개인가? 우리 몸을 보았더니 650개의 근육이 있습니다. 650개의 근육을 한번에 움직이게 하려면 어떻게 해야 하느냐면 코로 숨을 들이마시고 입으로 내쉬는 복식호흡을 하면 우리 몸은 650개 근육이 전부 움직이게 되겠지요.

650개의 근육이 움직이니 정맥순환이 되더라. 그러면 복식호흡은 어디에서 일어났습니까? 횡격막에서 수축과 이완을 통해서 호흡을 통해서 일어났더라. "오, 그러니." 하고 보았더니 이 횡격막을 지배하는 지배신경은 경추 3번 5번이더라.

그래서 다시 근육을 보았더니 근육량의 80%가 배꼽밑 하지에 있고, 그 80%의 핵심이 종아리의 승산혈이더라. 그거면 고객이 와서 사람의 살려주는 근육학 입장에서 보았을 때 피가 돈다는 것은 650개 근육을 움직이게 하는 것은 횡격막이고, 그것을 지배하는 신경이 경추 3번, 5번이더라.

근육량의 80%가 하지에 있는데, 그것을 풀어주는 것이 어디에 있나. 종아리입니다.

종아리와 목을 풀으면 피는 순환됩니다. 종아리와 목을 풀으면 횡격막이 좋아진다고 하는데, 풀어도 횡격막이 안 좋은 사람도 있어요.

복식호흡이 태생적으로 여자는 안 되고, 남자는 태생적으로 복식호흡을 하는데 잠을 자면 모두 복식호흡으로 바뀝니다. 이 복식호흡이 되어야 횡격막에 붙어 있는 장기가 간은 시계반대방향으로 돌고, 소장은 연동운동이 일어나서 순환이 시작되는 거예요.

그래서 혈액순환이라는 것은 우리 몸의 장부의 연동운동이고, 정맥을 움직이게 하는 것은 근육이고, 근육을 움직이게 하는 것은 횡격막이고, 횡격막을 움직이게 하는 것은 경추입니다. 목을 풀어준다는 것과 종아리를 풀어준다는 것은 피가 도는 근본적인 원리라는 것입니다.

수기를 할 때 목을 풀어주고 종아리를 풀어주는데, 일자목이나 거북목이 될까요?

목의 움직임에 영향을 주는 반대의 힘이 있는데, 이것을 길항이라고 해요. 길항은 반대로 움직이는 힘의 원리인데 그래서 목을 잡고 있는 승모근이 길항근이예요.

그러나 앞에도 버티어 주는 근육도 있다는 것입니다.

길항적인 요소가 상완이두근을 당길 때 상완이두근이 늘어나고, 보조적인 상완근이 같이 당겨주어서 상완삼두근이 늘어날 때 상완이두근과 상완삼두근은 길항관계가 있으므로 반대의 힘으로 풀어야 되는데, 일자목과 거북목은 반대에 반드시 걸려 있는 부분이 있어요.

그것이 대흉근 앞쪽에 흉골체가 있고, 유두 가운데에 단중(전중)이라는 심포의 모혈이 있습니다.

이 자리가 머리의 각도, 목의 각도를 잡고, 목 뒤를 잡고 있는 길항입니다. 그래서 우리가 고객을 관리할 때 신경을 써야 할 것이 무엇이냐면 목을 풀어야

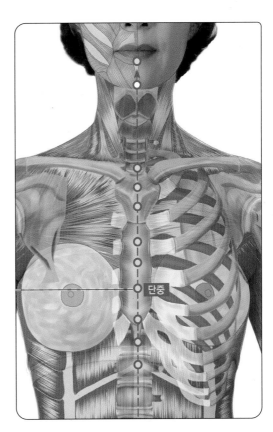

단중

횡격막을 풀어주어야 하는데, 목이 너무 굳어 있거나 일자목이 되어 있거나 할 때 목을 풀어주는 반대를 풀어주어야 한다는 거예요.

길항근은 대흉근 앞에 있습니다. 목을 풀어주는 조건이 흉골 속에 있는 단중혈 위 3치 포인트를 시계방향으로 따뜻하게 풀어주어야 합니다.

답은 나옵니다. 단중혈 위 세치를 풀고 목을 풀고 횡격막을 풀겠죠. 종아리를 풀겠죠.

고객이 오시면 신 교수가 나에게 시간이 10분밖에 없고 한군데를 만져서 그 사람의 몸을 좋게 해 준다고 하면 신 교수님은 지체없이 목을 풀 것입니다.

이제 너에게 충분한 시간을 줄 것이니까 고객관리를 해보라고 하면 대흉근 - 목 - 종아리를 풀고, 복식호흡을 시킬 것입니다.

여기까지 하면 우리 몸에서 에너지가 움직이는 이치를 이해하게 됩니다.

여기까지 이해가 된 다음의 노하우를 설명합니다.

우리 몸은 장부의 에너지가 편안해야지 몸에서 기운과 변화가 일어날 수 있습니다. 내장기의 에너지가 좋아야 몸에서 변화가 일어납니다.

고객들이 와서 "선생님 몇 번을 받아야 내 몸이 좋아질까요?" 고객은 숫자로 이야기를 해 주는 것을 원합니다. 그러면 고객의 손을 만져 보아요. 손이 찬지. 두피를 만져봐요. 두피가 안 움직이는 사람은 더 오래 걸려요. 수족이 냉한 것입니다. 피가 내장기에서 도는 것이 버거워요. 팔·다리까지 피를 보낼 수 있는 여력이 없어요.

이런 사람들은 몸에서 변화를 주어도 쉽게 일어나지 않아요.

두 번째는 두피를 만져 보는데, 모상건막 라인이 굳어 있으면 상지 라인이 굳어서 상체가 뻣뻣합니다. 목 주변에도 영향을 주어서 횡격막에 영향을 주어서 두피가 살아나면 이것이 다 살아납니다.

고객이 와서 "몇 번 하면 좋아질 것 같습니까?"라고 했을 때 막연히 "열심히 오세요." 하면 고객은 몸을 돌립니다. 최소한 1주일에 3번씩....우리 몸을 변화시킬 시간을 주고 3주를 주면 10회 정도 되는데, 우리 몸은 이제는 항상성이 깨지고 현재의 몸이 변화시킬 수 있게 됩니다.

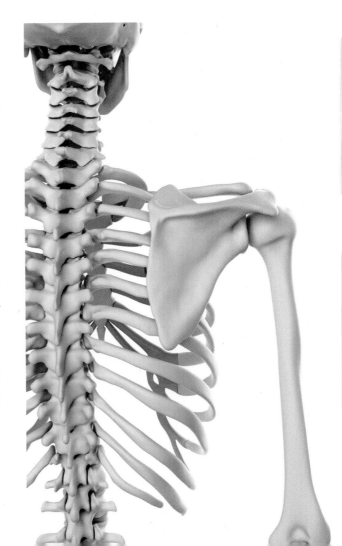

쓰러져서 오셨던 분이 "몇 번 받아야 좋아지냐?"고 하면 "한번 받아도 몸은 좋아지겠만, 48시간 안에 다시 틀어진 곳으로 돌아가요." 관리하는 사람은 48시간 안에 다시 몸을 만져주어야 좋아집니다. 우리 몸은 일정 시간 안에 몸을 만져주어야 하는데 틀어졌던 몸이 다시 돌아오는데 현재 바뀐 코드를 정상코드로 바뀝니다.

많은 사람들이 이야기합니다. "선생님, 이렇게 받으면 다시 나빠지지 않나요?"라고 이야기합니다. 세상에 다시 안 좋아지는 것이 있어요. 이럴 때 교수님은 이야기합니다. "아침 먹었다고 점심은 안 먹습니까? 배가 고프지 않으려면 또 먹어야 되죠?" 만약에 그 사람이 몸을 그대로 두고 일상생활을 하기 때문에 몸의 변화는 와요. 그래서 주기적인 관리를 요하는 것입니다.

두 번째 변화는 내장기의 변화입니다.

척추에서 하나하나 내장기를 관여하는 것이 배수혈이라고 불러요. 배수혈.

흉추 3번은 폐를 관장합니다. 흉추 4번 · 5번은 심포와 심장을 관장하고, 흉추 9번은 간에 관여하고, 흉추 12번은 위를 관장합니다.

팔꿈치가 끝나는 부위가 흉추 12번, 위가 9번 간... 3번 폐와 연결됩니다. 흉추 12번은 체했을 때 여기를 치지 않고 그 위쪽을 치죠. 흉추 5번~9번까지를 우리는 대내장신경줄기라고 하는데, 내장기의 뿌리가 모여 있는 곳이예요.

그 가운데가 흉추 7번입니다. 이곳은 여자들의 브레지어 라인이 지나는 곳이고 견갑골의 끝선에 걸리는 라인입니다. 이 부분이 내장기의 중요한 포인트입니다.

그러면 내장기를 관장하는 배수혈과 대내장신경줄기 두 개가 하나의 컨셉의 근육으로 잡혀있다는 거죠.

여기 말고 하나의 근육이 더 잡혀 있어야 합니다.

이제는 여러분에게 미주신경을 그려줄 것입니다.

경추1번은 도너츠 같이 생겼습니다. 이것은 핫도그 같이 생겨서 끼워집니다. 그래서 cervical이라는 경추1번~7번까지 7개이고, 목신경은 8개입니다.

후두와 경추 1번 사이에 신경 하나를 더 넣었습니다. 그래서 1번이라고 하는데, 목뼈는 7개인데 목신경은 8개입니다.

다른 뼈와 뼈 사이에는 디스크가 있습니다. 디스크는 충격을 흡수하고 뼈가 틀어졌을 때 원래대로 돌아오는 활주운동(sliding movement)이라는 하나의 동작이 일어나게 합니다. 그러나 경추 1번과 2번 사이에는 이것이 없어서 문제가 생기면 다음의 4가지 현상이 생깁니다.

혈압이 올라가고, 뇌압이 올라가고, 림프순환이 안 되고, 640만개 조의 신경(뇌신경)이 잘 안 듣습니다. 이 부분이 틀어져서 4가지 문제가 오면 젊은 분들은 잘 회복되지만, 나이 먹은 사람들은 잘 되지 않습니다.

1번 경추 위에 얹혀 있는 것은 뇌간·변연계·대뇌피질이 있는데, 뇌간(척수)에는 연수가 있어 생명에 중요합니다. 연수에는 10번의 미주신경이 나오며, 척수랑 비슷합니다. 변연계는 뇌간 위에 있는데, 이것은 욕구충족을 나타내고, 그 위에는 쭈굴쭈굴한 대뇌피질이 있습니다. 사각근과 흉쇄유돌근 사이에 나오면서 미친듯이 달립니다.

여러분들은 크게 인체를 구분하는 대내장신경과 미주신경을 보았어요.

옛날에 '허준'이라는 드라마를 보게 되면 허준과 침을 잘 놓는 어떤 사람이 시합을 합니다. 큰 침(대침) 아홉 개를 가지고 닭에게 찔러요. 닭이 아홉 개의 침이 다 들어가도 안 죽고 살아 있으면 그 사람이 이긴 것입니다. 이것을 구침지회라고 그랬습니다. 그런데 마지막에 그 사람은 찌르다가 연수를 건드려서 닭이 죽습니다.

연수라는 것은 생명과 연관이 되어 있습니다. 여기에서 10번 미주신경이 나와서 내장기를 지나갑니다. 우리가 고객을 관리할 때 장기의 편안함이 인체에 영향을 줍니다.

목을 푼다는 것은 미주신경과 연관되는 상경추를 풀어준다는 것이고, 경추3번과 5번은 흉신경이 나오는 것이고, 경추 5번과 6번은 중심축이 되어서 목디스크가 일어나

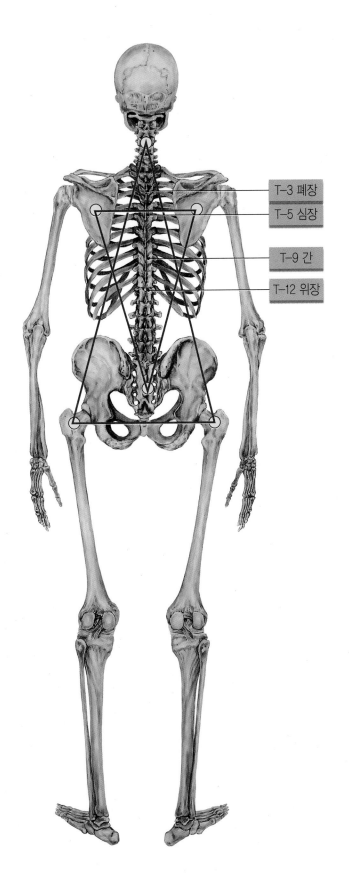

는 곳이고, 우리가 5번부터 7번은 전거근을 지배하는 장흉신경의 뿌리가 5번부터 7번까지입니다.

전거근부터 간까지 건드립니다.

결국 목을 풀어준다는 것은 횡격막도 연관이 되고, 상경추하고 연관이 되고, 미주신경하고 연관이 되고, 목의 중심축과 연관이 되고, 내장기와 여관이 되어 있는 장흉신경, 전거근하고 연관이 됩니다.

목을 푼다는 것은 호흡하고 뇌 관계에 중요한 역할을 합니다. 또 등을 푼다는 것은 배수혈을 풀어서 내장기의 뿌리를 건드리는 것이다.

그 중심에는 대내장신경도 푼다는 뜻이 있습니다.

그렇다면 복부라는 것은 안쪽에 내장기가 있고 내장기를 바로 안쪽을 싸고 있는 복횡근입니다. 일명 '코르셋'처럼 내장기를 감싸고 있습니다. 그리고 복횡근에 끼어 있는 근육이 있습니다. 그것이 복직근입니다.

안쪽에는 내복사근·외복사근이 있습니다. 그런데 어떤 분이 교수님은 서 있고요 많은 사람들과 줄을 연결하고 있어요. 마치 거미줄처럼. 그런데 거미가 거미줄을 친 줄에 붙어 있으면 미세한 거미줄의 움직임에도 거미는 먹이인줄 알고 먹이를 덥석...그런데 비바람이 불다가 ....아니면 태풍을 불다가 ... 아니면 지나가는 참새가 거미줄을 건드렸습니다. 그래서 이 6가지 거미줄이 꼬여버렸습니다. 저쪽에서 미세하게 진동이 와야 되는데, 이쪽에서 꼬여버렸기 때문에 거미가 감각이 없는 것입니다.

이렇게 미세하게 근막과 근육이 연결되는 근막으로 모든 조직이 연결이 되어 있는데, 이 근막이 복잡하게 뻗어나가는 것이 복부입니다.

여자분들이 와서 그럽니다. "뒷목이 댕기고 무엇이 쭉 당기는 것 같습니다. 심하면 고무장갑을 머리에 쓰고 쭉 당기는 것 같은 통증이 온다고." 이런 이야기를 하거나 뒤에서 당긴다고 하는 것을 보면 많은 분들이 제왕절개수술 자국이 있거나 내장기에 질환이 있어서 소장을 절제했거나 한 분들이 근막이 꼬인 것입니다.

여자분들이 몸에 통증을 오면 일단 배를 보아야 합니다. 배를 보아서 복부에 외복사근, 내복사근, 복직근, 복횡근으로 올라가는 근막이 어디가 끊어졌거나 뭉쳐 있다고 보아야 합니다. 그래서 배를 움켜쥐고 흔들어주는 것입니다. 그러면 생각보다 목이나 어깨가 편해집니다.

배는 우리 인체를 리셋시키는 기능이 있습니다.

여러분들은 수기를 할 때나 교정을 할 때 고객들이 불편하다고 하는 부분을 자꾸 시술합니다. 물론 나쁜 것이 아닙니다. 그러나 원인 부분이 어디에 있는지를 봐야 합니다. 집중이 되다 보니까. 근막이 꼬이니까 땡겨진 것입니다.

복부를 풀어주어야 합니다. 복부에는 외복사근이 있습니다. 외복사근은 대퇴근막장근과 연관되고 안쪽에 무릎과 연관이 되고, 뒤에 있는 광배근과도 연관됩니다. 연관이 되기 때문에 복부를 풀어주어야지 안쪽과 바깥쪽과 등쪽과의 연관이 된다는 뜻입니다.

설명했던 이런 것들이 목을 풀어주어야 되고, 종아리를 풀어 주어야 됩니다. 뒤에 혈액순환을 설명하고 나면 이 사람의 몸을 중력선으로 들어오게 해야 됩니다.

중력선 안에 들어오게 되면 이렇게 이야기합니다.

"자기 몸을 자기가 인지하지 못하는 상태가 가장 건강한 상태이다. 다시말해서 자기 몸을 느껴지지 않는 것이다."

어깨가 느껴지지 않으면 어깨가 안 아픈 것이고, 허리가 느껴지지 않으면 허리가 안 아픈 것이고, 속에서 느껴지지 않으면 위장이 안 아픈 것입니다. 가장 건강한 상태란 내가 내 몸에 대해서 아무것도 느껴지지 않는 상태입니다. 이런 것을 우리는 중력선 안에 들어 왔다고 표현합니다.

뒤에서부터 일직선 상태로 있는 고객이 어떤 상태가 되면 몸이 좋아지냐면 몸을 '중력선' 안으로 들어오게 만들어주면 우리 몸은 회복반응이 일어나게 됩니다.

틀어져 있는 사람은 자꾸 반대쪽으로 동작을 해서 만들어주고, 앞으로 숙여져 있는 사람은 길항의 자세로 맞추어 주고 …이런 동작을 반복적으로 하게 되면 우리 몸은 중력선 안으로 들어오게 됩니다. 그러면서 혈액을 돌면 혈액순환을 시켜줍니다.

어느 날 어떤 사람이 "가슴이 너무 아파요. 가슴이 아파서 병원에 갔더니 이것은 대흉근의 문제가 아니라 심장의 문제라는 협심증 때문이래요." 이것을 내장 체성반응이라고 합니다. 내장계의 반응이 근육으로 나타나기 시작하는 것입니다.

어떤 사람은 복부 운동을 너무 많이 했습니다. 복부가 너무 많이 단단해져서 내장기를 자극해서 아픔니다. 특히 소장과 대장을 압박해서 배가 아픈 경우에는 체성내장반응이라고 합니다.

어떤 근육 때문에 장기가 압박되어 있든가 또는 내장기 때문에 겉으로 나타나는 모든 증상은 어떻게 하면 풀어지느냐면 근육의 강약을 조절하거나 근육을 풀어서 내장을 편안하게 해 주어야 합니다. 그러면서 혈액순환이 잘 되게 해주면 내장계질환도 오히려 근육을 풀어서 좋아질 수 있다는 것입니다.

그래서 여러분들은 뻔뻔 근육학의 세 번째 시간인 '근육의 원리'가 이 속에 들어 있다고 보시면 됩니다.

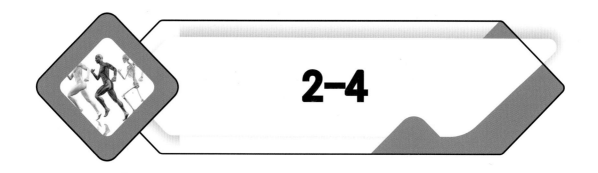

안녕하십니까. 신 교수입니다. 오늘의 뻔뻔 근육학 네 번째 시간입니다.

오늘은 승모근과 상초의 기운에 대하여 설명하였습니다. 다른 때 강의하는 것보다 이 영상이 좋다는 이유들이 천천히 하는게 좋다고 하니까 말을 빨리 하지 않고 천천히 하겠습니다.

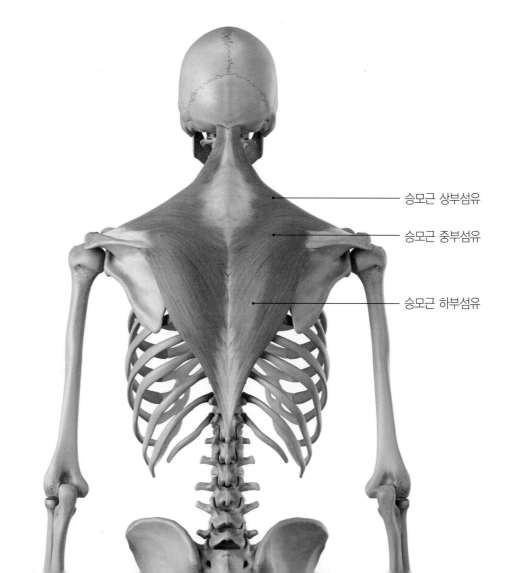

승모근 상부섬유

승모근 중부섬유

승모근 하부섬유

먼저 상초의 기운, 중초의 기운, 하초의 기운을 설명합니다. 상초의 기운은 안개와 같다고 표현합니다. 중초의 기운은 거품과 같다고 표현하고, 하초의 기운은 도랑과 같다고 표현합니다. 상초의 기운은 숨을 들이마쉬는 기운들을 선인들은 안개에 비유했고, 중초의 기운은 음식물이 위장에 들어가 있는 모습이 마치 세탁기에 빨래와 세제가 섞여서 도는 과정을 거품과 같다고 표현했고, 또 배설과정을 도랑물이 흘러간다고 해서 그런 모습에 비유해서 하초의 기운은 도랑과 같다고 표현했습니다.

그런데 상초의 기운 중에서도 물론 전면이 있고 후면이 있는데, 오늘은 여러분들에게 후면의 가장 중요한 근육인 승모근에 대한 설명과 상초의 기운에 대하여 설명드리고자 합니다.

먼저 승모근에 대한 설명을 하면서 그에 연관된 상초의 기운과 에너지, 또는 어떻게 하면 고객을 살려줄 수 있을지를 생각해 봅시다.

많은 근육학적인 생각들은 살려주는 것보다 원론적인 얘기를 많이 하지만, 오늘 저는 여러분들에게 저랑 똑같은 마음으로 쉽게 설명하고자 합니다.

승모근은 후두골에서부터 흉추 12번까지 연결되어 있는 근육입니다. 시작되는 곳은 후두골에서부터 경추 2번부터 흉추 12번극돌기에 붙어 있구요. 그다음에 끝나는 정지점은 쇄골의 바깥부분의 2/3 하구요 견봉돌기, 그리고 견갑골 극부위에 붙어서 연결됩니다.

모양이 이렇게 뻗어나가서 다시 왔다가 다시 가는 모양입니다. 그래서 끝부분 모양이 흉추 12번이 되죠.

그 모양이 스님의 꼬깔모자와 닮았다고 해서 승모근입니다. 우리 인체 구조에서 아마 가장 예민한 근육이라고 생각됩니다. 제가 직접 카데바를 본 느낌은 승모근은 상당히 얇은 근육이에요. 얇은 비닐 같은 느낌. 그런데 이 승모근은 되게 예민하고, 오죽하면 별명 자체가 '스트레스 근육'일까요. 그 이유는 다른 근육은 항상 긴장하고 있어서 교감신경이 컨트롤한다고 생각합니다. 뭔가 움직이고. 길을 가다가 만약 여러분들이 강도를 만났어요. 만나면 뭔가 긴장되어 있고 무서운 상황을 상상해보세요. 그때 우리들의 모습이 교감신경이다 라고 표현하고 그 강도를 벗어나서 집에 들어가서 편히 쉬고 있는 모습을 부교감신경이라고 생각합니다. 그러나 신 교수가 여러분 앞에서 강의를 하고 있는 모습도 부교감신경이 항진되어 있는 모습처럼 뭔가 교감신경이 움직이는 모습처럼 보이지만, 하나의 근육만은 계속 쉬고자 몸에서 어떤 에너지를 내보냅니다. 그게 승모근입니다.

그래서 승모근은 뇌신경 11번, 부신경(accessory nerve)이 지배합니다. 승모근하고 흉쇄유돌근은 부신경이 지배합니다. 그러나 실질적인 역할을 하는 과정은 부교감신경이 콘트롤한다고 합니다.

여러분들의 의학적 지배신경은 부신경입니다. 그러나 우리 몸에서 작용하는 것을 보면 예민하게 작용을 하더라. 그리고 우리 몸에서 통증과도 연관이 되고 추위와도 연관된다고 해서 승모근을 만져보면 그 사람들의 직업군을 알 수 있어요. 예를 들어 고객을 눕힌 상태에서 오른쪽 승모근을 만졌더니 승모근이 굳어서 딱딱하면 몸이 피곤한 상태거든요. 간 에너지가 오른쪽으로 올라오는 상태구요. 왼쪽 승모근이 굳어 있으면 이 분은 스트레스가 많다 그러죠. 오른쪽이 피곤하니까 오른쪽 승모근은 간하고 연관되어 있다고 보시고, 왼쪽 승모근은 위장과 심장과 연관됩니다.

승모근은 추위에 민감해요. 막 떨 때, 민감하고. 또 위장하고 직결되게 연관되고 심장하고도 연관되서 왼쪽 어깨가 굳어 있는 분들은 피로감보다도 스트레스가 많은 상태의 양상이라고 봅니다.

승모근을 통해서 이 사람의 현재 상태를 느낄 수 있습니다. "아, 피곤하시구나." 또 승모근이 너무 많이 굳으면 두피쪽으로 올라가는 혈관계에 통증이 와서 머리가 찌릿찌릿한 느낌들도 오구요. 승모근이 너무 통증이 오면 사람들은 고통스런, 어깨에 무슨 느낌이 있다고 얘기하죠.

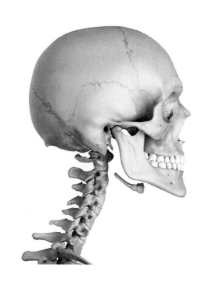

정상적인 목의 각도가 C자 커브가 되면 역학적 무게중심이 0이 되게끔 되어 있습니다. 머리무게가 평균 교과서적으로는 5.5~6kg 입니다. 그러나 제가 오늘은 약 10kg이 정상적이라고 해서 설명을 해보면 10kg이라고 했을 때 어깨에서 느끼는 무게는 0이에요. 역학적 무게 중심이 0인데, 목이 1자 목이 되어버리면 10 곱하기 1이 되서 양쪽 어깨에 5kg씩 10kg가 눌리게 되구요. 거북목이라고 하면 역학적 무게 중심이 10 곱하기 4가 되어서 양쪽 어깨에 20kg 짜리 쌀포대를 얹어놓은 양상이 됩니다.

이런 양상에서 승모근 자체에 무게감을 느끼게 된다는거죠. 어깨가 뭔가 짓누르는 느낌. 이게 목의 각도에도 영향을 많이 받는 근육이죠. 심층과 최심층으로 인해서 승모근은 어쩌면 천층에 있는 근육이라고 얘기할 수 있어요.

일반적인 근육은 심층에 자리를 잡거든요. 심층에는 혈관과 근육이 대부분 자리잡고 있는데 천층에 자리잡고 있다고 얘기할 수 있는 근육이 승모근입니다. 승모근을 통해서 올 수 있는 것들이 굉장히 많습니다.

여러분들은 "오른쪽은 피로와 간과 연관된다. 왼쪽은 위장과 심장과 연관 있다. 스트레스 근육이다."라고 얘기하고 부교감신경이 콘트롤한다. 통증은 피로와 어깨와 목과 오고 거북목, 아까 설명드린 우리가 정상적인 C자 커브가 아니라 완전히 앞으로 나가 있는 리버스된 목, 역학적 무게중심이 10 곱하기 4가 되어 무게중심이 왔을 때 승모근에서도 뒤로 당기고 있죠.

그런데 제가 자꾸 설명해주는 것 중의 하나가 통증이 오는 현재 근육도 봐야 되지만, 거기에 반대적으로 잡아주는 근육인 길항도 봐야 되거든요. 그래서 승모근의 길항을 어디까지 볼 것이냐. 대흉근만 볼 것이냐 얘기하거든요.

승모근 잡아주는 뒤에 있는 여러 가지 근육들도 있겠지만, 대흉근 라인의 전중이 3치 부분부터 해서 흉골각도를 펴주면 목의 각도가 많이 편해진다는 거죠. 승모근에 문제가 오게 되면 그 뒤에 오게 되는 질환 중에 하나가 '버섯증후군'입니다.

남들이 보면 마치 버섯이 튀어나온 것처럼 불룩하게 올라오는 양상이 됩니다. 목의 각도와 머리의 문제가 생겼을 때 또는 만성적인 머리에 무게가 지속적으로 가면 그것을 지지하려고 하는 인체의 방어적인 기질의 하나라고 보시면 되요. 질환의 개념으로도 보지만 때로는 버섯증후군이라는 개념보다 목 뒤에 지방종이 올 수도 있지만, 지금 제가 설명드리는 것은 목의 각도와 연관된 것입니다.

그래서 승모근은 우리 인체의 옷걸이 근육, 뭔가 전체를 잡아주는 근육이라고 볼 수 있어요. 면역력하고도 연관 있어요. 승모근은 우리 몸의 통증을 케어하는 것과 우리 몸의 피로감과 스트레스를 케어해주는 하나의 근육으로 본다는 거죠.

승모근은 우리가 단순히 교정 개념으로 볼 때 승모근을 풀어줘서 그 안쪽에 있는 흉골, 그다음에 뒤에 있는 경추·흉추 라인을 설명하게 됩니다. 승모근이 흉추 12번까지 내려가기 때문에 흉추 라인 안에 배수혈들이 있습니다.

살려주는 근육학 개념으로는 여러분들이 수기라고 해서 설명할 수 있는 부분들이 있어야 되요.

흉추 3번 부분은 폐와 연결되어 있어요. 배수혈 개념으로 흉추 4번과 5번은 심포와 심장과 연관된 라인으로 보시면 되고. 흉추 9번은 간하고 연관되는 라인으로 보구요. 흉추 10번 11번 흉추 11번 12번은 위장과 비장이 연결되는 라인이라고 해서 흉추 12번은 위장으로 보게 됩니다.

이렇게 우리는 승모근 라인 안쪽에서 일어나는 이 생각들을 하게 됩니다. 배수혈이구요. 5번부터 9번은 대내장신경줄기라고 그래서 내장기 뿌리가 보이는 자리를 보게 됩니다. 나이는 사람의 목을 봅니다. 하나의 사람을 형성하는 몸을 보면 전체를 봅니다. 그러나 질환을 판단할 때는 겉에 보이는 모습에서 난 저 사람의 승모근을 관리할 것이냐, 승모근 안에 있는 배수혈을 관리할 것이냐, 혹은 등쪽에 흘러가는 방광경락을 관리할 것이냐, 또는 척주기립근을 통해서 그 사람의 체형을 볼 것이냐. 이 승모근의 머리에 연관되는 거랑 체간이랑 연결되는 하나의 과정도 보게 됩니다.

그래서 여러분들은 책을 보면서도 "아, 승모근이란 근육은 뇌신경 11번 부신경이 지배를 하고, 그 역할은 부교감신경이 콘트롤하지만 이 승모근은 우리 인체에서 피로도와 통증이 동시에 연관되는 하나의 근육이다. 또 승모근 통해서 목의 각도에도 영향을 받을 수 있고, 라운드숄더, 어깨가 말려들어가는 사람에 대한 과정도 설명할 수 있습니다."

이런 관점에서 상지에 대한 얘기들을 좀더 해봐야 될 것 같습니다.

근육학적으로는 다시 나눠서 설명드리겠는데, 앞에서 승모근을 옷걸이근육이라고 표현했기 때문에 양쪽 팔의 무게 또한 승모근의 영향을 받습니다. 또 전거근, 대흉근, 또 목에 있는 사각근, 흉쇄유돌근 등 전체적으로 몸의 균형적인 요소와 연관이 있거든요. 양쪽 팔의 무게가 체중의 1/3이라고 합니다.

그래서 체중의 1/3인 팔의 무게도 어깨에 영향을 주고, 또 목에도 영향을 줍니다. 승모근의 지배신경만 가지고 우리가 승모근을 콘트롤한다고 생각하지 마시구요. 승모근을 통해서 머리쪽하고 연관되는 하나의 그림을 보셔야 됩니다.

제가 등을 풀 때 견갑골의 움직임을 보시라고 얘기합니다. 승모근 안쪽에는 바로 능형근이라는 근육이 견갑골쪽에 있죠. 능형근 안쪽에는 상후거근이라는 근육이 들어 있습니다. 근육이 층층이 들어 있으면서 그 근육의 움직임과 전체적인 것이 연관되어 있어요.

우리는 승모근이란 근육을 하나로 딱 분리해서 관리 차원으로 설명하라고 얘기하면 승모근 마사지는 물론 이렇게 잡고 해줄 수 있어요. 그러나 모든 근육은 연관되어 있기 때문에 하나의 과정으로 보지 않습니다.

만약에 승모근을 내장체성반응으로 볼 때 위장에 문제가 있는 사람은 내장의 문제가 승모근을 통해서 어깨로 발현되죠. 간의 문제가 있는 사람은 오른쪽 어깨로 내장체성반응이 나타나게 됩니다. 내장체성반응은 내장기의 어떤 문제가 근육을 통해서 발현되는 현상이에요. 역으로 얘기하면 발현된 근육을 풀어주면 내장기의 기능이 편해질 수 있다는 전제조건이 주어집니다.

그런데 승모근은 항상 그 자체를 콘트롤하기보다 반사적인 요소를 해주는 것이 있어요. 비복근, 가자미근 등을 보면 승모근처럼 상당히 많은 양의 혈액을 심장에서 다리로 보내고 다시 올리는 역할을 종아리에 있는 승산이라는 혈에서 합니다.

그래서 오른쪽 어깨가 불편하거나 문제가 있으면 오른쪽 승모근을 푸는 것보다 오른쪽 종아리를 풀어주는게 그 효과가 더 좋고, 왼쪽 승모근이 불편할 때는 왼쪽 종아리 승산을 풀어주면 그 과정이 편해진다고 설명합니다.

여러분들도 경험해보셨겠지만 몸이 어느날 너무 피곤하여 내가 많이 서 있거나 걷지 않았는데 종아리가 터질 것 같은 날이 있습니다. 그게 뭐냐면 이 반사적인 요소에서 승모근의 피로가 종아리로 몰리게 된 거죠.

종아리에 통증이 온다는 얘기는 순환기에 문제가 있다고 보셔야 되요. 여러분들이 승모근의 문제를 풀어주면서 하나씩 보게 됩니다.

상지의 설명을 다시 한번 전반적으로 되돌아보고, 향후 강의방향을 보시기 바랍니다.

승모근과 같이 설명드려야 될 근육이 흉쇄유돌근입니다. 뇌신경 11번 부신경의 영향을 받고, 또 이쪽에는 뇌로 올라가는 혈액의 80%가 경동맥으로 올라가고 있구요. 앞에서 올라가고 뒤에서 지지하는 승모근의 모습을 같이 봐야 됩니다.

그래서 여러분들이 상초의 기운에 가장 전면에 대응하는 쪽 말고 뒤에서 딱 잡아주는 근육. 라운드숄더처럼 잡아주는 근육, 그래서 승모근을 보셔야 됩니다.

라운드숄더가 왔어요. 특히 사춘기 여자아이의 라운드숄더. 일명 등이 말려지는 거죠. 라운드 됐다. 운동장처럼 말렸기 때문에 승모근 자체가 이렇게 과긴장된 것처럼 늘면서 대흉근이 위축이 된 것처럼 보이지만 이건 근육의 문제구요. 진짜 문제는 안쪽에서 일어나는 내장체성반응이에요.

승모근이 안쪽으로 몰리면 일단은 앞에서 설명드렸던 배수혈의 개념에서 모든 기능이 떨어져 호흡기능에서 횡격막의 움직임이 둔해지게 되요. 라운드숄더가 있는 대부분의 사람들은 일자목이나 거북목으로 바뀌게 됩니다. 그러면 호흡의 양이 약 1/3로 줄어버리게 되죠. 그래서 호흡 양이 줄고 정맥순환 자체가 덜 되고, 그러면서 횡격막 호흡의 원활하지 않아서 전체 호흡량의 약 30% 정도가 남거나 아니면 약 2/3가 줄게 됩니다.

뇌는 전체 체중의 약 3~5% 비중을 차지합니다. 그런데 뇌가 쓰는 산소량은 전체 소모량의 약 30% 입니다. 뇌가 전체 혈액의 20%를 계속 돌려주는 과정을 가지고 있기 때문에 뇌가 쓰는 산소량이 많다는 얘기는 혈액을 통해서 산소를 빨리빨리 많이 받아야지 머리가 아프거나 머리쪽에서 일어나는 모든 상황이 해결된다는 거죠.

그런데 라운드숄더가 되버리면 호흡의 양이 줍니다. 라운드숄더가 됐을 때 분명 길항적인 요소인 대흉근도 풀어줘야 되겠지만, 이완된 승모근도 수축작용을 시켜주면 수축되어 있던 대흉근을 이완시키거나 완전히 스트레칭시키면서 그 과정을 연관시켜야 됩니다.

여러분들이 승모근을 보면서 저 사람이 라운드숄더구나. 저 사람의 승모근이 위축이 되어 있고, 또 대흉근도 위축되어 있어서 결국 호흡의 양이 줄고 있구나. 그러면 승모근을 통해서 얻을 수 있는 호흡의 양과 머리무게를 지탱해주는 자세적인 요소와 거북목과 이 모든 작용이 연관되어지는 것으로 보시면 되요.

그래서 고객의 승모근을 서 있는 상태에서 만지시면 의미가 없어요. 고객이 똑바로 누웠을 때 어깨를 만져봅니다. 누운 상태, 즉 중력이 제로인 상태로. 중력이 있는 상태로 만지면 머리무게 때문에 목의 각도나 승모근의 두께가 제대로 잡히지 않아요. 목이 일자가 되거나 거북목이 되어 있으면 승모근이 과긴장되기 때문에 일단 똑바로 누워 중력이 제로인 상태에서 승모근을 만져봅니다.

승모근이 과긴장되어 있으면 어디를 풀면 좋을까. 종아리를 풀어줘야 되죠. 승산. 그리구요. 대흉근을 풀어주고. 그다음에 수건을 말아서 승모근이 최대한 이완될 수 있도록 수건을 말아서 흉추 2번쪽에 깊게 넣어줘야 됩니다. 그래서 목이 C자 커브를 만들어주는 과정이 굉장히 중요합니다.

그러면 승모근은 어떻게 관리해야 할까요. 머리도 승모근이 영향을 주기 때문에 여러분들이 경추를 관리하면 승모근도 같이 좋아진다는 거죠. 머리의 무게를 지지하고, 머리의 각도를 유지시킨다. 그래야 승모근이 편해진다. 또 정신적·감정적 스트레스를 덜 받아야 승모근이 편안하고, 또 어깨 위에 무거운 걸 메고 있지 않아야 편해질 것입니다.

결국 모든 과정에 승모근이 연관되어집니다. 여러분들 이제 고객을 모시게 되면 그분에게 편안한 상태를 유지시킨 상태에서 수건을 목에다 대주고 C자를 만든 상태에서 복식호흡을 시키신 다음에 코로 숨을 들이마쉬고 입으로 내쉬게 한 다음에 승모근을 만져봅니다. 만졌을 때 고객들이 놀랄겁니다. "요즘 많이 피곤하신가봐요."라고 여러분 입에서 나오면 "어떻게 아셨어요?"라고 할거고 "요즘 스트레스가 많으신가 봅니다." 얘기하면 "진짜 원장님, 어떻게 아셨습니까."라고 할 거에요.

직업적인 요소도 승모근에 영향을 미치기 때문에 일반적인 직장인 또는 몸을 써서 일하는 분들은 주로 오른쪽 승모근이 아파요. 자영업을 하거나 목이 예민하긴 분들이 왼쪽 어깨가 주로 아프죠. 물론 이것은 승모근만의 역할이 아니에요. 물론 안에 모든 조직과 근조직에도 문제가 있겠지만, 그래도 승모근을 통해서 우리가 캐치할 수 있는 게 현재 몸상태라는 거죠.

그리고 나서 고객이 호흡하는 걸 봐야 합니다. 승모근 자체가 등쪽에서 받쳐주면서 대흉근과 길항작용을 하기 때문에 가슴을 편다는 거는 뒤에 있는 승모근이 같이 수축한다는 거잖아요. 그 과정을 봐야 되기 때문에 승모근의 문제가 있을 때 이 사람이 호흡이 편안하게 되는지 봐야 됩니다.

승모근에 많은 영향을 주는 근육이 대흉근이기 때문에 그 사람의 호흡의 양과 현재 스트레스받는 과정도 승모근 통해서 보게 됩니다.

고객이 오셨을 때 스트레스를 너무 많이 받거나 과긴장된 사람은 계속 숨이 짧습니다. 그런데 그 사람이 심리적으로 편해지면 호흡이 깊어지게 됩니다. 호흡을 깊어지게 하는 호흡근이 등쪽에도 같이 영향을 줍니다. 슬픔과 추위에도 영향이 있고요.

어깨를 들썩이며 떠나가네. 그런 노래 가사가 있듯이 내가 뭔가를 과하게 상대방에게 의사표현할 수 있는 근육도 승모근이에요.

내가 슬픔에 차 있을 때도 승모근을 들썩거리게 되죠. 이때는 승모근만 움직이는 게 아니죠. 전체의 복부근육들과 이쪽 근육들이 협조해서 승모근이 움직이지만, 어깨의 동작과 움직임에 가장 많은 영향을 미치는 게 승모근이죠.

승모근을 치료적으로 볼 때는 피로와 스트레스를 감지하는 중요한 근육입니다. 우리는 뇌신경 11번이 지배하지만 이를 통해서 알 수 있는 건 현재 심리적인 편안함과 피로도를 알 수 있으며, 승모근을 통해서 알 수 있는 것은 목의 각도 문제와 라운드숄더 문제를 같이 알 수 있다는거죠.

그래서 호흡의 양을 늘려주고 싶다면 대흉근도 펴줘야 하지만, 승모근의 길항작용을 하는 근육도 수축해줘야 됩니다. 승모근은 후두골부터 흉추 12번까지 내려가기 때문에 내장기쪽으로 더 안쪽으로 들어가보면 천층이 아니라 최심층 안쪽으로 더 깊게 들어가면 배수혈적인 개념에서 폐부터 쭉 위장까지 연관되는 하나의 큰 줄기로 봐야 된다는거죠.

머리의 통증. 그러니까 두통증상도 결국 승모근의 문제가 일조할 수 있습니다. 두 번째 흉쇄유돌근의 혈액순환이 일조할 수 있고, 세 번째는 위과 연관되는 두부부터해서 경락적인 요소도 일조할 수 있다고 볼 수 있어요. 또한 두통과 두피에 오는 증상과 머리를 쿡쿡 찌른다는 것을 호소하시는 분들은 모두 승모근과 연관있다고 보아야 되고, 상초의 에너지하고도 연관되어 있어요.

수승화강(水升火降). "차가운 기운은 내려가고 뜨거운 기운은 올라간다."는 것에도 승모근이 일조하고 있습니다. 또 목의 각도에도 영향을 줍니다. 즉 거북목과 일자목과 라운드숄더에 전체적인 영향을 줍니다. 보통 '옷걸이근육'이라고 얘기한다. 승모근은 인체에서 가장 아름다운 모습으로 근육이 형성되어 있습니다. 그래서 해부를 해보거나 카데바를 보면 가운데 백선이 있습니다. 근육은 뼈랑 연결되는 건을 힘줄이라고 하고, 뼈와 뼈를 연결하는 인대라는 조직이 있습니다. 조직을 볼 때마다 승모근에서 유일하게 눈에 띄었던 부분이 모든 해부학책에도 나왔지만 흉부에 있는 백선라인입니다.

추위에 민감하다고 해서 감기에 걸리면 대부분의 한의원에서는 경추 7번, 대추혈 자리에 따뜻하게 뜸을 떠줍니다. 민간적인 요법은 그곳을 따뜻하게 해주라고 하고 또 여성분들은 겨울에 추우면 숄이라 하는 목도리를 목 위에 두르고 다닙니다.

그래서 승모근의 백선라인도 한기가 드는 어쩌면 머리의 무게와 어깨 무게를 지탱할 수 있는 하나의 중요한 핵심포인트가 된다는 거죠. 근육을 볼 때 빨갛게 나오는 근육은 따뜻하고 약간 폭신폭신하다고 보시면 되고, 하얀 부분은 다른데보다 온도가 낮고 좀 딱딱한 곳이겠구나. 그렇다면 근육에서 힘을 쓰겠지만 근육과 연결되는 힘줄과 백선라인들에서 많은 힘과 에너지를 받겠구나 라고 보시면 됩니다. 그래서 대추혈이라는 경추 7번 라인들은 우리 몸에서 한기와 찬기가 많이 들어오는 곳입니다.

승모근을 다시 한번 정리합니다. 시작점은 후두에서 흉추 12번까지 극돌기이고 지배신경은 뇌신경 부신경 11번입니다. 오른쪽은 간하고 연결되고, 왼쪽은 위장과 심장과 연관되고 있으며, 별명이 스트레스머슬입니다. 스트레스랑 연관되는 근육이라고 설명해요.

통증의 양상은 라운드숄더, 거북목, 일자목, 또 이런 모든 상황에서 연관되는데 이 승모근을 풀어주는 길항적인 것은 대흉근입니다. 물론 앞쪽의 다른 근육들도 길항적인 요소를 가지지만 그 안에서 버텨주는 것이 이 흉골라인이더라. 물론 목의 문제도 대흉근으로 잡아주기도 합니다만, 지금은 승모근의 관점에서 대흉근을 바라보자는 거죠.

사람의 감정적인 요소가 앞에서도 보이지만 구부려지는 등의 모습에서도 그 사람의 현재 감정적인 요소를 보이기 때문에 승모근을 통해서 그 사람의 현재 심리적인 요소를 알 수 있습니다. 그래서 "가슴을 펴라."는 말에는 배수혈이 같이 연관되어 있다는 것 알아주시기 바랍니다.

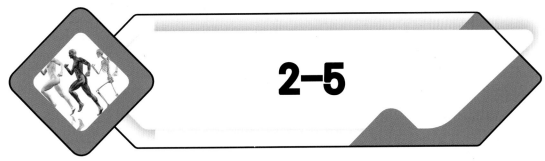

2-5

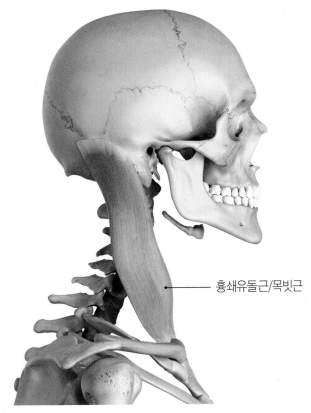

흉쇄유돌근/목빗근

오늘은 흉쇄유돌근을 통해서 여러분들이 고객관리할 때 필요한 여러 가지 얘기들을 해보려고 합니다.

현장에서 고객관리를 하는 많은 분들이 근육과 통증의 관계를 많이 혼돈하고 있습니다. 더 중요한 것은 머리와 연관되거나 가까운 곳에서 오는 증상은 다른 증상들보다 더 크게 느낀다는 거에요.

그러니까 내가 고객의 몸을 관리하고자 할 때 고객이 나에게 이야기해주는 상황이 목 주변과 얼굴 주변일 때는 허리와 다리보다 더 크게 느낀다는 겁니다. 특히 흉쇄유돌근(신용어로는 목빗근)에 대해서 많은 상황들이 연출됩니다.

제가 여러분들에게 이런 이야기를 많이 합니다. "얼굴에서 일어나는 모든 상황은 흉쇄유돌근을 뜯어서 관리하라. 흉쇄유돌근은 뜯어주는 근육이에요. 쓰다듬는 개념이 아니구요. 대신 사각근은 늘리고 벌리라고 표현하는데, 흉쇄유돌근은 뜯어서 관리하라." 라고 합니다. 흉쇄유돌근 안에는 뇌로 올라가는 혈관인 경동맥이 들어 있어요. 그리고 뒤쪽에 척주를 따라 올라가는 추골동맥이 약 20% 있어서 두 개의 혈관이 만나서 뇌쪽으로 들어갑니다.

이걸 우리는 윌리스 서클(circle of Willis)이라고 하는데, 뇌혈관에 상당히 직접적인 영향을 주고 있습니다.

흉쇄유돌근을 이해한다면 "아, 이 사람은 내가 어떻게 관리를 해야 될까?" 목 주변에서 일어나는 문제들, 특히 흉쇄유돌근은 얼굴에서 일어나는 모든 질환들—이비인후과, 귀·귓구멍, 눈구멍, 콧구멍 해서 E.N.T.라고 함을 해결해 줄 수도 있구요. 또 아침에 일어났더니 얼굴이 부어 있는 것을 해결하고, 이명이나 난청이 있을 때도 특별하게 수기적인 요소로 해줄 수 있는 방법은 흉쇄유돌근을 풀어주는 겁니다.

그런데 한의학적으로 이명이 있을 때는 신허의 개념으로 보호해주고 채워주는 역할을 많이 하구요. 수기 입장에서는 흉쇄유돌근 자체를 풀어서 그걸 대리만족처럼 해결해주기도 합니다.

설명을 해 드릴게요. 여러분들이 보시다시피 흉쇄유돌근은 영문으로 sternocleido-mastoid muscle이라고 하고, 약자로 SCM이라고 합니다. 아마도 의학용어상 제일 긴 용어를 쓰고 있는 근육의 이름일 겁니다. 이 근육을 목빗근이라고 부르고 '얼굴과 목의 어머니다'라고 얘기합니다. 꿀꺽, 갸우뚱, 도리도리와 같은 동작에도 이 근육이 관여합니다.

이 근육은 척추에 붙어 있지 않으면서도 척주의 움직임에 영향을 줍니다. 또 목에 붙어 있지 않으면서도 목의 움직임에 영향을 줍니다. 흉쇄유돌근의 시작점은 흉골뼈에서부터 쇄골 내측이며, 정지점은 유양돌기입니다. 그래서 흉쇄유돌근의 지배신경이 어디냐고 하면 뇌신경 11번 부신경입니다.

흉쇄유돌근하고 승모근은 뇌신경이 지배합니다. 그래서 얼굴에서 일어나는 모든 상황은 흉쇄유돌근을 뜯어서 관리하라고 합니다.

여러분들이 저한테 많은 질문을 하고 싶어도 못하는게 많죠. "이거 조금만 더 신경 쓰고 싶은데, 이거까지 물어보면 신 교수가 나를 뭐라고 생각할까." 여러분들의 마음은 압니다. 그래서 제가 이런 얘기들 많이 할 겁니다. 그래서 "여러분들이 교수님 어제 저녁에 라면을 먹고 잤는데요 얼굴이 부었어요. 어딜 관리해주면 좋아요."라고 물어봐요. "네, 흉쇄유돌근을 뜯어서 관리하십쇼."라고 이야기합니다. 물론 사각근을 늘리기도 하지만, 일단은 얼굴에서 일어나는 상황들은 머리속에 SCM을 생각하셔야 돼요. 또 그런 분들도 있죠. 나이 드니까 자꾸 소리가 잘 안 들려요. 자꾸 되물어요. 귀가 조금씩 청각이 떨어지거나 아니면 귀에서 소리가 나거나 이럴 때는 흉쇄유돌근을 관리합니다.

이까도 말씀드렸듯이 한의학적으로는 기력이 허, 심기 허, 기가 허하다.

나이가 들면 또 무슨 증상이 있을까요? 미각이 짠 것에 조금 둔해지죠. 그래서 아시다시피 어머니들의 음식·김치가 작년하고 올해하고 달라져요.

저 또한 이렇게 귀기울이지 않으면 조금씩 나이가 들어가면서 뭔가 스치는 말, 그래서 그런 말을 하더라고요. 나이가 들면 일부러 많은 말을 듣지 않도록 하기 위해서 덜 들리게 한다는 말도 있습니다.

그래서 여러분들 보면 얼굴의 부종, 그리고 눈 주위의 어떤 부기, 이명과 연관되고 또 사각턱, 얼굴 축소, 얼굴비대칭 등도 흉쇄유돌근을 통해서 관리합니다. 사각턱이 됐거나 여기서는 얼굴관리를 많이 하잖아요. "얼굴 붓기 빼달라, 얼굴 작게 해달라, 얼굴에 어떤 변화를 좀 달라." 할 때 그 주목적근육이 흉쇄유돌근입니다. 여러분들은 흉쇄유돌근을 통해서 얼굴에서 일어나는 상황들을 해결해줄 수 있습니다.

또 "감기에 걸렸어요. 귀가 찡찡하고 귀에서 잉잉거리고 있어요." 중이염이 오듯이 이 모든 상황은 흉쇄유돌근을 풀어주면 되구요.

사각턱, 안면비대칭 등 얼굴 곳곳에 관여하며, 아까 설명했던 한 부분이지만 뇌로 올라가는 혈액의 80%가 경동맥으로 올라가기 때문에 뭐라 그럴까요. 계록과 같다고 표현을 할까요. 그런데 문제가 있어요. SCM은 갑자기 세게 풀어주면 현기증이 갑자기 일어나서 머리로 피가 많이 올라가요. 그럼 머리도 아플 수 있어요. 그런 경험 아마 해보셨을 겁니다. 고객을 관리를 해드렸어요. 수기법과 마사지를 해줬더니 일어나서 머리가 아프다는 이야기를 합니다. 머리가 아프고 띵하다고 합니다.

"내가 열심히 해줬는데 왜 머리가 아프다고 할까, 진상일까? 이런 말을 하는데, 혈류량이 갑자기 확 늘어나게 되면 두통이 오거나 머리가 띵할 수 있습니다. 그럴 때는 눕게 해서 종아리의 승산부분을 풀어서 혈류량을 내려주고, 머리로 올라갔던 혈액이 어느 정도 압력이 유지될 때 까지 누워 있게 해주시는 게 좋습니다.

앞에서 설명했던 것처럼 여기를 통해서 혈류량이 늘어나기도 하지만, 흉쇄유돌근과 쇄골하동정맥, 그리고 극천 부분을 풀어주면 오히려 머리로 올라갔던 혈압의 압력을 줄여주는, 혈압을 떨어지는 마사지도 병행이 가능하다는 거에요.

그래서 흉쇄유돌근, 그다음은 쇄골하동정맥 겨드랑이 가운데 있는 심경락의 극천을 풀어주고요. 경락적으로는 폐경락의 중부 부분을 자극하면 폐의 에너지로 인해서 힘의 에너지가 조절되기도 하죠. 자세히 설명드리면 양쪽 폐는 차가운 에너지라고 보시면 되구요. 심장은 뜨거운 에너집니다. 그러면 뜨거운 에너지와 차가운 에너지가 조절될 때는 정상적인 혈압 120에 80이 유지가 되는데, 만약에 우리가 폐경락을 많이 쓰거나 폐의 에너지가 많이 떨어지면 힘이 올라가게 되죠. 그랬을 때 심장이 과열됩니다. 그러면 역으로 힘의 에너지를 쳐올려주는 거죠. 이때는 폐의 에너지를 올려주고 힘의 에너지의 압을 내려주면 되죠. 그래서 "흉쇄유돌근 또 쇄골하동정맥, 겨드랑이 극천, 심경락 부분을 풀어주면 된다."라고 보시면 됩니다.

"오히려 혈압의 연관이 있다. 고혈압, 저혈압, 고지혈증 주의해라." 이 말은 뭐냐면요. 흉쇄유돌근 자체에 문제가 있다 보니까 너무 고혈압인 분들은 확 만져도 문제가 될 것 같고, 너무 혈압이 낮은 저혈압인 분도 갑자기 풀어주게 되면 혈류량의 문제가 생기구요. 고지혈증. 다른 사람들이 피는 요구르트 같은데, 이 사람 피는 요플레 같아요. 그러다보니까 혈액이 끈적이고 혈류속도가 떨어지는 상황이 되죠. 이 분들은 흉쇄유돌근을 풀기 전에 일단 다리부터, 팔부터 몸통근육이 아니라 먼 부분부터 풀어서 혈액순환 잡아가면서 흉쇄유돌근을 풀어주는 게 굉장히 중요합니다.

그런데 이 흉쇄유돌근에 문제가 오면 원래 트리거 포인트 통증들은 눈 주변이나 머리 주변에서 많이 오게 됩니다. 그래서 목이 아프지 않으면서 머리가 아프다는 분이 있잖아요. 목이 아프지 않았는데 머리가 아파. 이런 사람들은 일단 흉쇄유돌근부터 봐주시는 것이 좋습니다.

앞에서 말씀드렸듯이 SCM은 목의 통증과 경직은 관여하지 않습니다. 뒤쪽의 두판상근이나 승모근, 또는 목에서 오는 증상에는 관여하지 않습니다. 승모근과 흉쇄유돌근 자체는 목의 통증엔 관여하지 않는다고 보는데, 만약 목의 통증에 관여하면 어떤 근육에 문제가 오냐 하면 승모근 상부, 두번째 견갑거근, 경판상근, 두판상근 등이 경직되면 통증이 목쪽으로 올라간다는거죠.

목은 안 아프고 머리가 아플 때에는 SCM을 풀어주라고 설명했습니다.

흉쇄유돌근이 붓거나 역리호흡이라는게 있어요. 뭐냐면 여자분들이 작은 사이즈의 바지를 입었어요. 그러면 단추를 채우거나 지퍼를 올리는 순간 배로 숨을 쉴 수가 없어요. 왜냐면 숨을 쉬면 이게 터지니까 배로 숨을 안 쉬고 목으로만 쉽니다. 이럴 때 흉쇄유돌근이 많이 관여해서 역류, 뭔가 거꾸로 가는 호흡에도 흉쇄유돌근이 많이 불편해 한다는거죠.

이때에는 총경동맥과 뇌경정맥 목주변이 굳어요. 경직이 되서 굳으면 두통이 많이 오거나 얼굴이 많이 붓거나 통증이 많이 옵니다. 또 하나는 여러분들하고 수기교육할 때 많이 얘기하지만 상경추가 틀어졌을 때 1번하고 2번이 뼈가 틀어질 때도 네 가지 문제가 주로 오죠. 복습하면 뇌압이 오르고 혈압이 오르고 림프순환이 안되고 640만 조의 순환기에 문제가 생기게 되잖아요.

목 주변은 경추 · 흉쇄유돌근 · 승모근 · 두판상근 · 후경근 등이 모두 연관되어 있어요. 그러나 얼굴에서는 반드시 우리가 잊지 말아야 될 것이 흉쇄유돌근이에요. 물론 사각근도 있고 승모근도 있겠지만, 흉쇄유돌근은 절대로 잊지 말아야 할 근육이에요.

여기 문제가 생기면 저도 약간 토더콜리스(torticollis, 사경)가 있습니다. 이게 뭐냐면 옛날에 선생님들을 보면 5분 전 선생님이라고 영상을 찍어놓은 것을 보면 고개가 항상 돌아가 있어요. 이걸 우리는 사경(斜頸)이라고 얘기하고 와이넥(wryneck)이라고도 합니다. 사경이라고 표현하면 약간 기울어진거죠.

저는 안경을 써서 안경에 목의 높이를 맞추는데, 이제 일례로 애기 때 엄마들이 애기들의 심장을 튼튼하게 한다고 한쪽으로 엎어놓고 키웁니다. 그러면 한쪽이 편해지게 되어 있어요. 그렇게 하다보면 엄마들이 얼굴이 찌그러진다고 반대로 놓으면 아이가 어느 순간 자기 의지대로 편한 대로 하죠. 그런 것처럼 한쪽 흉쇄유돌근이 짧아지면 목이 이렇게 기울어지는 증상이 옵니다.

우리는 이것을 사경(torticollis)이라고도 하고, 와이넥이라고도 합니다. 이쪽은 흉쇄유돌근이 가장 많이 관여를 해요. 물론 다른 근육도 길항적인 요소로 반대힘도 유지가 되는 것이 있어요. 그러나 "이 토더콜리스에 관여되는 근육이 뭡니까?"라고 하면 "아, 사경, 흉쇄유돌근이다."라고 생각하세요.

그리고 목의 회전장애 시 관리하는 순서를 봅시다. 목이 "이렇게 돌아가지 않아요." 물론 갑자기 돌아가지 않으면 견갑거근을 보게 되고, 뿌리에는 경추 5번을 보게 되잖아요. 그런데 이 경추 5번에 문제가 오면 횡격막의 기능에도 영향이 있어서 호흡에도 영향이 있고 650개 근육과 내장기 혈액순환에 전체적인 문제가 옵니다만 일단은 그래도 목의 회전장애가 있다면 첫 번째 어디를 봐주실거냐, 일단 승모근을 봐줘라. 두 번째는 견갑거근을 봐주고요. 세 번째는 경판상근을 봐주고, 네 번째는 흉쇄유돌근을 봐준 다음에 사각근을 봐주는 게 순차적으로 풀어주는 단계예요.

만약에 우리처럼 수기를 할 때는 손으로 한번에 '훅' 풀면 되는데, 한의사 선생님들이 침으로 치료할 때는 하나하나의 근육을 침(needle)으로서 해결할 때는 승모근, 견갑거근, 경판상근, 그다음에 흉쇄유돌근, 그리고 나서 사각근을 풀어주는 단계로 가서 풀어줍니다. 그런데 수기가 어쩌면 보다 빠를 수 있는 것은 여러 개를 한번에 만지기 때문이에요. 이렇게 침을 사용하시는 분들도 상당한 실력가들이어서 여러 가지 많이 구사하십니다. 그래서 대단하신 분들은 재야에도 많고 임상에도 많으십니다.

그러니까 저는 어떤 쪽의 고수가 되든 그쪽의 전문가가 되든 전부다 존중합니다. 왜냐면 그쪽 하나의 부분에서 해결해낼 수 있는 부분은 그분 또한 많은 시간과 노력을 하신 분이기 때문입니다.

옛말에 "고수는 정상에서 만난다. 정상에서 내려다보면 모든 게 다 보인다."고 합니다. 그래서 이 길을 30년이 넘게 이야기하며 각 대학에서 강의를 하고 대체의학 대학원이나 몇 군데 대학원에서 강의하면서 임상의 여러분들을 만나면서 고수들을 만납니다.

그런데 저는 이제 그 분들의 말을 들어주지만, 몇몇 분들은 이제 자기 것이 최고라고 이야기합니다. 저는 듣고는 있습니다만, 제 강의를 듣는 분들한테 진심으로 부탁드리고 싶은 말은 자기 것이 최고라는 말은 안 했으면 좋겠다는 겁니다. 세상에는 능력 있는 분들은 많습니다. 그분 개개인들 전부 다 존중하시구요. 그리고 나서 "내가 이렇게 공부한 분야는 이거고, 그래서 내가 공부한 분야 내에서 이렇게 해결해낼 수 있습니다."라고 이야기하는 거구요. 저 또한 그렇습니다. 많은 것을 쫓아다니고 공부했고 카데바도 참 많을 실습해보고 30년간 이 일을 하면서 또 수천 명이 넘는 분들을 가르치면서 생각하는 건 뭐냐면 할수록 내가 고객들이나 이런 사람들에게 나의 진심이 정확하게 전달될 수 있는 부분으로 가고, 그다음에 완벽하게 손으로서는 다 해결할 수 없는 것도 있기 때문에 여러분들이 때로는 겸손할 수도 있다는 거죠.

백전백승은 없습니다. 세상에 특히 수기요법하는 분들은요. 백전백승은 절대로 없습니다. 그러나 운이 좋으면 할 때마다 효과를 나타낼 수도 있겠죠. 그렇지만 제가 이 정도 이야기하면 저보다 못하신 분들도 있으니까 저보다 겸손하셔야 됩니다.

흉쇄유돌근을 어떻게 스트레칭할 수 있냐. 셀프 스트레칭은 마치 침대에 누워서 머리를 떨어뜨려서 옆으로 약간 돌리면 SCM이 늘어나잖아요.

또 승모근의 길항도 좀 생각을 해봅시다. 반대적인 요소의 흉쇄유돌근과 승모근을 하나의 그림에서 봅시다. 왜? 이 두 근육은 뇌신경이 지배하거든요. 부신경(accessory nerve)이라는 뇌신경 11번이 지배하기 때문에 항상 흉쇄유돌근의 반대적인 요소 중에 두판상근도 있지만, 등쪽의 승모근도 봐야 돼요.

그래서 승모근에 문제가 오면 목의 어떤 발음, 그리고 머리와 몸통의 연결관계들. 이런 것들에 문제가 오니까 여러분들이 같이 봐주는 게 좋다는 거죠.

여기에서 남한테 물어보지 못하지만 가슴이 답답한 이야기를 들어보죠. 책에는 민무늬근과 가로무늬근이라는 것을 이야기합니다. 무늬가 있는 근육 이야기를 많이 하구요. "무늬가 있는 근육은 뼈대근육의 역할을 주로 하는데, 뼈대근육은 수의근이므로 내 의지대로 할 수 있는 근육이다."라고 해서 마음대로근이라고도 부르고요. 민무늬근은 내장근육을 주로 얘기해서 소화관, 내장의 근육 등이 민무늬근육입니다.

그래서 심장근육하고 내장근육은 불수의근, 비의지적으로 한다고 해서 제대로근이라고 표현을 합니다. 이 근육은 내가 의지해서 "심장을 움직여!"라고 해서 움직이는게 아니잖아요. 그래서 책을 보다보면 이런 얘기들 때문에 헷갈린다는 분들이 계셔서 간단하게 설명드렸어요.

이렇게 보세요. 책을 볼 때 한줄 한줄에 연연해서 보면 책을 못봅니다. 그래서 책을 보시게 되면 일단 목의 움직임에 관여하는 근육 쫙 보고, 두판상근부터 승모근부터 쭉 봅니다. 사각근까지 보고. 또 몸통의 근육, 대흉근, 소흉근, 전거근부터 해서 쭉 봅니다. 외복사근, 내복사근 또 등의 근육. 승모근, 두판상근, 능형근, 그다음에 광배근을 쭉 보구요. 그러고 나서 이 동작과 치료의 관리는 어떻게 한다를 본 상태에서 다시 한 번 세부적으로 보는 것이 좋습니다.

여러분들이 자꾸 "근육의 특징과 근육을 어떻게 풉니까?"라고 물어봅니다. "자, 움직일때 아픈 근육이잖아요. 그럼 근육을 풀어야 됩니까?"라고 물어봐요. 제가. 수기를 할 때 진정한 고수는 근육에 연연하지 않고 근육이 부착되어 있는 부분 또는 근육과 연결되어있는 힘줄(건) 부분에 집중을 많이 하거든요.

그래서 진짜 고수는 근육의 흐름을 봐주고 근육에 부착되어 있는 옆면을 봅시다. 우리가 어떤 사건의 문제가 터지면 사건을 정면으로 보지 말고 옆면과 뒷면에서 보게 되지요. 저 사건이 일어나게 된 배경들. 근육의 문제의 배경적인 요소를 찾게 되면 근육 자체보다 근육이 붙어 있던 시작부, 정지부, 힘줄. 근육이 뼈랑 연결된 연결고리들을 보시게 됩니다.

근육은 수축을 한다. 또 자극에 대해서 흥분을 하고 전달을 한다. 또 정지되있어도 수축하려는 느낌이 있고 수축을 하려고 해도 늘어나려고 하는 성격이 있고. 이렇게 근육은 우리가 만져서 관리한다. 얘는 정맥순환과 어쩌면 혈액을 돌려주면서 여러분 표현에 의하면 시원하다는 정도겠지만 변화시킨다. 또는 어떤 체인지를 시킨다. 변형이 왔거나 뭔가 변화시켜서 좋아지게 만드는거는 근육 자체보다 근육과 연결되는 건에 조금 더 집중하시는게 좋지 않을까 생각합니다.

잘 모르면 근육과 뼈 사이를 만져보시면 됩니다. 그래서 수기와 실기를 하는 제 강의장에 오시면 언제든지 여러분들에게 모든 것을 무료로 가르쳐주니까 그 정도는 오셔야지 얻어가지 않을까요? "나는 신 교수처럼 되고 싶어. 모든 것을 알고 싶어."라고 얘기하면 최소한 제가 하고 있는 것을 흉내는 내셔야 될 것 아닙니까. 저랑 같이 실기도 하시면 진심어리게 다 드리려고 합니다.

2-6

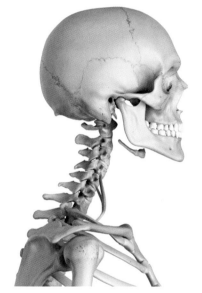

전사각근/앞목갈비근

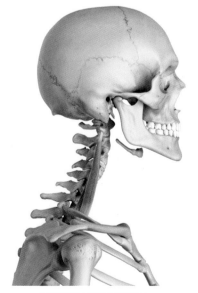

중사각근/중간목갈비근

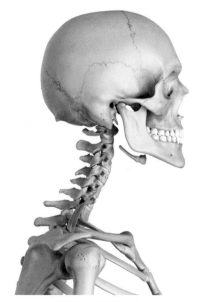

후사각근/뒤목갈비근

안녕하십니까? 신 교수 입니다. 오늘은 뻔뻔 근육학 6번째 강의를 진행하겠습니다.

오늘은 할 이야기가 많은 강의입니다. 사각근에 대해서 이야기를 할까 합니다.

여러분들이 수기를 하면서 꼭 만져주어야 될 근육이 어디일까요? 어디를 만져 주어야 고객이 만족스러울까요? 어디를 관리해 주어야 가장 근본적으로 해결이 될까요? 아니면 어디를 풀어 주어야 다른 곳에 상쇄작용을 해서 도와줄 수 있는 포인트가 될까요?

제 2부 뻔뻔 근육학

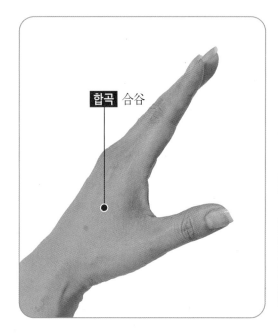

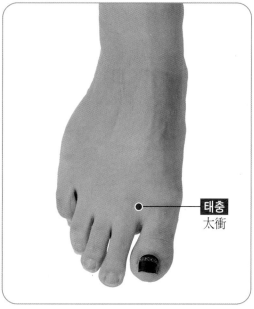

한의원에서 한의사들이 약을 짓게 되면 감초라는 약이 들어가고요. 양의사들이 약을 조제하면 소화제를 첨부해서 약을 조제하듯이 한의사들을 만나면 이야기합니다.

족삼리, 합곡, 태충, 후계…이런 곳에 침을 많이 놔주는데 물어 보았습니다. "여기에다 침을 놓는 이유가 무엇입니까?" 하고 물어보았더니 여기를 기준으로 사관혈을 먼저 놔주고 몸을 소통시켜야 좋아진다고 합니다.

사각근도 수기요법에서 사관혈(四關穴 ; 4개의 관문이 되는 혈로 합곡, 태충) 같은 곳이 아닐까 생각합니다.

신경의 올가미라고 표현해서 우리가 머리를 그리면 C자 커브로 해서 경추 4번까지 위쪽은 경신경총이라고 부르죠. 아래는 완신경총이라고 부르는데, 완신경총이 내려가는 길목이 전사각근 · 중사각근이라고 보면 됩니다.

그래서 판서를 하려면 고민을 합니다. 예쁘게 못 써요. 막 갈기듯이 쓰면 강의를 확인할 때 못 알아본다는 분들이 많고, 많은 분들이 글씨는 못 써도 좋으니까 본인들이 볼 수 있게끔 해 달라고 해서 하니까 여러분들이 이해해주셔야 되고, 전문적으로 스튜디오에서 하는 것이 아니고. 사이버대 교수는 했지만 한쪽 구석에 카메라를 켜 놓고 찍는 것이니까 양해해 주세요. 내용을 봐 주세요. 하루 50명씩 계속 고객관리를 했었으니까 봐 주실만하고요. 조금 여러분들이 이해를 해 줄 수 있는 부분에서 천천히 설명을 시작하겠습니다.

"배꼽 위·앞·뒤에서 일어나는 모든 상황은 사각근을 풀어라, 유두 부근에서 일어나는 모든 상황은 두피를 풀어라, 얼굴에서 일어나는 모든 상황은 흉쇄유돌근을 뜯어서 관리하라, 사각근을 관리할 때에는 늘리고 벌려서 관리해라."

배꼽 앞·뒤·위를 관리할 때 사각근을 풀어라. 신경계의 올가미라고 부르는 사각근은 전사각근·중사각근·후사각근으로 나누며, 전사각근은 시작점이 경추 3번부터 6번까지 횡돌기에 붙어서 늑골 첫 번째까지에 붙습니다. 중사각근은 2번부터 7번까지의 횡돌기에 붙어서 늑골 첫 번째까지 붙습니다. 후사각근은 경추 4번부터 6번 횡돌기에서 시작을 해서 2번째 늑골에 붙습니다.

그중에서 전사각근과 중사각근이 중요하다고 봅니다. 그 사이로 상완신경총이 나오기 때문에 이쪽에서 문제가 많이 발생합니다.

사각근은 1시간 설명해도, 2시간 설명해도 부족하다고 합니다.

사각근의 기능은 사람의 측굴·굴곡하는 것을 옆에서 보조해 줍니다. 특히 중사각근이 경추의 측굴을 보조해 줍니다. 또 흉쇄유돌근보다 더 많이 굴곡될 때 흉쇄유돌근보다 더 많이 애용됩니다.

우리는 흉쇄유돌근이 목에 문제가 있을 때 크게 보는 포인트라고 했는데, 사각근이 어쩌면 경추의 움직임에 더 많이 줄 수 있는 근육이라고 설명합니다. 오히려 흉쇄유돌근보다 더 작용을 할 수도 있어요.

그래서 장기간 기침을 할 때 사각근이 늑골 1번과 2번에 붙어 있잖아요. 숨을 들이마시거나 기침을 할 때 딸려 올라오는 호흡을 보조해주는 역할을 합니다. 만성적인 장기간 기침을 하면 가슴이 많이 아프고 사각근이 붓거나 목 안의 인후가 붓지 않고 목 바깥의 근육이 많이 움직여서 뻣뻣해지거나 붓는 경향이 있습니다.

또 오래 동안 수기를 하면서 현장에서 제자들에게 설명을 어떻게 하느냐면 사람이 건강하다고 할 때 목의 움직임을 많이 봐주라고 합니다. 예를 들어 경추의 굴곡, 신전, 돌리기 등 경추가 원활하게 움직이는 사람은 노화가 더디고, 또 머리쪽으로 올라가는 뇌혈관질환도 목의 움직임이 편한 사람들이 덜 합니다.

여러분들의 목쪽에서 일어나는 문제들, 머리쪽에서 일어나는 혈액순환의 문제는 오히려 팔로 내려가는 증상을 많이 합니다.

  팔에서 일어나는 증상이 류마티스도 아닌데 손이 붓거나, 손가락이 저리거나, 엄지손가락쪽에서 증상이 많이 나타날 때에는 대부분 사각근의 문제라고 진단합니다. 그러다 보니까 피부미용관리쪽에서는 팔뚝살을 빼고자 할 때 사각근 관리를 많이 해 주죠. 또 어깨의 문제나 테니스엘보, 손목까지 내려가는 신경계 문제도 항상 사각근을 봐주는 것이 수기의 원리이자 기초에 상당히 중요한 역할을 합니다.

  전사각근 앞쪽에는 쇄골하정맥이 지나가고, 전사각근 · 중사각근 사이에는 쇄골하정맥하고 상완신경총이 지나갑니다. 그래서 얼굴쪽으로 올라가는 혈관계 문제들, 팔로 내려가는 문제들, 림프의 문제들 등 전반적인 것이 걸려 있기 때문에 '신경계의 올가미'라고 표현합니다. 그래서 어깨와 팔로 내려가는 신경을 상완신경총이라고 하는데, 이것은 상당히 중요합니다.

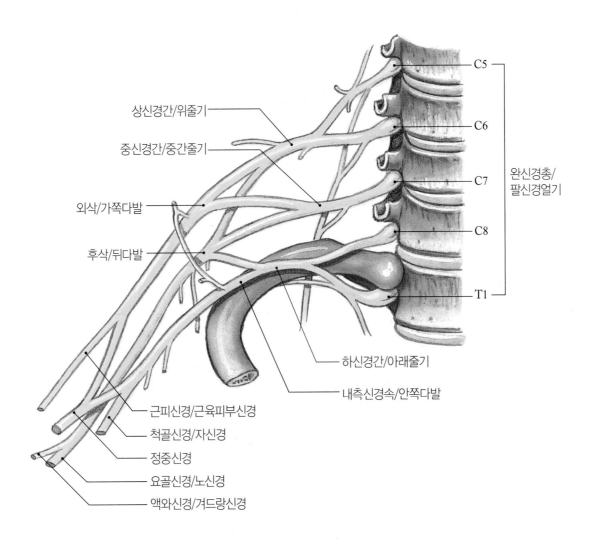

사각근은 어떻게 관리할 것이냐? 만약 밀가루를 갖다 주고 음식을 만들어라 그러면 어떤 사람은 빵을 만들 수 있고, 어떤 사람은 피자를 만들 수 있습니다. 그런데 그것을 가르쳐주는 선생님들이 똑같이 가르쳐 주어도 나중에 결과의 맛은 다 틀립니다. 수기를 가르치면서도 많이 그런 생각을 하는데, 똑같은 동작과 똑같은 위치에서 똑같은 방향으로 가르쳐주어도 고객의 만족도는 상당히 다릅니다.

여러분들이 수기를 할 때 고객의 자세를 올바르게 하고 관리하는 것이 중요합니다. 예를 들어 상완신경을 관리할 때는 팔을 반쯤 올린 상태에서 흉쇄유돌근 안쪽에서 밑으로 내려가는 곳 중에서 소흉근으로 내려가는 상완신경총의 길과 사각근 신경의 길을 열어주어야 됩니다. 그래야지 길 자체가 열리면서 관리효과가 상당히 뛰어나게 됩니다.

여러분들이 관리할 때 차렷자세로 하면 안 됩니다. 소흉근과 쇄골하근·사각근이 열릴 수 있는 각도로 팔을 올려 놓고 관리를 해야 됩니다.

"팔힘이 없어요. 팔이 뻣뻣해요. 팔이 저려요." 그러면 부종, 뻣뻣함 손가락이 무엇인가 꽉 끼는 반지를 낀 것처럼 손가락이 안 맞는 가죽장갑을 낀 것 같은 느낌들…이런 것들이 전부다 사각근의 문제로 봅니다.

여러분들도 그런 경험을 많이 했을 것입니다. 잠을 잘 때 팔을 올리고 잠을 자는 경우에는 상완신경의 길이 열리니까 소통이 잘 된다고 합니다. 그런데 아침까지 그렇게 잠을 자면 팔이 너무 저리고 팔에 순환이 안 되어서 오히려 더 뻣뻣해진다고 합니다. 부종과 뻣뻣함, 뻑뻑함이 올 때에는 오히려 팔을 쓰거나 움직여서 혈액순환이 잘 되도록 하면 그런 증상도 없어지고 부종도 빠지는 경험들을 했을 것입니다. 이러한 상태에서 관리를 하면 좋아집니다.

나이가 먹으면 흉쇄유돌근하고 사각근이 타이트해지고 움직임이 둔해집니다. 흉쇄유돌근과 사각근이 둔해지면 머리로 올라가는 혈액과 산소가 머리로 잘 못 올라가요. 체중의 3% 밖에 안 되는 뇌가 쓰는 산소의 소모량은 최대 30% 입니다. 그래서 흉쇄유돌근하고 사각근 자체가 소통이 원활하지 않으면 불면증에 시달리게 됩니다.

불면증을 풀어주는 근육이 어디입니까? 소통을 시켜준다고 생각하면 물론 전신의 혈액순환과 종아리의 비복근부터 관리해야 합니다. 그런데 일단 불면증이라고 생각을 해주면 사각근을 봐주면 됩니다.

어떤 분이 질문을 했습니다. "교수님, 사람의 몸에서 어디 근육을 만져주면 잘 살아납니까? 그러면 좋아진다는 느낌은 어떤 근육이죠? 만약에 교수님도 그런 고객을 관리했을 때 어디를 풀었을 때 가장 많은 결과치를 얻었습니까?" 이런 이야기를 많이 합니다.

고기를 살짝 익혔습니다. 레스토랑 같은데서 고기 전용 칼로 쓰면 고기가 잘 안 쓸려요. 무엇인가 끝트러미가 붙어 있고 잘 안 떨어지는 부분이 있습니다. 그것을 근막이라고 했습니다. 고기가 떨어지지 않고 쭉 붙어서 연결되는 근막들. 근막들의 연장선상의 생각에도 그런 느낌. 경락하고도 같은 의미가 아닐까 생각을 합니다.

왜냐하면 오래 동안 이 일을 해왔고, 한의사분들하고 많이 해 보았고, 교수 역할을 하면서 많은 카데바를 접해 보았습니다. 우리 몸에서 경락은 우리 눈에는 보이지 않습니다. 경락이라는 흐름보다 근막이라는 흐름의 라인이 오히려 경락이라는 흐름과 비슷하지 않을까 라는 생각이 많이 들어요. 근막과 경락이 비슷하다는 생각이 들어요.

해부생리를 가르쳐 보고, 수기를 가르쳐 보고, 임상을 오래 하면서 자꾸 생각하는 느낌이 근막의 흐름과 경락의 흐름을 같이 연결시켜보자. 그러면 근막과 경락이 많이 얽켜 있는 부위는 어디일까 생각하는데, 그중 한 곳은 복부(배꼽주변)였고, 엉덩이의 중둔근 라인이었고, 그다음에 사각근 라인이었습니다.

여러분들이 수기를 해보면 아픈 곳이 아닌데도 풀어주면 효과를 많이 봅니다. 사각근은 여러분들이 늘려주면서 벌려 준 다음 고객의 몸 상태를 보면 생각하지 않는 결과치가 나올 때가 있습니다. 또 복부를 풀어주었더니 생각하지 않은 결과치가 나올 수도 있고, 무릎에 증상이 왔거나, 무릎관절에 증상이 와서 동작에 문제가 있을 때에도 고관절골두 위의 중둔근 라인을 잡아주면 그쪽에 근막이 풀리면서 대퇴골두가 돌아오면서 무릎 자체의 나선운동에 대해 무릎의 움직임이 살아나면서 무릎통증이 사라지는 케이스가 상당히 많습니다.

대퇴골과 종골비골이 만나서 근막이 엉기는 곳이 위중입니다. 위중 라인을 풀어주고 이렇게 봅니다. 나이가 들면 흉쇄유돌근과 사각근의 탄력도가 떨어진다. 그리고 사각근 근복(중앙을 근복이라고 합니다)을 뚫고 나오는 신경들이 있습니다.

견갑상신경, 장흉신경, 견갑배신경이라고 뒤로 넘어가는 신경이 있는데, 장흉신경은 사각근의 전 · 중사각근 사이로 나와서 쭉 내려오면서 전거근을 지배합니다.

견갑상신경은 극하근하고 극상근을 지배합니다. 견갑배신경은 나와서 뒤로 넘어가서 능형근하고 견갑거근을 지배합니다. 수기관리 시 감초와 같은 열할을 합니다.

여러분들도 신경과 근육을 이해하다보면 어떻게 고객을 관리할지 이해하게 됩니다.

Tip : 고객이 왔을 때 엄지손가락에 통증이 많이 오면 일단 사각근을 봅니다. 엄지와 검지의 통증은 물론 경추 6번의 신경 레벨이지만 목에서 문제가 올 수도 있지 만 일단 사각근으로 봅니다. 이 사각근의 질환은 디스크질환과 헷갈릴 수도 있 으므로 주의해야 됩니다.

고객이 와서 여러분들에게 "선생님....원장님, 팔이 너무 저립니다. 팔이 저리는데 디스크인가요."라고 질문하면 "네, 팔이 저린 것이 디스크입니다."라고 함부로 이야 기할 수 없고, 또 "병원에 가 보셨나요? 병원에서 의사분이 무엇이라고 이야기를 했나 요?" 하고 질문을 할 수 있습니다. 그런데 의료적인 진단을 하고 오신 분들은 정확하게 보는데, 그러나 내가 상식적으로 알고 있고 어느 정도 근육의 흐름을 보고 알 수 있는 부분이 있습니다. 그러나 정확하지 않는 부분을 이것이라고 이야기를 할 수는 없겠지 만, 사각근이 눌려서 팔이 저리면 팔을 위로 올리면 쇄골이 열리면서 저린 증상이 없어 집니다.

결국 팔을 들었을 때 저린 증상이 없어지면 목디스크가 아니라 사각근이 눌린 것이 고요. 또 저리다고 했을 때 팔을 뒤로 당겨보면 소흉근이 열리는데, 그때 저린 증상이 없어지면 목 디스크가 아니라 소흉근의 문제입니다.

그런데 "팔을 올려도 저리고 내려도 저려요." 그러면 일단 목디스크를 의심해 볼 수 있습니다. 그리고 나서 병원에서 목디스크라는 진단이 떨어지면 어깨가 너무 아프다 그러면 5번 디스크를 의심할 수 있고, 팔꿈치가 너무 아프다 그러면 6번 디스크를 의심 할 수 있고, 손목이 아프다 그러면 7번 디스크를 의심할 수 있고, 손이 아프다 그러면 경추 7번과 그 사이의 신경들 ... 경추 7번 아니면 8번 그사이의 신경들. 신경 레벨에 따라 어깨인지, 팔꿈치인지, 손목인지, 손인지 오게 됩니다.

경추 1번, 2번, 3번의 디스크는 얼굴 쪽으로 오게 되고, 다른 쪽으로 오지 않기 때문 에 염려하지 않아도 됩니다. 이 상황은 교통사고가 났을 때나 외부에서 충격을 받았을 때는 얼굴에 나타날 수 있습니다.

다시 한번 사각근에 대해 정리하면 다음과 같습니다.

☞ 사각근은 관리 시 약방의 감초로 관리를 해야 될 근육이다.

☞ 전사각근, 중사각근, 후사각근이 있다.

☞ 우리가 90도를 직각이라고 했을 때 90도보다 작은 각을 예각이라고 하고, 90도보다 큰 각을 둔각이라고 하고, 예각과 둔각 사이 어정쩡한 각도를 사각이라고 하는데, 기울어져 있는 곳이라고 해서 사각근이라고 한다.

☞ 이 사각근은 늘리고 벌려야 되고, 배꼽 위에서 일어나는 모든 상황은 사각근을 늘리고 벌려야 된다.

☞ 팔의 부종, 팔의 통증, 엄지의 문제 등은 먼저 사각근이라고 생각을 해보고, 팔의 문제는 디스크와 구별하자.

☞ 사각근은 호흡근하고 연관이 있다. 만성적인 기침을 오래 할 때 흉쇄유돌근이 부을 수도 있더라. 이것의 시작점은 경추의 횡돌기에 있지만, 정지점은 늑골 1번과 2번에 있어서 줄었다 늘었다 하는 증상도 같이 있다.

☞ 사각근을 뚫고 나오는 신경계통들. 팔이 저리고 힘이 없고 뻣뻣하고 하는 모든 증상들은 사각근을 통해서 해결하라.

사각근을 같이 이해할 때에는 상완신경총을 이해하시고 쇄골하정맥도 이해를 해서 위·아래로 흐름의 그림을 이해해 주시기 바랍니다.

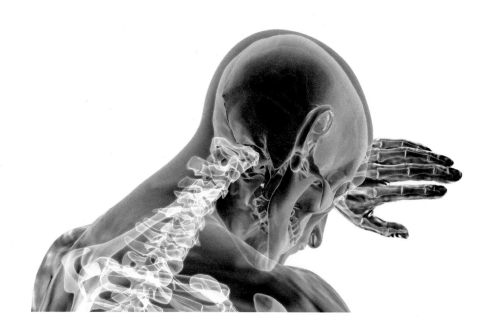

2-7

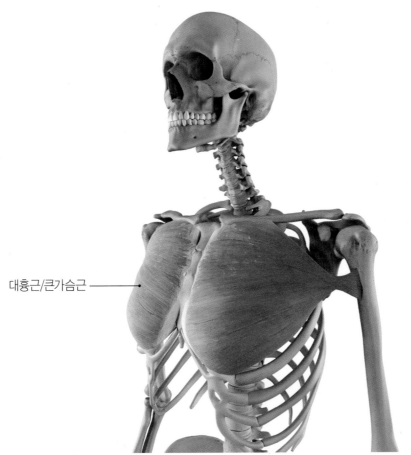

대흉근/큰가슴근 ─

신 교수의 뻔뻔 근육학 7번째 시간을 시작할까 합니다.

여러분들에게 오늘은 대흉근에 대한 설명을 드리고 싶습니다. 대흉근에 대해 할 얘기가 참 많은데, 하나씩 설명을 드릴게요.

대흉근은 가슴에 있는 근육이죠. 가슴에 있으면서 호흡근으로도 설명합니다. 숨쉬는 근육, 호흡근으로 설명하지만 살려주는 근육학 개념, 즉 뻔뻔 근육학 개념에서는 다른 관점으로 설명드릴까 합니다.

임상에서 30년 정도 이 일을 했구요. 이제 30년 넘었네요. 31년이 되어 가고 있습니다. 전국을 다니면서 상당히 많은 사람들을 교육시켰습니다. 그래서 저를 아시는 분들도 많겠지만, 제가 근육을 하나하나 설명할 때 관점을 다르게 하니까 많은 분들이 문자나 댓글들로 와서 여러 가지를 저한테 말씀나누시는데, 제가 생각하기론 그렇습니다. 제가 3분에서 5분 안에 보여주는 실기를 설명하기 위해서는 제가 여러분들에게 몇 시간의 교육이 있고나서 영상을 찍고 있기 때문에 여러분들은 일단 본인들이 원하는 대로 보시구요. 그 부족한 부분들은 제가 분명히 생각하기에는 여러분들이 오프라인 수업에 오라고 할 때 오셔서 보셨으면 좋겠습니다.

임상가 입장에서는 그래요. 여러분들이 생각했던 것보다 많은 시간을 해부생리학을 공부하고 해부학실습을 하고 카데바를 스무 번 넘게 보았고, 또 계속 이 일을 하면서 하루에 30명에서 50명에게 20년 동안 수기요법을 실시했습니다. 그러다 보니까 제가 관점을 다르게 한다는 것은 뭐라고 하지 마시구요. 신 교수 관점에서는 저렇게 볼 수도 있겠구나. 그러나 항상 교과서적으로 해부학적으로 변할 수 없는 법칙을 두고 수기하는 사람마다 저런 관점에서 볼 수 있겠다고 생각하시는 게 좋겠습니다. 안맞으면 안 보시면 되잖아요. 그러나 도움이 될 거라 생각합니다.

제가 늘 강조하지만 대흉근은 목의 밸런스를 잡아주는 근육이예요. 우리가 반대의 힘이 있다, 즉 길항의 힘이 있다고 표현합니다. 어떤 외부의 힘과 내부의 힘이 균형을 잡을 때 그 목적에 의한 것을 진행하죠. 목이 똑바로 서 있으면 뒤에서 잡아주는 힘과 앞에서 잡아주는 힘의 균형이 올 때 잡는데 제가 이렇게 말씀을 드려요.

"척추에서 일어나는 모든 문제들은 반드시 목을 통해서 해결해야 된다. 목, 특히 상경추는 강의를 많이 했지만, 목을 통해서 이루어질 수 있는 것은 우리가 횡격막을 횡격신경에 영향을 주고, 미주신경의 뿌리인 뇌간이 위에 있고, 여기에 장골신경이 뿌리와 목의 중심과 연결되기 때문에 목에서 중심이 해결되지 않으면 횡격막의 기능과 정맥순환, 또는 650개의 근육이 동시에 움직이는 호흡계와 순환계에 문제가 생깁니다."

그래서 저는 척추체의 문제는 반드시 경추를 풀고 목을 풀어서 해결 방법을 찾아라고 설명합니다. 그리고 나서 목을 풀기 위한 전제조건은 목의 길항적인 요소인 대흉근의 흉골두에 전중에서 3치 위쪽(이것은 시술자의 손이 아니라 고객의 손)에 포인트를 주어야 됩니다. 여기가 걸려 있으면 목의 움직임에 상당히 큰 영향을 주기 때문에 여기도 시계방향으로 풀어줘야 돼죠.

대흉근을 흉골지, 쇄골지, 늑골지의 3갈래로 이렇게 나뉘어집니다. 그래서 대흉근은 하나의 근육처럼 보이지만 실질적으로 해부를 해보거나 실기를 해보면 안쪽으로 손이 들어가게 됩니다.

대흉근은 유방 밑에 있습니다. 여자들이 유방암 수술을 하거나 성형적 이유로 넣는 보형물은 대흉근 속으로 들어갑니다. 그러다보니까 많은 통증이 오게 됩니다.

또한 대흉근은 심장의 증상이 겉으로 드러나는 내장체성반응의 역할을 하기도 하구요. 자세하고도 연관되는 것은 라운드숄더, 새우등, 거북목 등입니다.

결국 신 교수가 주장하는 대흉근의 역할은 다음과 같습니다. 전신의 수기를 하기 위한 하나의 과정에서 목을 풀어줘야 되고, 목을 풀어주기 위한 전 단계로 대흉근의 흉골을 풀어줘야 되는데, 이 흉골은 수기의 기본 전제조건으로 먼저 풀어줘야 될 곳입니다. 또 해부학적 포지션을 위치적으로 보게 된다면 해부학적으로 피부가 겉에 있고, 그러고 나서 흉골 안에 흉관이 있죠. 최대 면역기관인 림프의 뒤에 심장이 들어있습니다.

우리는 아직까지도 서서히 근육을 약화시켜 사람이 무력해지다가 생명을 잃어가는 루게릭병의 원인은 아직 판명되지 않았지만 많은 의학서적들이 흉관에 많은 포커스를 두고 있습니다.

아직 단언하지는 못하지만, 저는 이런 생각이 들었어요. 만약 흉관에 문제가 있다면 결국 목에도 영향을 줄 것이고, 목에 영향을 주면 결국 횡격막에 영향을 줘서 650개의 근육과 횡격막의 흐름과 내장기에 영향을 줘서 전체 순환과 호흡과 자생력의 에너지가 떨어지는게 아닐까라는 생각이 들어요.

그래서 좀더 깊이 생각해보면 "그래, 그렇다면 우리는 면역성에 관여하는 하나의 포인트와 목을 풀어서 전체를 관리해주는 하나의 포인트로서 대흉근을 풀어주는 것이 또 다른 수기의 첫 관점이지 않을까?"라는 생각을 갖게 됩니다.

여러분들 보면 대흉근은 경추 밸런스 유지의 길항적 역할을 합니다. 또 라운드숄더나 거북목하고요. 관점은 다르지만 비슷하게 관리하는 경우도 있습니다.

대흉근은 또 호흡하고도 연관이 됩니다. 대흉근은 대표적인 호흡근이잖아요. 심장적에 어떤 문제가 생겼을 때 증상이 발현되는 내장체성증상의 포인트로 볼 수 있지 않을까 라는 생각도 듭니다.

그래서 대흉근은 시작점은 흉골지 늑골지 쇄골지로 나뉘어지니까 쇄골 내측에 1/2, 흉골에서 첫 번째 여섯 번째 늑연골, 또 늑골지는 여섯 번째·일곱 번째의 늑골에서 연결되고, 정지는 상완골의 능선에서 연결되죠. 그러니까 어깨의 질환의 반드시 참고하고 관리해줘야 할 근육입니다.

임상에서는 여러 가지 케이스들이 있는데, 뷰티쪽의 미용적 관점에서 보면 여성분들의 가슴이 젊을 때는 탄력이 있고 괜찮은데 나이가 들면 신기가 허해지면서 늘어지게 됩니다. 어깨근육도 표피쪽, 그러니까 가슴의 승모근 라인으로 통증이 오게 됩니다. 그래서 여자분들의 가슴 크기 역시 어깨 통증과 연관이 있다고 보셔야 됩니다.

또 하나는 양쪽 팔의 무게는 체중의 약 1/10 정도 되는데, 팔의 무게가 어깨에도 영향을 주지 않을까라는 생각도 갖게 되죠.

제가 이 대흉근을 설명하면서 여러분들에게 반드시 용어를 정리해주는 게 있습니다.

대체의학을 하시는 분들에게 참 안타까운게 있습니다. 저희는 의사가 아니죠. 그렇다고 의학적 수준으로는 의사 못지않게 공부해야 됩니다. 현업에서 우리가 닥치는 문제의 하나가 고객들은 저희에게 좀 더 많은 것들을 기대하고 있다는 것입니다. 따라서 고객과 상담을 하다보면 의사가 아닌데 의사보다 더 많은 지식적 소양을 가지고 있어야 하는 직업군이 됩니다.

심장의 문제, 협심증, 심근경색 등에 관한 용어들이 오고가기도 하구요. 고객들이 "나는 중풍에 걸리지 않기 위해서 아스피린을 맨날 먹어." 이런 용어들을 현업에서 주고 받습니다. 그래서 제가 대흉근을 설명하면 심근경색의 내장 체성반응을 주로 나타낼 수 있는 심장의 문제가 대흉근을 통해서 겉으로 드러나서 여기에 증상이 나타나는 사람들은 움크리는 증상들이 오죠. 본능적으로.

이런 반응들이 나타날 때 "심근경색과 관상동맥의 문제와 협심증의 문제들은 우리는 어떻게 이해해야 될까?" "라운드숄더에 관련된 구 근육을 어디로 볼까?"에 대해서 신 교수는 이렇게 얘기합니다. "대흉근과 소흉근, 그다음에 전거근, 그 다음에 쇄골하근. 그래서 쇄골하근과 전거근과 대흉근과 소흉근이 이렇게 움켜지게 된다면 얘네가 라운드숄더에 영향을 주는 하나의 그림이 되지 않을까?"

그래서 특히 "여성분들은 가슴과 대흉근과의 관계는 여성들의 유방은 대흉근 위에 있다 라는 것을 잊지 마시구요. 또 흉곽, 림프에 혈액을 보내는 역할을 하는 림프관들은 대흉근에 있는 흉골 라인에 있다." 또 "체성내장반응은 우리가 근력이 생겨서 내장을 압박해서 내장기능이 떨어지는 현상과 내장기능이 떨어져서 겉으로 드러나는 현상이 있잖아요. 그래서 얘네는 심장쪽에 문제가 있으면 겉으로 드러난다." 그래서 여기를 내장체성반응으로 설명하잖아요.

또한 대흉근에 협심증과 심근경색을 설명드려야 되구요. 또 대흉근에서 문제가 있으면 여러분들이 알아야 될 것 중의 하나가 교근입니다. 안면신경과 3차신경이 지나가는 교근은 아래로 쭉 내려가서 흉쇄유돌근과 붙습니다. 흉쇄유돌근은 대흉근과 붙고요. 대흉근은 복직근과 붙어 있구요. 복직근은 추체근, 대퇴내장근하고 연결됩니다.

"그러니까 교근, 흉쇄돌근, 대흉근, 복직근, 추체근, 대퇴내전근과 연결되는 근육으로서 대흉근을 잘라서 보지 말자. 이것들은 대흉근 위아래와 연결시켜 주고 호흡과 연관되는 근육이고, 내장체성반응의 심장에 문제가 오는 곳이고 이것의 지배신경은 경추 6번과 흉추 1번인데 시작점들은 상완골에 붙어 있기 때문에 어깨의 문제에 연관을 준다."라는 것까지 정리를 해놓고, 여러분들에게 협심증과 심근경색에 대한 정의와 이해, 고객에게 제일 빨리 설명할 수 있는 방법을 알려드리고자 합니다.

여러분들 보세요. 이렇게 혈관에 피가 지나가고 있어요. 그런데 이렇게 뭐가 생깁니다. 우리가 요플레를 먹게 되면 요플레 안에는 산딸기 같은 게 들어 있잖아요. 이렇게 피가 흘러갔는데 문제가 생기는 현상을 '혈전' 또는 '핏떡'라고 부르죠. 혈전이 생겨 문제가 되면 아스피린을 복용해서 혈액농도를 묽게 만들어서 빨리 흘러가게 해주는 방법이 있습니다. 또, 여기에서 문제가 많이 생겨 이 라인이 이렇게 막히는 현상을 '색전'이라고 부르죠. 이게 심장에서도 일어납니다. 심장으로 피가 들어올 때 어떠한 원인에 의해서 혈관 안에 피가 원활하게 흘러가지 못하는 상황이 만들어지면 문제가 생기게 돼죠. 이렇게 문제가 올 때 우리는 협심증을 얘기합니다. 그런데 여기가 이렇게 아예 막혀서 피가 심장으로 못들어가서 심장의 시동이 꺼지는 것을 '심근경색'이라고 합니다

심근경색이든 협심증이든 심장에 영향을 주는 거고 혈관 안에 어떤 문제가 생기는 거잖아요. 얘네들의 반응이 대흉근을 통해서 겉으로 드러난다는 거죠. 여러분들은 어떻게 수기적인 방법으로 어떻게 해결할 수 있는가도 고민해볼 수 있죠.

이 부분은 인터넷상의 영상으로는 정확하게 많은 이야기를 해드릴 수 없으므로 나중에 오프라인 수업 때 설명해 드릴게요.

이러한 문제를 어느 정도 해결하려면 혈류량의 속도를 좋아지게 만드는게 대흉근 안에 있는 소흉근을 관리하는 것입니다. 다음 시간에 소흉근 등 몇 개 근육도 설명하겠지만, 특히 소흉근의 왼쪽에는 심장으로 들어가는 혈관이 심장에도 영향을 줘서 나이가 들면 정상적인 상황보다 근육이 많이 좀 짧아지게 되잖아요. 아이들은 뼈가 자라나는 속도를 근육과 인대가 못쫓아가니까 통증이 오는 거고, 어른은 뼈는 그대론데 근육과 인대가 짧아져서 심장에 영향을 줄 수 있어요.

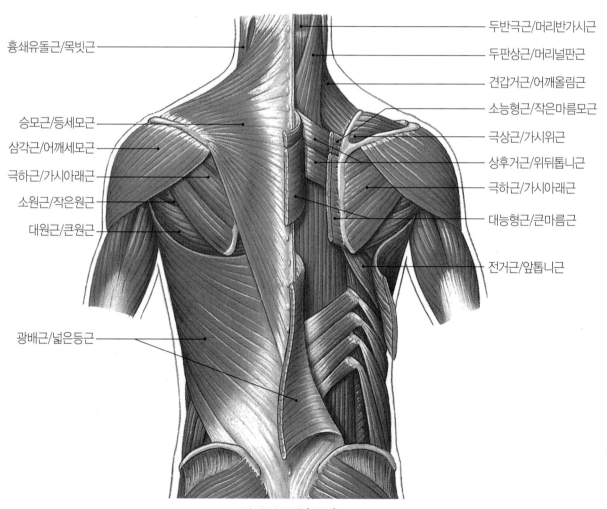

흉쇄유돌근/목빗근
승모근/등세모근
삼각근/어깨세모근
극하근/가시아래근
소원근/작은원근
대원근/큰원근
광배근/넓은등근

두반극근/머리반가시근
두판상근/머리널판근
견갑거근/어깨올림근
소능형근/작은마름모근
극상근/가시위근
상후거근/위뒤톱니근
극하근/가시아래근
대능형근/큰마름근
전거근/앞톱니근

어깨의 근육(뒷면)

나이가 들면 반드시 근육을 늘려주는 스트레칭 등으로 최소한 관리해줄 때 대흉근 안쪽에 있는 근육까지 풀어지게 됩니다. 그런데 여러분들은 천층과 심층과 최심층에 대한 개념적인 요소가 완벽하게 잡히지가 않아서 천층의 근육군을 만지면 전부 해결되는 것으로 생각합니다. 예를 들어 승모근을 만지면서 그곳이 능형근이라고 생각하든지, 아니면 상후거근이라고 생각하든지.

대흉근을 만지면서 제가 설명했던 소흉근을 관리할 때는 소흉근은 대흉근 안쪽에 들어 있기 때문에 손을 안쪽으로 깊이 넣어 만져줘야 소흉근이 연결되거든요. 똑같은 상황에서도. 우리는 항상 왼쪽을 더 많이 주목하셔야 됩니다. 수기를 할 때에는 오른쪽을 3, 왼쪽을 7로 왼쪽에 균형적 요소를 좀 더 많이 주는게 요소라고 봅니다. 그런데 고객들은 그렇게 이야기합니다. 어떤 문제 때문에 왼쪽을 더 많이 만져주면 "왜 당신은 이쪽을 많이 해주고 이쪽은 이렇게 해줍니까?"합니다.

물론 여러분들이 관리하기 전에 고객한테 현재 몸상태에 대하여 충분하게 설명해주고 "내가 당신의 몸에서 일어나는 문제 중에서 여기에 중점을 두고 여기를 풀어줍니다."는 얘기를 하지 않는다면 계속 오해의 소지가 있다는 거죠. 왜 이쪽은 하다 마느냐 이야기합니다.

그래서 제가 설명했던 이런 문제들. "결국 흉통, 즉 가슴의 문제 또한 대흉근과 사각근으로 풀어라."는 공식을 알려줍니다. 물론 사람의 몸을 관리하는 공식이 어디에 있겠습니까만 "어떤 공식적 요소로 사람을 관리해주다 보면 그래도 내가 어떤 기준이 생기지 않을까?"라고 생각해서 피부미용원장님들한테 신 교수는 어떤 공식을 주입하려고 합니다. 그렇게라도 주입된다면 현업에서 본인들이 개선시켜나갈 것이고 여유를 가질 수 있을 거라고 생각하기 때문에 배꼽 위쪽 앞뒤에서 발생하는 모든 상황은 사각근부터 늘리고 벌려서 관리하라고 합니다.

한편 "유두 위에서 일어나는 모든 상황은 두피를 풀어야 됩니다. 또 얼굴에서 일어나는 모든 상황은 흉쇄유돌근을 뜯어서 관리하라."라고 표현했습니다.

얼굴에서 일어나는 질환들이 많잖아요. 이비인후과적 질환, 또 귀에서 난청·이명, 사각턱, 얼굴의 균형적 요소의 틀어짐 등은 결국 배꼽 위쪽의 문제이니까 흉쇄유돌근, 사각근, 두피를 풀어야 된다는 거잖아요.

또 대흉근의 문제에서 말씀드렸던 심장에 대한 반응인 내장체성반응이 드러나는 것 또한 사각근과 두피와 흉쇄유돌근을 연관시켜줘야 된다는 거죠. 왜냐하면 머리쪽으로 올라가는 혈액의 80%는 결국 흉쇄유돌근을 통해서 올라가잖아요.

그래서 흉쇄유돌근을 풀어줘야되구요. 흉쇄유돌근을 푼다는 개념은 늘려주고 당겨줘야 된다는 거에요. 그런데 제가 "흉쇄유돌근을 잘못 풀면 안 됩니다."라는 설명을 많이 합니다. 고혈압, 고지혈 또는 너무 저혈압인 사람의 흉쇄유돌근을 갑자기 풀어놓으면 혈류량이 너무 갑자기 늘어나서 오히려 머리쪽이 위험할 수 있습니다. 따라서 팔다리부터 당겨서 늘려주고 뜯어서 풀어주라고 이야기합니다.

심장에 문제가 있을 때 대흉근을 관리할 수 있는 부분은 흉골 라인의 백선입니다. 우리가 알고 있는 근육부보다 겉라인을 따뜻하게 풀어주고 늘려서 대흉근이 붙어 있는 상완골도 풀어주고, 여기에 연결된 소흉근도 풀어주고, 전거근 라인들도 풀어줍니다. 또 대흉근의 문제는 결국 목뒤에서도 다시 늘어나줘야 되니까 등쪽의 승모근부터 같이 봐주는 겁니다.

대흉근은 대표적인 호흡근입니다. 그 시작점은 흉골지·늑골지·쇄골지에서 시작해서 정지는 상완골에서 끝나고, 그 지배신경은 경추 6번에서부터 흉추 1번으로 대표적인 호흡근과 연관됩니다. 여자들의 대표적인 요소는 대흉근 위에 있고, 또 여기에 문제가 생기면 결국 심장에서 나타나는 어떠한 질환과 라운드숄더의 문제와 연관됩니다. 그래서 대흉근은 피부 안쪽에 있는 바로 밑에 있는 근육이지만, 대흉근을 통해서 해결해줄 수 있는 것은 안의 소흉근까지 봐야 됩니다. 또 대흉근은 교근, 흉쇄유돌근, 복직근, 대퇴내전근하고 하나의 선으로 연결된 근육입니다.

여러분들은 오늘 협심증과 심근경색도 이해하고 사실 심근경색의 치료관점인 저체온법도 이해하시는게 좋은데, 저체온요법은 인터넷을 통해서 검색해보시면 상당히 많이 나옵니다. 인터넷상에서 심장쪽에 문제가 생기면 현재 저체온요법으로 치료중이라는 이야기가 많이 나오니까 여러분들도 한번은 정리해봐야 될 근육이라고 생각합니다.

뻔뻔 근육학의 7번째 시간을 이렇게 마칩니다.

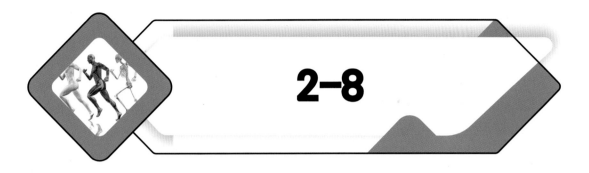

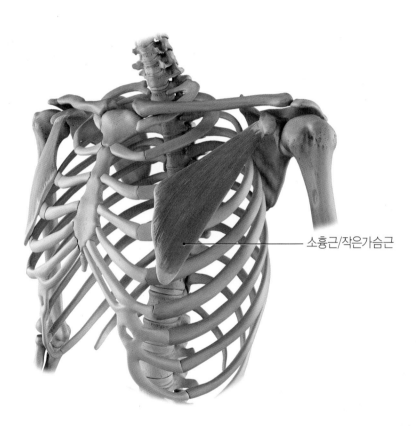

소흉근/작은가슴근

안녕하십니까 신 교수입니다. 오늘은 뼈뼈 근육학 8번째 시간이 되겠습니다.

오늘은 소흉근과 견갑거근에 대한 설명을 드리고자 합니다. 근육을 공부하다 보면 "여러분들이 내가 이것까지 공부를 해야 되겠어? 도대체 내가 어디까지 공부를 해야지 이쪽 세계에서 완벽해질 수 있을까?"라는 생각이 들 것입니다. 그런데 제가 알려드리는것은 다 하셔야 됩니다. 제가 알려주는 걸 다 하셔야 완벽해질 수 있는 게 아니라 고객한테 최선을 다할 수 있습니다. 그래야지 여러분들이 소기의 목적을 달성할 수 있습니다.

사람의 근육에도 고기처럼 다지면 육즙이 있습니다. 근데 고기도 모두 다르듯이 사람의 근육도 형태와 위치는 같을지언정 사람마다 다르다는 거에요. 제가 오늘 여러분들에게 두 개 중요한 근육을 설명드리겠습니다.

대흉근 안에 들어 있어서 소흉근이라고 합니다. 이것은 완신경총이 지나가는 길입니다. 완신경이 뭐냐면 목의 C자 커브에서 경추 3번 위까지 올라오는 신경을 경신경총이라고 그리고, 4번 밑에서 나오는 신경을 완신경총이라고 부릅니다. 그래서 이 소흉근이라는 것은 사각근처럼 완신경이 지나가는 하나의 길입니다. 또 혈관도 지나갑니다. 목 밑으로 쇄골하동맥과 완신경총이 지나갑니다. 그래서 여기가 압박을 받으면 맥박이 약해집니다. 한의사분들이 맥박을 측정할 때 맥박이 '약하다, 강하다'를 가늠할 수 있는 부분이고, 여러분들이 사각근의 증상하고도 많이 헷갈리는 곳이기도 합니다.

소흉근을 풀면 팔로 내려가면 여러 가지 증상이 해결됩니다. 저는 이렇게도 표현을 합니다. "사각근은 팔쪽으로 내려가는 모든 증상을 연결해주는 하나의 지표처럼 보고, 또 소흉근은 그것을 보조해주는 그것 못지 않은 역할을 한다. 하나하나의 근육이 중요하지 않은 게 없습니다. 그런데 관점과 개념의 상태에서 볼 때 보자면 중요한 근육이라는 거죠."

시작점은 까마귀부리처럼 생겼다고 해서 오훼돌기(또는 오구돌기)라고 하는데, 거기에서 시작해서 끝나는 늑골 2,3,4 또는 5번까지 내려갑니다. 결국 오훼돌기에 늑골에 붙어 있으니까 대흉근하고는 근육의 탄력도가 다르겠죠. 대흉근은 겉에 있는 근육이라 푸석푸석하다면 이 소흉근은 쫀득쫀득하다고 표현할까요. 그리고 대흉근은 우리가 피부를 들어내면 바로 볼 수 있는 천층근육이라고 표현할 수도 있겠고, 소흉근은 심층근육이라고 이야기할 수도 있죠. 그런데 대흉근도 너무 천층근육이라고 하기에는 약간 차이가 있겠지만, 어쨌든 대흉근 안에 들어 있는 근육이 소흉근입니다.

소흉근은 오구돌기에서 늑골까지 붙어 있기 때문에 늑골에 영향을 주기 때문에 호흡에도 영향을 줍니다. 또 심한 기침을 하고 울릴 때에도 영향을 받아요. 또 하나는 여자분들이 맞지 않는 바지를 입고, 숨을 몰아쉬고, 숨을 크게 쉬면 바지가 터지죠. 그걸 터지지 않게 하려고 위로 숨을 쉬게 됩니다. 안쓰던 근육을 자꾸 쓰게 되면 소흉근에 영향을 주게 되죠. 그래서 역리호흡, 만성적인 기침 등에도 영향을 받는 근육이고, 혈관과 손의 맥박에도 영향을 주는 근육이라고 이야기합니다.

그래서 소흉근은 통증을 유발합니다. 맞지 않는 짧은 목발이나 너무 큰 목발로 이쪽을 기대면 소흉근에도 영향을 주게 되는 거죠. 그래서 너무 심한 기침을 오래 했거나 역리호흡에도 영향을 주고 통증을 유발합니다.

대흉근도 협심증을 유발하는 하나의 증상으로 봤었죠. 여러분들에게 대흉근을 내장체성반응이라는 것으로 설명했었어요. 내장기질환이 겉으로 드러나는 하나의 증상, 내장체성반응, 또 근육의 증상이 내장기에 영향을 주는 내장체성반응. 그런데 내장체성반응에도 영향을 받습니다. 심근경색 특히 왼쪽 여러분들이 임상적으로 살려주는 근육학 개념에서는 소흉근을 굉장히 중요하게 보셔야 되요.

소흉근은 혈관이 심장쪽으로 들어가는 곳에 영향을 주기 때문에 왼쪽 소흉근이 나이가 들면 짧아지게 됩니다. 물론 소흉근만 짧아지는게 아니라 근육이 전반적으로 짧아져요. 몸안에 있는 대부분의 근육이 짧아지는데, 특히 소흉근이 짧아지면 심장으로 가는 혈관을 압박을 하게 되요. 피가 정확하게 흘러가야 되는데, 압박받아보니 심근경색에 영향을 끼쳐 심장에 영향을 줄 수도 있어요.

따라서 나이가 들수록 소흉근, 특히 왼쪽을 뜯어서 많이 풀어줘야 된다는 거에요. 여러분들 중에서 서른 살이 넘으신 분들 반드시 왼쪽 소흉근을 뜯어주고, 또 고객이 오셨을 때도 차렷 자세가 아니라 팔을 좀 들어올린 자세에서 소흉근을 풀어주면 심장쪽으로 들어가는 혈관과 혈액순환에 많은 영향을 주고 편안해질 수 있어요.

근육이 별거 아닌 것 같아도 영향을 주는 것이 클 수도 있고, 또 근육을 너무 크게 보면 또 다른 영향이 있을 수도 있는데, 소흉근은 심장에 영향을 주고, 팔로 내려가는 통증에 영향을 준다라는 것. 두 가지는 꼭 기억해두세요.

제가 저번에 협심증하고 심근경색을 구별하는 방법을 정확하게 설명드렸어요. 이 두 가지는 생각해봐야 될 근육이다. 또 손을 들었을 때 팔이 머리보다 아프다고 하는 사람들이 왔을 때요. 이렇게 팔을 돌리면 저리거나 손이 더 아프면 그것은 소흉근의 문제에요. 그런데 저린 게 없어지면 사각근이 편해지는 거죠. 들었을 때의 근육은 사각근이고, 더 아프면 소흉근이에요.

그래서 여러분들이 손을 들어올릴 때 더 아프면 소흉근, 덜아프면 사각근 문제라는 얘기를 합니다. "팔이 저릴 때 들었을 때 저린 게 없어지면 사각근이 압박받고 있는 거다. 저린데 이렇게 내려서 팔을 이렇게 아톰처럼 뺏더니 팔 저린 게 없어졌어. 얘는 소흉근에서 눌리고 있는 거죠. 근데 올려도 저리고 내려도 저려요. 얘는 목디스크증상으로 보자."라고 공식화시켰어요.

물론 "인체에서 공식이 어딨냐?"라고 반문할 수도 있겠지만, 일단은 어떤 틀에다 놓고 틀에서 벗어나는 예외의 상황이 오면 오히려 공부하기 편해지니까 이렇게 틀처럼 외우시라는 거죠. 소흉근은 요골동맥을 압박하기 때문에 맥박이 압박된다고 설명드린 것 하나랑 상완신경의 중앙선을 지나가기 때문에 여기에 문제가 생기면 네 번째하고 다섯 번째 쪽의 감각이 둔해지거나 저린 증상이 나타납니다. 소흉근에서 눌리는 증상이죠.

다른 차이점도 설명해보려고 그래요. 사각근은 정맥을 압박하고 손에 부종이 있거나 굽혀지지 않으면 주로 사각근의 문제구요. 소흉근은 부종은 오지 않아요. 눌리면 손이 붓지 않아요. 대신 맥박만 약해져요. 저희는 맥박을 보는 직업군은 아니지만, 혹시 이 영상을 보시는 맥박을 보시는 직업군이나 한의사분들은 "눌렀을 때 맥박이 약해졌어. 이때는 왼쪽하고 오른쪽 소흉근에서 눌리고 있다." 보실 수도 있구요. 사각근은 팔을 내려서 스트레칭하고, 소흉근은 팔을 들어서 스트레칭 된다는 거죠. "들어서 스트레칭하는 거는 소흉근, 내려서 스트레칭하는 거는 사각근." 이것도 여러분들이 알아두어야 할 부분이에요.

다시 간단하게 소흉근을 정의합니다. 신 교수는 "소흉근은 사각근의 동생같은 역할을 한다. 완신경이 지나가는 길을 한다. 그래서 여기 영향이 생기면 손쪽으로 내려가는 맥박에도 영향을 주고 손의 기능에도 영향을 준다. 그러니까 사각근을 관리할 때 반드시 소흉근도 같이 봐줘야 될 근육이다. 또 심근경색에도 영향을 줄 수 있는 근육이다. 30세 이상의 고객이 오신다면 반드시 소흉근도 관리를 해줘야 될 근육이다. 따라서 소흉근은 통증을 유발하는 내장체성반응인 협심증하고도 연관이 있을 수 있다."고 설명드립니다.

두 번째로 견갑거근을 설명합니다. 일명 '으쓱으쓱 근육'입니다. 고객이 어느날 "교수님, 원장님, 자고 났더니 고개가 갑자기 안 돌아가요."라고 그러면 으쓱으쓱을 시켜주면 됩니다. 그래서 견갑거근을 '으쓱으쓱 근육'이라고 합니다. 이 견갑거근은 해부학적으로 승모근을 들어내면 안쪽에 있습니다. 그래서 이쪽에서 볼 때는 심층의 근육이라고 볼 수도 있죠.

이 견갑거근을 어깨를 움직이는 근육, 움츠리는 근육, 추위에 떨 때 역할을 해주는 근육이라고 해요. 또 내가 장시간 귀에다 전화기를 대고 이렇게 전화를 한 다음 뗐어요. 그랬더니 고개가 안 펴져요. 이거는 20대 분들에게는 별로 해당되지 않구요. 우리 또래에 있는 분들은 이렇게 전화기를 오랫동안 귀에다 대고 있다가 뗐을 때 이게 안 펴질 때도 견갑거근의 과긴장이 유지되어 이런 현상들이 나타나게 됩니다.

경추 1번에서부터 4번의 횡돌기에서 시작되서 끝나는 점은 견갑거근이에요. 이렇게 있으면 내측어깨에 이렇게 붙어요. 이렇게 되서 횡돌기와 연결되어 어깨를 들어주는 역할을 해주는 근육입니다.

그래서 목을 뻣뻣하게 긴장시킬 수 있는 그런 근육이죠. 그래서 여러분들한테 "으쓱으쓱 근육이다. 뻣뻣하다."라고 얘기해주면서 "추위 웅크림, 전화 받기 자세에 굉장히 중요하다." 합니다. 이제부터 제가 하는 얘기를 잘 들으셔야 됩니다.

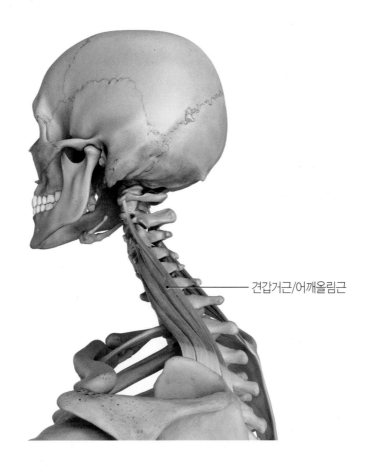

견갑거근/어깨올림근

여기에서 경추 5번의 기능이라고 표현하면서 견갑거근과 능형근의 얘기와 한가지 더, 횡격막의 횡격신경의 얘기와 목디스크 얘기를 같이 진행해드리려고 합니다. "견갑거근과 능형근의 뿌리는 경추 5번입니다. 경추 5번에서 나와서 사각근을 통해서 나옵니다. 나왔다가 뒤로 넘어갑니다. 그래서 두 개를 지배하는 신경을 우리는 견갑배신경이라고 부릅니다." Dorsal scapular nerve. Dorsal이 뭡니까. 등쪽이라는 뜻입니다. 결국 견갑골 등쪽의 신경이 어디서 나온다? 사각근을 통해서 한 줄기가 왔다가 뒤를 타고 넘어갑니다. 그래서 두 개의 근육은 경추 5번이 지배합니다.

여기서 다시 한 번 복습할 게 있습니다. 전사각근하고 중사각근 사이의 근복 중앙을 뚫고 나오는 신경이 3개 있습니다. 하나는 견갑상신경, 하나는 견갑배신경, 하나는 장흉신경이 전사각근하고 중사각근 사이에서 나옵니다. 견갑상신경이 지배하는 근육은 극상근과 극하근이죠. 견갑배신경이 지배하는 것은 설명했던 견갑거근과 능형근이구요. 또 장흉신경은 전거근을 지배하죠. 이 장흉신경의 뿌리는 경추 5번에서부터 7번입니다.

이렇게 빠져나오는 것 중에서 견갑거근과 능형근을 천천히 설명드리려고 합니다. 여러분들이 영상을 보면서 뻔뻔 근육학이 참 좋은 이유는 뭐가 좋습니까 물어봤더니 신원범 교수님이 천천히 얘기해서 좋대요. 그래서 내가 뻔뻔 근육학 8번은 천천히 설명합니다.

여러분들은 경추 5번이라는 숫자가 나오면 이렇게 생각하시면 되요. "아, 얘는 횡격막에 영향을 주는 곳인데."라고. 왜? 경추 3번에서부터 5번에서 나오는 횡격신경은 횡격막을 컨트롤하죠. 자, 이게 또 왜 중요한지 설명합니다. "횡격막은 우리 몸에서 호흡을 주관하는 근육이죠. 코로 숨을 들이마신 후 복식호흡을 하게 되면 우리 인체 근육이 650개가 동시에 다 작동을 합니다. 그 얘기는 호흡을 통해서 일어나는 모든 문제는 결국 근육의 움직임에 영향을 주는 거고, 근육의 영향은 우리 혈관계의 정맥순환에 영향을 준다."는 것입니다.

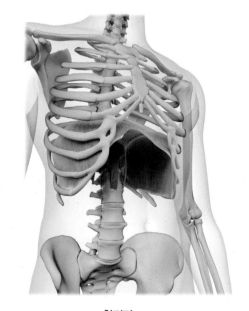

횡격막

정맥순환의 영향을 주는 근육을 동시에 움직일 수 있는 것은 횡격막이에요. 횡격막이 움직이면 650개 근육이 움직이기 때문에 견갑거근의 문제가 와서 고개가 뻣뻣해지고 어깨가 올라가지 못하는, 즉 어깨가 거상되지 않으면 우리 몸은 복식호흡이 안 된다는 거에요.

결국 가슴으로만 호흡이 되고 깊은 호흡이 일어나지 않는다는 거죠. 그래서 우리가 경추 5번은 이 자체가 중심의 축에서 그 역할을 하죠. C자 목에서 가장 정점은 경추 4번입니다. 그러나 우리 목의 축은 경추 5번과 6번입니다. 그래서 주로 목 디스크는 5번하고 6번에서 일어나요. 참 아이러니하게도 5번하고 6번에서 목디스크가 일어나면 대부분의 고객은 내장기의 기능 자체가 떨어져요. 특히 소화기의 기능이 떨어지게 되요.

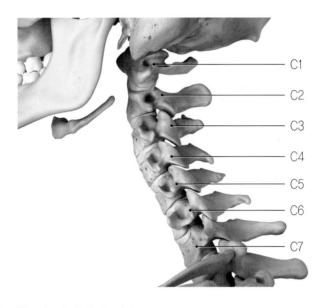

저랑 공부하시는 여러분들이니까 제가 팁을 알려드립니다. 내장기의 기능이 떨어져서 소화가 안 되는 고객이 왔을 때 상황을 공부하지 않은 사람들은 "목디스크 고객이 오면 당신은 위장기능이 안 좋아서 소화제를 드세요."라고 그런 쪽으로 유도하게 됩니다. 이렇게 목디스크가 온 사람들은 일단은 횡격막의 기능 자체가 떨어지게 되요. 그리고 호흡의 양이 줄죠. 뇌 크기는 체중의 5%인데 뇌가 쓰는 산소량은 전체 양의 30%를 쓰게 돼요. 목디스크 있는 사람들이 머리가 아프죠. 왜? 뇌로 산소가 많이 못올라가니까. 호흡량의 1/3로 쓰니까 뇌가 워낙 많은 양의 산소를 써야 되는데 산소를 많이 못쓰니까 머리가 아프겠고, 두 번째 호흡량이 편안하지 않으니까 일단은 이 장기의 횡격막에 붙어 있던 간·내장기가 움직이지 않는 기능적인 요소들이 떨어지니까 장기의 기능도 떨어지게 되죠.

그래서 장부의 기능도 떨어지고 호흡의 기능도 떨어지다 보니까 사람은 머리도 아프고, 항상 머리쪽에서 일어나는 증상들이니까 예민하게 나타나고, 이게 하나의 역순환적인 역할을 해서 문제가 오는거죠.

그래서 여러분들이 근육학이나 책을 쭉 보다가 그 뿌리가 "경추 5번이나 6번에 걸려 있거나 3번에서 걸려 있다면 일단은 호흡하고 연관이 있구나. 횡격막하고 연관이 있구나."라는 생각을 해줬으면 좋겠습니다.

그래서 여러분들 배우셨던 소흉근이나 대흉근 다 좋은데요 사람이 어떤 근육의 통증을 느낄 때 중요한 것이 근육보다 건(tendon, 腱)이거든요. 우리가 얘기하는 힘줄에서 더 많은 증상들을 호소하고 몸의 변화를 일으키는 포인트가 그곳이거든요. 수기를 참 많이 했어요. 그러니까 제가 말씀드렸듯이 50명씩 30년 동안 사람 몸을 만지면서 계속 느끼는거는요. 사람의 움직임 자체와 통증 자체를 케어해줄 수 있는 그 뿌리가 어디냐. 그것은 간 에너지거든요. 간 에너지는 전체적으로 혈액을 뿜어주는 역할을 해요. 우리 인체에서 심장이 피를 제일 많이 갖고 있는 게 아니라 간이 제일 많은 양의 혈액을 갖고 있어요. 간의 기능이 원활해야 순환이 원활해집니다.

그런데 간기능 자체에 제일 많은 영향을 주는게 횡격막이에요. 몇몇 임상가들 말고 원론적으로 연구하시는 해부학 교수님들도 제가 대화를 해봅니다. 해부학을 30년간 하셨던 모 교수님하고도 설명을 해보면 제가 얘기한 거를 해부학 교수님들은 받아들이지 못하세요. 왜? 그 분들은 그냥 구조적인 것을 설명하시는 분들이지, 우리처럼 기능과 근육과의 살아있는 유기체의 연동적인 요소를 조금 부정할 수도 있다는 거죠.

또 제가 말씀했던 것처럼 이쪽 계통의 분들하고 해부학하시는 분들에게 제가 경락을 찾아달라고 아무리 얘기해도 경락은 없다고 얘기하십니다. 결국 저는 저 스스로 결론내린 게 경락이란 곧 근막일 수도 있겠다. 근막이라고 치면 조금 이해가 되고, 그 연결되는 선들이 이해되는 거죠.

물론 경락의 선들보다는 근막이 더 많죠. 크게 크게 보자구요. 그래서 내가 저 이론이 나한테는 받아들이지 않는다고 하지 마시라는 얘기에요.

제가 했던 얘기들이 어쩌면 이 강의를 듣는 저보다 더 유능하고 똑똑하시고 더 많은 걸 공부하신 분들한테는 신원범이가 얘기한 거는 본인에게 받아들여지지 않을 수도 있습니다. 근데 저는 제가 공부했던 근본적인 교과서적인 요소와 제가 눈으로 확인했던 카데바들의 모습과 임상을 통해서 30년 동안 얻었던 얘기들을 여러분들에게 편안하게 풀어드리는 겁니다.

본인에게 맞지 않는 이론은 버리셔도 됩니다. 그러나 본인에게 도움이 될 수 있다면 그것도 그럴 수 있다는 하나의 전제조건으로 받아들이시기 바랍니다.

"소흉근은 사각근의 동생과 같은 곳이다. 완신경이 흘러간다. 또 견갑거근은 어깨를 움추리게 만드는 근육이지만 경추 5번에서 컨트롤하고 그 뿌리가 그래서 견갑배신경 이렇게 연관되서 횡격막의 호흡과 연관시키는 근육이다."라고 보시면 좋겠습니다.

뻔뻔 근육학

제**3**부

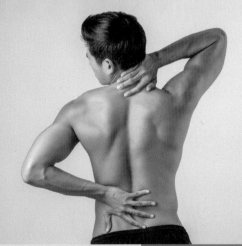

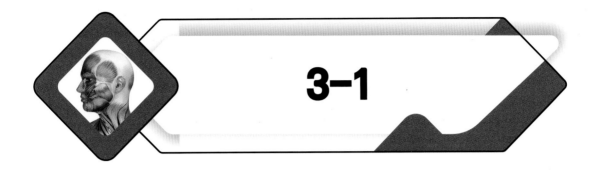

3-1

일단 대칭을 먼저 봐요. 대칭과 길항의 역할을 봐야 하는데, 등에 있는 승모근에 문제가 오게 되면 배가 나옵니다. 등이 굽으면 배가 나와요. 배가 나온 사람은 등이 굽어요. 이것을 우리는 길항이라고 그래요.

승모근 Trapezius

원어
읽기 trapezius(tra·pé·zé·us) = like a diamond

- ꀀ⟫ 상부 등(upper back)과 목의 뒤쪽 천층의 근육 대부분을 덮고 있는 얇고 편평한 근육으로 한 쌍일 때는 다이아몬드형이다.
- ꀀ⟫ 흉쇄유돌근과 더불어 스트레스 근육으로 정서적 긴장으로도 근육의 긴장(tension of the muscle)과 통증유발점이 가장 잘 생겨 급성 경추 경직과 긴장성 두통, 편두통을 일으킨다.
- ꀀ⟫ 견갑골, 쇄골지지 근육들 : 승모근, 능형근, 견갑거근, 전거근, 소흉근.
  이들 근육들은 흉쇄유돌근과 연결되어 몸통과 연결된다. 이들 근육들의 특징은 견갑골에 큰 운동범위를 주어 팔의 움직임을 자유롭게 한다.
- ꀀ⟫ 거북목(head forward Posture)의 원인 근육 중 하나이다.
- ꀀ⟫ 제11뇌신경 부신경(Accessory)과 제3,4 경추신경의 지배를 받는 흉쇄유돌근과 쌍둥이근육이다.

4

▶▶ 승모근의 해부학

▶ **시작**　후두골, 위목덜미선(Superior Nuchal line)에서 외후두흉기, 목덜미인대 (항인대, Nuchal ligament)를 거쳐 제7경추와 제1~12흉추의 극돌기까지 정중선에서 출발한다.

▶ **정지**　**상부** 쇄골의 외측 1/2

　　　　　중부 견봉

　　　　　하부 견갑극의 내측 (Root of　spine of Scapula)

▶ **작용**　주작용은 어깨를 들어올리고 견갑골을 당기기(Retaction)는 작용

　　　　　상부　견갑골의 거상(어깨 들어올려 머리 보호), 상방회전

　　　　　중부　견갑골의 내전(팔을 벌리고 밀고 당길 때(retraction)의 행위)

　　　　　하부　견갑골의 하강, 상방회전

　　　　　보조　머리신전(교통사고 시 경추의 과굴곡으로 상부승모근이 손상된다. 반대로 교통사고 편타증후군 시 과신전에 의해 흉쇄유돌근이 손상된다), 머리의 외측 굴곡

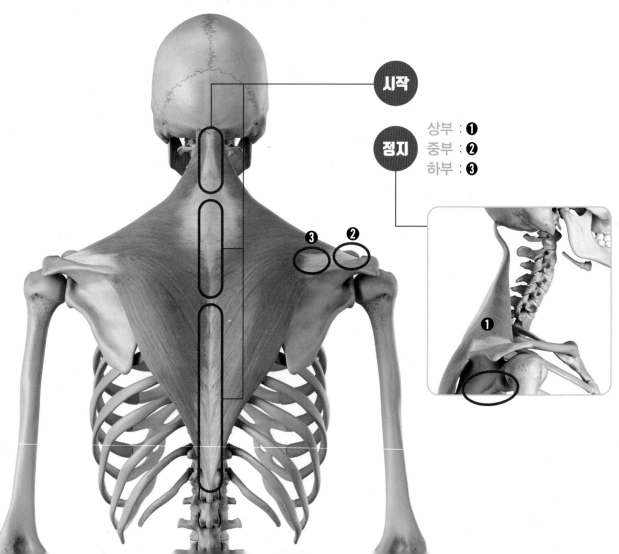

시작

정지　상부 : ❶
　　　중부 : ❷
　　　하부 : ❸

▶▶ 통증

상부 승모근이 긴장되어 뒷골이 뻐근하고 어깻죽지가 무겁다.

▶▶ 승모근의 통증유발점(Trigger Point)과 전이통

목의 후외측, 유양돌기, 심하면 머리의 외측면의 관자놀이와 안구뒤쪽, 하악각에 전이통이 일어난다. 어떤 경우는 후두부, 어금니, 귀의 후면부에서도 일어난다.

▶ **초기**   어깨가 무겁고 목이 뻐근하다.

▶ **장기화**   오십견, 후두신경통, 긴장성 두통으로 느껴진다.

▶ **만성화**   통증없는 균형에 의해 어지러움, 문제되는 근육쪽으로 고개와 어깨가 기울어진다.

▶ **악화원인** 무거운 겨울 코트 장시간 입기, 장시간 전화나 컴퓨터하기, 장시간 피아노치기, 거북목, 둥근 어깨에 의한 짧아진 대흉근, 한숨 많이 쉬는 여자, 등에 무거운 물건 장시간 사용, 또한 정신적 긴장(치과, 비행기, 롤러코스트 같은 놀이기구 타기 등에 의해 고개 숙이고 어깨를 으쓱하는 공포를 느낄 때)는 근육 긴장을 초래하여 통증유발점을 활성화한다.

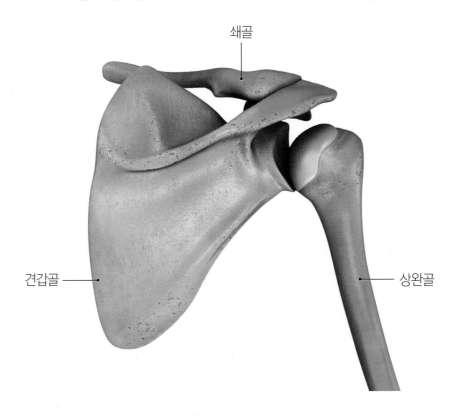

쇄골

견갑골

상완골

▷ 상부승모근의 통증유발점과 전이통

Trigger Point 1, 2

근육 긴장과 통증유발점이 잘 생기는 근육으로 정신적인 스트레스를 많이 받는 사람들은 대부분 어깻죽지와 목덜미에 팽팽한 띠(Taut band)가 잘 생긴다.

통증은 특징은 머리와 목의 통증과 균형 장애와 어지러움(dizzness)이다.

전이통은 묵직하고 뻐근한 느낌이 처음에는 어깻죽지에서 목덜미 외측으로 시작하여 점차 상행하며, 심한 경우에는 유양돌기를 중심으로 짜증나는 통증이 반복되고, 장기화되면 측두부의 관자놀이와 안구 뒤쪽에 일어난다. 때로는 하악각에 심한 통증을 일으켜 가짜 치통을 호소하기도 한다.

만성화는 오십견, 긴장성 두통, 후두신경통으로 오인된다.

Trigger Point 1은 대부분 제 7경추 극돌기와 견봉을 연결하는 가상선의 목과 어깨과 만나는 지점에 있고, Trigger Point 2는 그 가상선의 중간지점에서 약간 목쪽으로 위치한다.

▷ 중부승모근의 통증유발점과 전이통

Trigger Point 3

하부승모근에 Trigger Point가 생기면 전이통은 견봉 아래에 버닝통증(Burning pain)이 생긴다. 컴퓨터 키보드를 오래치거나, 피아노를 오래치면(특히 팔꿈치 지지대없이 양손을 오래 사용하는 행위들) 이로 인해 견갑골이 '날개, winging' 치면 돌출된다.

▷ 하부승모근의 통증유발점과 전이통

흔히 일어나지 않지만 Trigger Point 4의 경우 견갑골 내측연 상부에 타는 타는 듯한 통증이 나타나고, Trigger Point 7의 경우는 위팔에 소름이 끼칠 수 있는 상태도 나타날 수 있다.

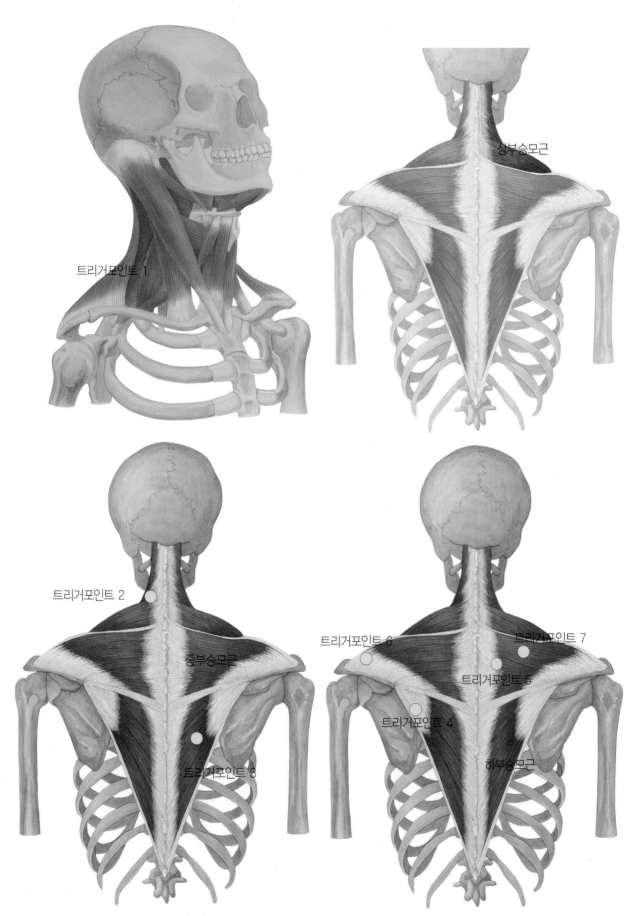

상부승모근

트리거포인트 1

트리거포인트 2

중부승모근

트리거포인트 3

트리거포인트 6

트리거포인트 7

트리거포인트 5

트리거포인트 4

하부승모근

결국 승모근은 복횡근과 길항작용입니다.

뱃살을 빼고 싶으면 어떻게 해야 된다? 등을 펴주는 운동을 시켜야 됩니다.

등을 펴면 뱃살이 빠지고, 뱃살을 빼면 등이 펴진다. 이것이 하나의 작용이라는거죠.

나이가 들면 복횡근이 약해지면 쳐지면서 어깨가 구부러지게 되죠.

이와 같이 연관되는 과정을 봅시다.

우리의 몸에서 가장 배 안쪽에서 잡고 있는 것이 복횡근으로, 내장을 싸고 있으며, 코어 머슬이라는 말을 많이 합니다. 운동하시는 분들이 인체의 코어머슬? 골반쪽은 다 열근 어떤 분은 승모근을 이야기해요.

코어, 핵심이란 얘기에요. 핵심을 코어라고 얘기합니다.

제가 물어봅니다. 당신들은 100억샵의 코어입니까?

그게 뭐냐면 당신은 100억샵의 핵심인물입니까?

우리 인체에서 저 근육을 기준으로 해서 몸이 세워지는 근육이 있는데요, 그게 복횡근이에요. 그 다음에 골반 밑에서 내장 생식기하고 배설기를 잡고 있는 근육. 그 다음에 등줄기에 흐르는 척주기립근 안쪽에 있는 다열근. 그래서 우리 인체에서 코어 머슬 강화 운동이라고 헬스장 가면 이거 시키잖아요. 스쿼트 운동. 그래서 이런 운동을 하는 것도 중요한데 몸에서 중심을 잡아주는 포인트를 잊으면 안 돼요. 이렇게 되면 골반도 같이 돌아갑니다.

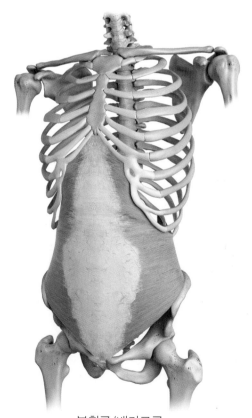

복횡근/배가로근

측두근이랑 교근을 같이 설명합니다.

얼굴에 있는 미세한 근육들. 그중 측두근이란 근육은 헤프랄디스라고 해서 옆에 이렇게 있습니다. 여기에는 위경맥에 두유라는 혈자리가 진행되어 있고요. 이 측두근은 동맥이 겉에 드러납니다. 일반적인 동맥은 전부다 안쪽에 들어 있는데, 유일하게 얼굴 쪽에서 측두동맥은 겉으로 드러나 있어서 얼굴 마사지할 때 측두동맥을 건드리면 혈관이 멍이 들어서 굉장히 아파요.

그다음에 안면신경과 삼차신경이 지나가는 교근을 풀 때는 반드시 측두근을 먼저 풀고나서 교근을 풀어야 풀립니다. 이거는 여러분들이 잊지 말아야 돼요. 교근을 풀 때는 반드시 측두근을 풀고 풀어줘야지 그 효과가 나타난다고 보시면 됩니다.

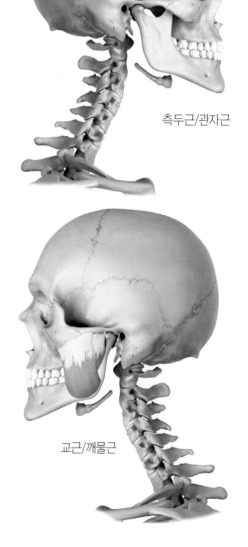

측두근/관자근

자, 이게 교근이고, 이게 측두근입니다. 그래서 측두근을 풀어줘야 이 교근을 풀어주는 효과가 나타납니다. 측두근은 추위에 민감한 근육이에요. 덜덜 떨 때 여기가 떨리게 되지요. 측두근 또한 두피하고도 연관되어 있는 상당히 중요한 근육이고, 얼굴의 전체적인 것를 조율해주는 근육이에요.

얼굴에 전체적인 것을 조율해주는 근육은 측두근, 얼굴 전체적인 것을 교정하고 잡아주는 근육은 교근이구요. 아셨죠?

교근에는 두개의 뇌신경이 나온다고 그랬어요. 뭐라 그랬습니까. 안면신경과 삼차 신경. 그래서 얼굴에서 일어나는 문제들 중에서 얼굴의 각도, 얼굴의 변형 등 얼굴의 문제는 대부분 교근을 통해서 잡아야 된다는 거죠.

교근/깨물근

여러분들은 여기까지는 그림을 공부했어요. 측두근 어떻게 관리해야 되냐면 동맥이기 때문에 혈관은 도로라고 하거든요. 손을 모아서 마사지하면 동맥이 되게 아파서 측두근을 풀 때는 손을 벌리고 혈관이 도망갈 수 있는 여유를 주고 이렇게 만져야 되요. 그래야지 잡힙니다.

이 근육은 광경근이라고 해요. 얼마나 얇냐면요 여러분들 어렸을 때 껌을 씹고 나서 껌종이 벗겨서 은박지 떼는 놀이 많이 했을거예요. 저만 그런게 아니라. 그게 되게 얇죠. 그것처럼 칼로 피부를 얇게 벗겨야 광경근이 나와요. 일명 헐크 근육이라고도 해요. 그래서 광경근을 풀면 얼굴과 어깨에 영향을 줍니다. 얼굴이나 어깨 문제가 있을 때 광경근을 얇게 잡아서 이렇게 풀어주는 동작을 해야 됩니다.

광경근은 얼굴과 어깨와 또 목의 주름에 영향이 있는데요. 목의 주름은 잘 원래 숨길 수 없는 근육이라고 합니다. 노화가 와도 다른데는 되는데, 이 광경근의 주름은 안 되기 때문에 연예인들도 다른 부위는 성형수술을 해도 목은 안 되기 때문에 마지막에 목에서 스카프를 두르고 다니는 거에요.

자, 광경근 이렇게 나옵니다. 이렇게 광경근을 볼 수 있도록 카데바를 만질 수 있는 분 거의 드물어요. 되게 힘들어요. 이렇게 보이게 해부할 수 있는 것은 너무 얇게 한거니까요.

이렇게 보입니다. 마치 우리 어렸을 때 목만 이렇게 썼던 목티같은 그런 식으로 광경근이 뻗어져 있어요. 근데 얘가 어깨에도 영향을 주고 얼굴에도 지대한 영향을 줘요. 얇은 근육이지만. 이 모양을 할 때 나오는 거죠. 일명 헐크 근육. 나이가 들면 말할 때 여기가 올라갔다 내려갔다 그래요. 그죠. 젊은 사람들은 잘 안 보이는데. 우리는 광경근을 이렇게 봐요.

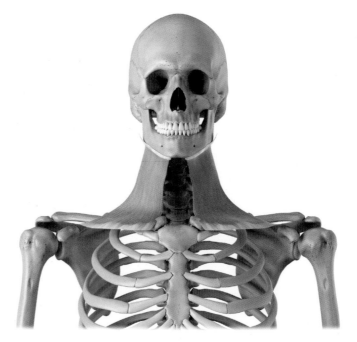

광경근/넓은목근

다음은 흉쇄유돌근을 설명할거예요. 흉쇄유돌근이라고 해서 의학용어상 근육의 이름이 제일 길어요. 그래서 SCM이라고 합니다. 여기가 흉골과 쇄골과 위양돌기에 붙어 있어요. 근데 여러분들이 이런 강의를 할 때 제일 유심히 봐야 하는게 이렇게 빨갛게 표시가 되어 있는 근육하고 근육부착점을 잘 보셔야 되요. 부착점. 연결된 것. 근육과 뼈를 연결하는 것을 제가 뭐라고 그랬어요. 건·근육과 뼈를 연결하는 부착점들, 여기를 좀 더 많이 신경을 쓰면서 보시는게 관리할 때 좋다라는 거죠.

여기 안에는 혈관이 있습니다. 머리로 올라가는 혈관이 있다고 합니다. 무슨 혈관? 정·동맥. 흉쇄유돌근은요 이렇게 보시면 돼요. 얼굴에서 일어나는 모든 상황은 흉쇄유돌근을 뜯어서 관리한다. 아침에 일어났더니 눈이 부어요. 이때 흉쇄유돌근을 뜯어야 되요. 귀에서 이명이 나요. 뜯어야 되요. 목구멍 귀구멍 콧구멍 E.N.T.라고 그래요. 이비인후과질환도 여기 풀어요. 사각턱 또는 얼굴 비대칭일 때 전부다 흉쇄유돌근을 푸는 거에요. 그래서 제가 공식상 말해줬죠.

얼굴, 유두 위에서 일어나는 것은 전부 두피로 풀지만 얼굴에서 일어나는 모든 상황은 흉쇄유돌근을 뜯어서 관리해라. 이게 굉장히 중요한 이야기입니다.

흉쇄유돌근(scm)

자, 이렇게 보이는데 잘 헷갈릴정도로 보일 것입니다.

다음에 여기는 할 말이 많은 근육. 사각근. 이거는 이렇게 생각하시면 돼요. 90도 직각, 90도보다 작은 예각, 90도보다 큰 둔각. 직각이 아닌 각도에 있을 때 우리는 사각이라고 그래요. 그래서 운전할 때 보이지 않는 지역을 사각지대라고 이야기하듯이 우리 인체에서 어정쩡하게 자리 잡고 있는 근육을 사각근이라고 해요.

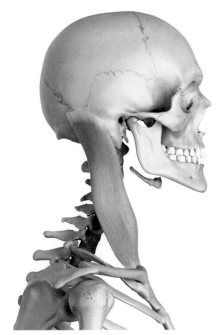

흉쇄유돌근/목빗근

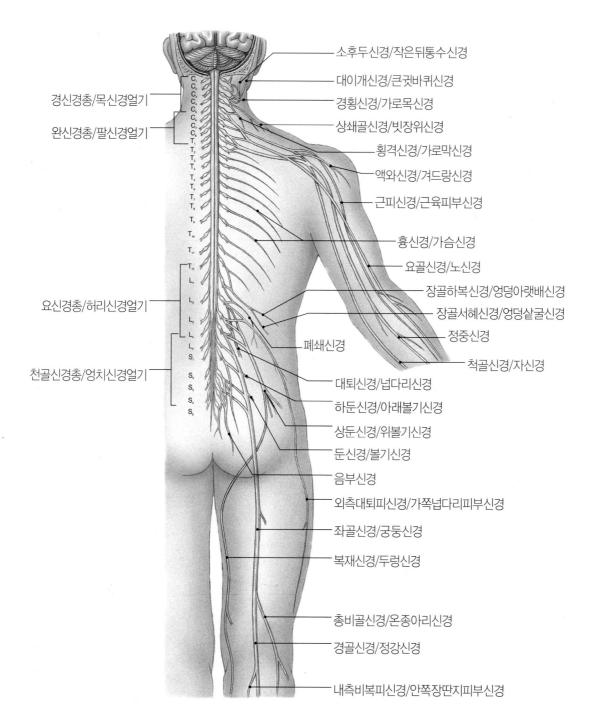

소후두신경/작은뒤통수신경

대이개신경/큰귓바퀴신경

경횡신경/가로목신경

상쇄골신경/빗장위신경

횡격신경/가로막신경

액와신경/겨드랑신경

근피신경/근육피부신경

흉신경/가슴신경

요골신경/노신경

장골하복신경/엉덩아랫배신경

장골서혜신경/엉덩샅굴신경

정중신경

척골신경/자신경

경신경총/목신경얼기

완신경총/팔신경얼기

요신경총/허리신경얼기

천골신경총/엉치신경얼기

폐쇄신경

대퇴신경/넙다리신경

하둔신경/아래볼기신경

상둔신경/위볼기신경

둔신경/볼기신경

음부신경

외측대퇴피신경/가쪽넙다리피부신경

좌골신경/궁둥신경

복재신경/두렁신경

총비골신경/온종아리신경

경골신경/정강신경

내측비복피신경/안쪽장딴지피부신경

척수신경

소흉근 Pectoralis minor

대흉근 아래 심층근육으로 팔로 가는 혈관과 상완신경총이 지나는 곳이다.

▶ **시작**   제3~5번 늑골

▶ **정지**   견갑골의 오훼돌기(부리)

▶ **작용**   견갑골의 견인, 하강, 호흡 시 3, 4, 5 늑연골을 들어올린다.

▶ **증상**   상완골의 외측회전이 힘들어지고 전삼각근에 통증이 깊은 곳에서 나타
          난다.

소흉근의 트리거포인트가 생기면 전삼각근에 전이통이 나타나고, 문제되는 쪽 가슴
전체와 쇄골 아래, 심해지면 팔 내측을 따라 주관절(팔꿈치)과 전완을 따라 척골측 3, 4
손가락으로 흘려 내려간다.

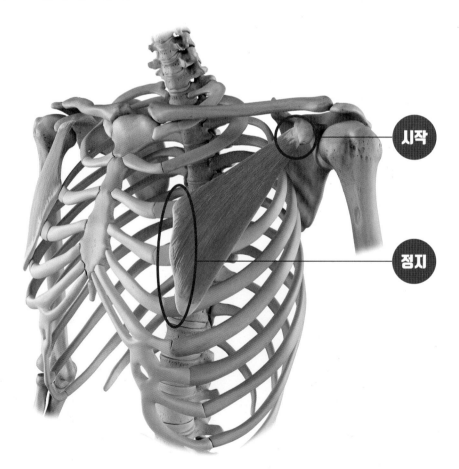

소흉근과 쇄골하근 강화 스트레칭

등은 의자나 탁자를 등지고 선다. 목을 길게 뻗고 턱을 뒤쪽으로 끌어당긴다.
발은 탁자에서 적당히 떨어진다. 어깨너비로 벌린 손을 의자의 팔걸이나 탁자를 잡는다. 팔을 똑바로 편다.

신전

1. 몸을 낮춤으로써 팔에 무게를 주어 어깨와 어깨뼈 위쪽에서 신전을 느끼도록 한다.
2. 몸을 끌어 올리는 것처럼 어깨근육을 긴장시킨다. 5초 정도 유지한다.
3. 긴장을 풀고 양어깨 사이에서 최대한 몸을 낮춘다.
4. 근육이 떨리는 느낌으로 더 이상 신전할 수 없다고 느낄 때까지 계속한다.
   마지막 신전에서 15초에서 1분 정도 유지한다.

주의 어깨를 귀보다 더 이상 높게까지 끌어올릴 수 있어야 한다.

소흉근 이완 스트레칭

· 관리사의 오른손가락으로 소흉근의 정지점을 가볍게 누르고 왼손으로 고객의 손등쪽의 손목을 잡는다.
· 소흉근 정지점을 누르는 동시에 고객의 팔을 움직여서 먼저 외회전 · 내회전하고, 굴곡 · 신전하여 팔을 회전시킨다.

주의 고객의 상완은 항상 마사지 테이블 바닥에 닿게 하고 움직이게 하여 최대한 원을 크게 그리면서 움직인다.

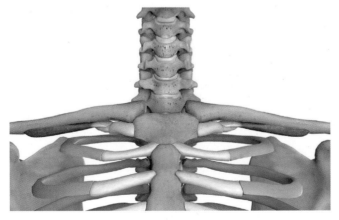

쇄골하근/빗장밑근

도구를 이용한 소흉근 외회전 강화 스트레칭

- 등을 대고 눕는다.
- 어깨의 정중앙이 마사지테이블의 테두리에 기대게 한다.
- 손에는 가벼운 공이나 도구를 쥔다.
  1. 주먹이 아래쪽으로 외회전되게 한다.
  2. 위쪽으로 외회전되게 한다.
  3. 마지막 최대치에서 15초에서 30초 정도 힘을 주고 유지한다.

소흉근 강화 마사지

시작자세 고객은 등을 대고 눕는다. 견갑골이 마사지 테이블의 테두리로 가게 한다.
팔은 어깨에서 외회전, 내전, 90도 이하 굴곡되도록 한다.
팔꿈치는 굴곡시킨다.

관리사 고객의 머리를 마주보고 고객의 오른편에 선다.

손잡기 관리사는 왼손으로 고객의 오른쪽 어깨를 잡는다. 관리사의 오른손은 고객의 손목 위쪽을 잡고 고객의 아래팔을 관리사의 가슴쪽으로 지지한다.

관리방법 이런 상태에서 관리사는 고객의 손바닥쪽 손목을 잡고 팔꿈치를 관리사의 가슴쪽으로 민다. 동시에 고객은 그 힘에 저항한다.

- 마지막 최대치에서 5~8초 정도 저항을 유지한다.

목과 소흉근 강화 마사지

고객은 등을 대고 눕고 경추 5~6번이 마사지테이블 위쪽에서 벗어나게 한다. 관리사는 의자에 앉고 양손바닥을 고객의 뺨에 두고 고객이 목을 외회전한다.

고객의 목이 최대한 편안한 범위까지 이동하게 한다. 최대 범위까지 가면 고객은 정중앙으로 보려고 관리사의 힘에 가볍게 저항한다. 5초 정도 유지한다. 매회 3~5초 정도 휴식을 가진다.

다음은 반대방향으로 천천히 목을 회전과 외측굴곡시킨다. 최대치에서 관리사의 힘에 저항한다.

5초 정도 저항하고, 매회 3~5초 휴식하고 다시 실시한다.

사각근 Scalene Muscle

사각근은 전사각근·중사각근·후사각근으로 나누어지고, 의학적으로 보다 수기적인 요소에서 같아 중요한 이유는 전사각근하고 중사각근이에요. 그 사이로 목에서 상완신경이 나와서 쇄골 밑으로 해서 팔로 내려가요. 팔로 내려가는 근육. 그래서 우리는 사각근을 통해서는 배꼽 위에서 일어나는 모든 상황은 사각근을 풀어야 된다고 설명합니다.

사각근은 전, 중, 후의 3가지 근육으로 되어 있다. 어깨와 팔저림의 주원인근이다.

▶ **시작**　　경추의 횡돌기

▶ **정지**　　**전·중사각근**　제 1늑골

　　　　　　후사각근　제2늑골

▶ **작용**　　**양쪽**　흡입하는 동안 제 1, 2늑골 위로 당겨 호흡근으로 작용

　　　　　　한쪽　같은 방향으로 목의 외측굴곡을 보조한다.

▶ **증상**　　목을 돌리면서 외측굴곡을 하면 같은쪽 팔과 견갑골 내측연이 저리다.

사각근의 Trigger Point가 생기면 견갑골 내측연 상부 1/2과 상완이두근과 상완삼두근의 외측 경계부위에 전이통이 나타나고 심해지면 손등쪽 엄지와 검지에도, 앞 가슴쪽에 손가락 모양의 전이통이 유두까지 생긴다.

에드손 테스트　상지로 가는 쇄골하동맥, 요골동맥이 전·중사각근에 의해 압박의
　　　　　　　　유무를 파악하는 테스트이다.

▷▷ 사각근 압박 능동적 테스트

1. 목을 왼쪽으로 완전히 회전하여 왼쪽 사각근을 압박시킨다.
2. 고개를 쇄골쪽으로 붙이고 턱이 쇄골에 닿게 한다. 팔저림이나 등쪽 문제를 파악한다.

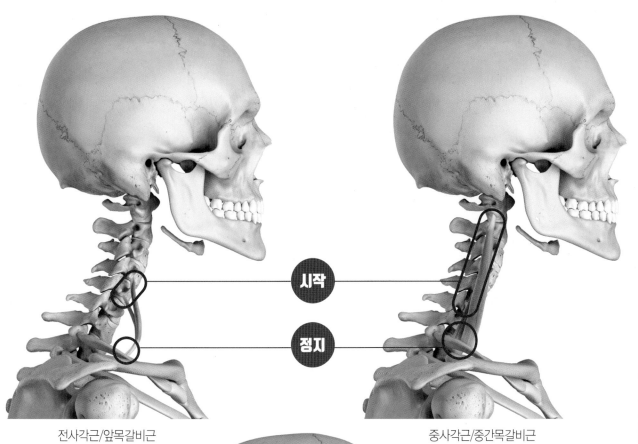

시작

정지

전사각근/앞목갈비근

시작

정지

중사각근/중간목갈비근

시작

정지

후사각근/뒤목갈비근

사각근 이완 테스트

쇄골, 제 1번늑골을 올리면서 상완신경총을 건드려 전이통을 느끼는지 파악한다.
통증의 경감정도를 파악한다.

A. 사각근 Trigger Point를 손가락으로 누른다. 고객은 외회전을 한다.

B. 고객은 외회전된 팔을 머리쪽으로 더 움직인다.

C. 외회전된 팔을 최대한으로 몸쪽으로 내회전시킨다.

사각근 자가 스트레칭, 강화

A. 오른손은 엉덩이밑에 두어 어깨와 목이 길게 최대한 신전되게 한다.
   왼손은 외회전하여 반대쪽 측두부에 둔다.

B. 고개를 완전히 회전하게 하고 동시에 반대 손가락을 후사각근을 스트레칭한다.

C. 고개를 정면에 두고 중사각근을 스트레칭한다.

D. 최대한 반대쪽으로 고개를 들어 전사각근을 스트레칭한다.

3~5회 정도 실시하고 매회 최대의 정점에서 8초 정도 유지한다.

앉아서 강화 스트레칭(전·중사각근, 흉쇄유돌근) 1

- ⫶ 등을 펴고 앉아 목을 왼쪽으로 최대한 회전과 굴곡을 한다. 왼손은 오른쪽 귀에
  대고 머리와 목을 안정시킨다.
- ⫶ 오른손으로 오른쪽 엉덩이쪽의 의자 밑을 잡는다.

신전

1. 상체를 펴고 왼쪽으로 기울여서 오른쪽 어깨가 아래로 당겨지고 목 오른쪽이 신
   전되게 만든다.

2. 오른쪽 어깨를 들려고 하는 것처럼 손잡기를 그대로 유지하고 근육을 긴장시킨다.

3. 긴장을 풀고, 왼쪽 한계까지 기울인다.

4. 더 이상 신전할 수 없게 되고, 근육이 떨리는 느낌이 들 때까지 반복한다.
   마지막 상태에서 15초에서 1분정도 유지한다.

– 반대쪽을 같은 방법으로 실시한다.

주의 어느 어깨도 들지 말고 귀가 어깨에 닿을 수 있어야 한다.

– 중요한 요소는 자신이 최대라고 느끼는 데까지 여러 번을 구부려서 실시한다.

⑂ 앉아서 강화 스트레칭(전·중사각근, 흉쇄유돌근) 2

등받이 있는 의자 준비

– 의자 등받이에 단단히 붙여 앉는다. 오른손으로 엉덩이 부위 의자 밑을 잡는다. 왼손을 목뒤에 대고 새끼손가락이 목 뒤 움폭 들어간 밑에 놓이게 한다.

신전

1. 뒤쪽과 오른쪽 위를 본다. 턱을 위로 당기고 숨을 내쉰다. 머리와 목을 뒤 왼쪽으로 젖혀서 오른쪽으로 돌려 목의 앞 오른쪽에 신전이 느껴지게 한다.

2. 숨을 들여마신다. 왼쪽 아래를 보고 왼손 손가락으로 목 오른쪽을 누른다. 5초 정도 유지한다.

3. 긴장을 푼다 : 뒤쪽과 오른쪽 위를 본다. 턱을 뒤로 당기고 숨을 내쉰다.
   머리를 최대한 오른쪽으로 회전하여 머리와 목을 뒤 왼쪽으로 젖힌다. 왼손으로 도와준다.

4. 더 이상 신전할 수 없다고 생각되고 근육이 떨리는 느낌이 될 때까지 반복한다. 마지막 신전에서 15초에서 1분 정도 유지한다.

주의 목 앞에서만 신전이 느껴져야 한다.
머리, 목, 어깨, 팔, 또는 다른 부위에 불편함이나 통증을 느낀다면 즉시 신전을 중단한다.

⑂ 사각근 이완 스트레칭

관리사

⟹ 한 손은 고객의 반대쪽 뒤통수를 지지하고, 다른 손은 흉쇄유돌근 바로 아래에 손바닥을 댄다.

⟹ 뒤통수를 지지한 손은 외측회전시키면서 사각근을 잡은 손은 화살표방향으로 스트레치한다.

사각근(Scalenes)

이 사각근은 상완신경이 지나가는 곳이예요. 그래서 팔에서 일어나는 문제와 관련이 있어요. 팔뚝살이 안 빠져요, 손이 부어요, 혈액검사상 류마티스 관절염이 아닌데 손이 아파요, 손에 변형이 와요. 이때는 무조건 사각근이에요. 또 옆구리, 즉 전거근의 통증 또한 사각근이에요.

또 고객이 와서 "원장님 팔이 저려요."라고 하면 일단 팔이 저리다는 사람을 테스트해야 됩니다.

팔이 저리다고 무조건 디스크라고 그러면 안 되고, 저린 팔을 들어보라고 이야기합니다. 들었을 때 저린 것이 없어지면 사각근이 눌린 거에요. 그런데 들었는데도 저려요. 그럴 때는 뒤로 이렇게 빼봅니다. 뺐을 때 저린게 없으면 소흉근에서 눌리는 거에요. 그런데 올려도 저리고 밑으로 빼도 저린 거는 거의 목디스크라고 보시면 돼요.

다시 설명합니다.

팔이 찌릿찌릿 저려요. 목 디스크가 내려가는데 올리면 저린 게 없어지면 어디서 눌려 있다? 사각근에서 눌렸다. 뒤로 빼서 저린게 없어지면 어디가 눌렸다? 소흉근. 근데 올려도 저리고 내려도 저리다. 목디스크다.

그래서 사각근은 팔뚝살, 팔살, 팔의 질환, 옆구리 등 모든 증상이 있을 때는 사각근은 벌려주고 늘려주면서 관리해요. 참 중요한 곳이에요. 여기를 보면 너무 예민하고 중요한 곳이기 때문에 여러분들 언젠가는 해부학에서 볼 수 있었으면 좋겠어요.

자, 제가 설명했던 것들은 다 잊어버려도 괜찮은데, 애(사각근)를 통해서 해결할 수 있는거는 일단은 팔로 내려가는 증상과 목디스크가 내려갈 때의 증상과 팔의 부종과 모든 과정은 사각근을 늘리고 벌려라는 거예요.

공식으로는 배꼽 위에서 일어나는 모든 상황은 사각근을 늘리고 벌려서 관리하자. 이렇게 설명했어요.

자, 쇄골뼈가 끝나는 자리 있죠. 이게 무슨 관절이에요? 이 관절. 여기가 흉쇄관절이죠. 여기가 흉쇄유돌근과 쇄골뼈가 만나는 관절이잖아요.

여기가 흉쇄관절이잖아요.

여기는? 견봉쇄골관절 견쇄관절. 견봉과 여기가 뭐에요. 이거 오훼돌기. 까마귀 주둥이처럼 보이죠. 여기를 보게 되면 이렇게 튀어나왔잖아요. 이게 까마귀 입처럼 생겼다고 해서 까마귀 '오' 주둥이 '훼', 오훼돌기라고 이야기해요.

여기가 견봉쇄골관절 즉 견쇄관절. 여기도 관절이고 여기도 관절이에요.

어깨 움직임에 상당히 중요한 관절이죠. 여기를 보면 흉쇄와 쇄골 사이의 관절인데, 이 두 개가 굳어버리면 어깨가 잘 안 움직여요. 저랑 같이 강의할 때 여기를 풀어주고 그 다음에 사각근을 풀어주죠. 이게 풀리면 어깨가 되게 많이 움직여지는 거죠. 이 관절을 눈여겨 보자는 거죠.

▶▶ 어깨의 활액관절

견관절과 견갑대는 다양한 움직임을 할 때마다 흉쇄관절과 견쇄관절은 큰 움직임을 갖는다. 이러한 움직임 속에서 가장 먼저 견쇄관절에서 퇴행성 관절염이 흔하게 발생한다. 그리고 어깨질환의 마지막 단계는 항상 유착성 동결견(오십견)이다.

견쇄관절의 퇴행성 관절염뿐 아니라 유착성 동결견을 잘 치료하기 위해서는 흉쇄관절과 견쇄관절은 관절와 상완관절과 견흉관절면(scapulothoracic articulation)의 움직임 회복과 함께 반드시 치료의 대상으로 삼아야 한다.

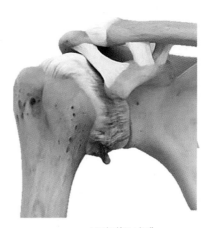

동결견(오십견)

▷ 치료는 어떻게 해야 할까?

둥근어깨증후군으로 견쇄관절이 부딪히는 현상을 치료하는 것이 1차적인 특수 교정 재활치료의 타겟이다.

다음으로는 상부 운동사슬의 균형잡힌 움직임을 회복하는 것이고, 마지막으로는 상부·하부 운동사슬이 조화를 이루며 어깨가 부딪히지 않으면서 걷고, 달리고, 던지기를 가능하게 하는 것이다.

이게 경추 1번과 2번의 모습이에요.

경동맥은 흉쇄유돌근은 안으로 들어간다고 그랬어요.

그러니까 머리로 올라가는 혈액의 80%가 경동맥, 나머지 20%는 추골동맥, 두 개의 혈관이 머리에서 딱 만나서 들어가요. 윌리스 서클이라고 해서 만나서 안으로 들어가요.

이렇게 팔에서 이 신경들이 나와서 쇄골뼈 밑을 지나서 팔쪽으로 소흉근 밑으로 해서 팔로 내려갑니다. 그래서 여러분들이 목디스크가 오게 되거나 어떤 문제가 있으면 쇄골밑을 풀어주는 거랑 겨드랑이 풀어주는 게 너무너무 중요하더라고요. 이것이 중요합니다.

상완신경총이 내려가는 그림입니다. 팔로 쭉 내려갑니다.

그래서 고객을 관리할 때 제가 뭐라 그랬어요. 차렷자세로 관리하는 게 아니라 팔을 이렇게 올려놓고 관리해야지 사각근이 열리고 소흉근도 느슨해졌을 때 풀어줘야지 타이트하게 놓고 관리하면 효과가 덜 난다는 거죠.

이렇게 전사각근과 중사각근 사이에서 상완신경이 나와서 이 밑으로 나온다는 거죠.

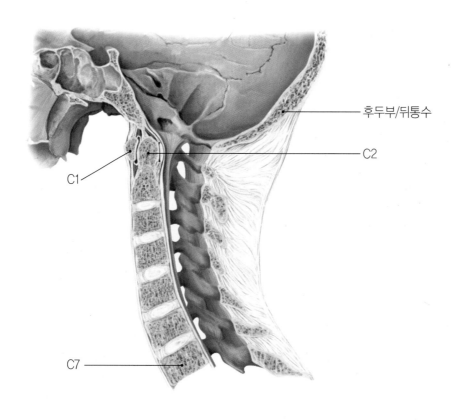

후두부/뒤통수

C2

C1

C7

자 이제 견갑배신경을 봅시다. 경추 5번에서 나와서 하나의 줄기가 뒤로 빠져나가요. 빠져나가서 이 뒤에 신경 뒤로 넘어가서 이렇게 내려가요. 이렇게 나와서 능형근하고 견갑거근을 지배하게 됩니다.

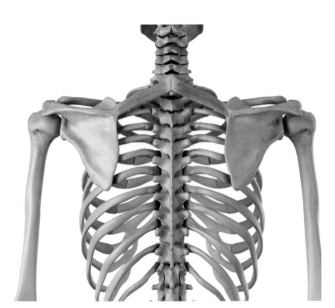

소능형근/작은마름근

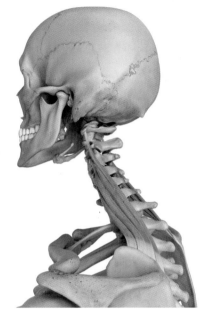

견갑거근/어깨올림근

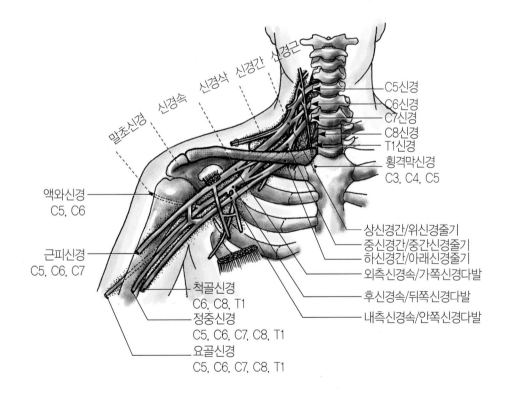

상완신경총

으쓱으쓱 근육. 고개가 안 돌아가요. 이거는 으쓱으쓱 근육인데 견갑거근. 이와 같은 뿌리가 능형근. 견갑배신경이 내려와서 능형근과 견갑거근을 지배합니다.

그 이름이 견갑배신경이라고 했고, 결국 목디스크가 오게 되면 이 견갑골에 불균형이 오게 되면서 어깨가 틀어져요. 왜냐하면 능형근 자체가 힘의 균형이 떨어지기 때문이예요. 허리 디스크가 오게 되면요 엉덩이가 짝궁뎅이가 되요. 어떤 부위에 디스크 오든 간에.

그런데 5번하고 6번에 목디스크가 오게 되면 이쪽 어깨의 견갑골이 한쪽이 이렇게 비대칭적으로 틀어져요. 목디스크로 경추 5번에 문제가 오게 되면 그렇게 된다는 거죠. 그래서 여러분들이 어깨하고 목쪽에 문제라고 하면 겨드랑이를 보시면 되구요. 사각근을 꿰뚫어보면 되요.

한의원에 가게 되면 많은 한의사들이 족삼리, 태충, 합곡 이런데다가 꼭 침을 놔줘요. 왜? 거기다 침을 놔주면 전신이 조절도 되구요. 그곳을 밸런스를 잡으면 어디든 좋아지게 되어 있어요. 병원에서 약을 처방할 때는 소화제를 꼭 넣어요. 어떤 약이 위장을 해칠 수가 있거나, 속을 나쁘게 하니까 소화제를 넣어주거든요.

우리 수기치료하는 사람들은 반드시 사각근을 그렇게 풀어가야 되고 상완신경총을 그렇게 풀어가야 되요. 그래야지 우리 몸에서 꼭 모든 문제가 해결되는 하나의 중심 포인트라는 거죠. 그게 견갑골신경으로 내려가는 중심 신경을 보여준 겁니다. 이렇게 견갑거근, 능형근, 이걸 떼고 나면 이제 전거근하고 붙는데 영상 두 개하고 보여드릴 것예요.

두판상근, 경판상근, 그 위에 승모근이 있습니다.

승모근을 드러내면 두판상근이 나오는거에요. 그러니까 근육이 천층과 심층이 있다고 했어요. 천층은 거의 진피 밑에 있고, 심층은 그 밑에 있는데, 대부분의 근육과 혈관과 신경은 심층에 있다라고 제가 영상에도 설명을 드렸었어요.

그래서 이 두판상근 얘기를 할 때 제가 참 많은 얘기를 하는 것 중 하나가 외부에서 사람이 오면 충격을 받는 것 중에서 이런 근육의 충격 말구요.

척추에, 또 목에 충격을 받는 게 교통사고입니다. 뒤에서 차가 박으면 고개가 움직여요. 움직이면 더 안 다칠려고 우리 인체는 가장 뼈가 싸고 있는 안쪽이 확 뭉쳐버려요.

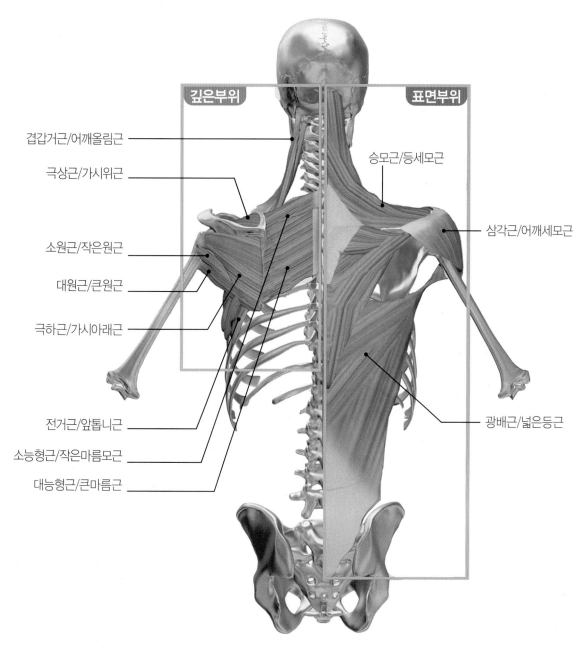

겹갑거근/어깨올림근

극상근/가시위근

소원근/작은원근

대원근/큰원근

극하근/가시아래근

전거근/앞톱니근

소능형근/작은마름모근

대능형근/큰마름근

깊은부위

표면부위

승모근/등세모근

삼각근/어깨세모근

광배근/넓은등근

제3부 뼈별 근육학

그래서 뼈 사이에 물렁뼈가 못 튀어나오게 꼭 잡아줘요.

그래서 교통사고를 당한 지 며칠 안 되서 MRI나 X-레이를 찍으면 디스크가 아니고 그냥 큰 문제가 없는데, 3주 정도 지나면 걔네가 힘이 빠지고 디스크가 나오면서 신경을 눌러요.

고객 관리하실 때 혹시 여러분들이 교통사고 난 지 3주 이하 되신 분들한테는 반드시 설명을 드리셔야 됩니다.

왜냐하면 일단은 오늘 관리를 해드리지만 우리 인체에서 방어적 기질이 끝나는 시점, 즉 3주가 넘어가면 증상의 변화가 오기 때문에 여러분들이 관리를 해서 증상이 악화가 된게 아니고 몸에서 방어기질이 끝나기 때문에 원래대로 증상이 나타나는 거예요.

여러분들에게 될 수 있으면 3주 전에는 교통사고 나서 온 분들은 관리하지 말라고 이야기합니다. 의학적 조치를 좀 더 받으시고 병원의 관리를 받으신 다음에 그 후에 여러분들이 관리하시는 게 좋다 설명하세요.

이 두판상근은 목의 움직임, 고통사고 났을 때 '억'하고 목을 잡고 내리잖아요. 그때 주로 많이 받는 근육이에요. 두판상근. 제가 이야기했던 거 영상 한번 더 보시면 될 거 같습니다. 그렇게 하구요.

칼로 승모근을 살짝 잘랐더니 두판상근이 보이는거에요. 한꺼풀 벗기니까 이 승모 근이란 근육이 되게 얇아요. 얇기 때문에 제가 심하면 이렇게 이야기해요. 비닐 봉투 같다. 검정비닐 두께 같다. 근데 그거보다 좀더 두꺼운데 승모근이 되게 얇아요.

대신 예민해요 승모근은. 제가 또 설명하겠지만 교감신경보다 부교감신경에서 더 많이 컨트롤해요.

자, 이거는 전거근인데, 옆구리 근육. 요즘 꼭 설명드리고 싶어서 그림을 넣습니다. 전거란 뜻이 뭐에요. 톱니. 일부로 이 근육에다 색깔을 집어넣은 거에요.

원래 또 전거근은 연두색깔이 아니고, 여기다 일부러 전거근에다 색깔을 넣어요. 왜 냐하면요, 직접 카데바를 보게 되면 여기하고 여기가 구별이 안 되요. 그래서 일부러 색깔을 집어넣으니까 구별이 되죠. 가서 직접 보면 이게 전거근이야? 외복사근이야? 이게 기억이 안 나요.

이거 밑에는 외복사근이에요. 외복사근, 대퇴근막장근, 장경인대, 전거근이 붙어 있 다 색깔을 집어넣으니까 그제서야 전거근하고 외복사근이 구별이 된다는 거에요.

그리고 여기 봐봐요. 위에 덮고 있는 근육이 대흉근이잖아요. 대흉근을 들어냈어요.

대흉근을 잘라냈더니 소흉근이 보이죠. 대흉근을 들어냈더니 소흉근이 보이는거에요.

대흉근이 덮고 있는 걸 잘라서 빼거에요. 이해하셔야 돼요. 그림을 보면. 대흉근은 천층의 근육이고, 소흉근은 그 밑에 있는 근육이예요.

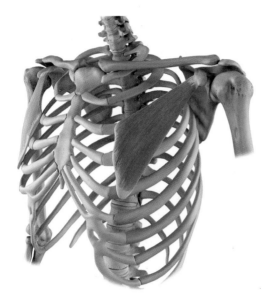

소흉근/작은가슴근

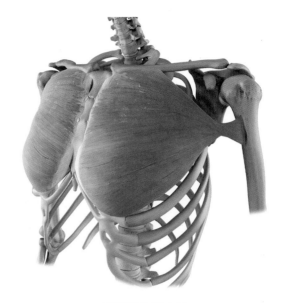

대흉근/큰가슴근

그러니까 대흉근을 물론 겉에 피부를 드러내고 지방을 긁어낸 모습에서 대흉근이고 대흉근을 이렇게 잘라냈더니 앞을 잘랐더니 소흉근이 보여. 소흉근 밑에 전거근이 있는거죠.

이 밑에는 전거근이 보이지만 이 안에도 전거근이 있는데, 여기 안쪽은 두 개 근육이 밑에 있다는 거지. 근데요. 이 근육을 뒤로 넘기면 뒤로 넘어왔죠. 어깨뼈를 뺀거에요.

이거 견갑골이에요. 빼냈더니 연두색깔이 올라오다가 견갑골을 뺐더니 이게 능형근이에요.

결국 능형근하고 전거근은 하나의 근육이라는 얘기에요 .이제 이해가 되죠.

근데 이쪽의 능형근하고 전거근은 하나의 근육이라고요. 견갑골 밑으로 지나가서 연결되어 있는데, 이 얘기인즉슨 이 전거근은요 척추뼈에 늑골에 최대한 붙어있기 때문에 근육 자체가 탄력도가 없어요. 뻑뻑하다는 얘기예요. 근데 이쪽에 근육은 좀 폭신폭신해요.

그러니까 관리할 때 여러분들이 어떤 도구로 전거근을 비비면 염증이 생기거나 물이 차요. 즉 늑막염이 올 수 있어요.

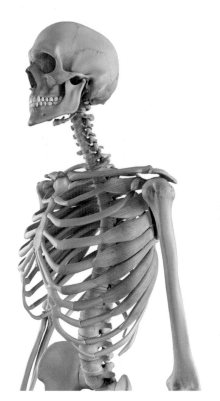

전거근/앞톱니근

　그래서 옆구리살을 뺄 때 주의할 점은 근육이 너무 탄력도가 떨어지니까 너무 세게 만지면 문제가 생긴다는 거에요. 그래서 옆구리를 관리할 때는 등쪽에 있는 능형근과 배에 있는 외복사근을 통해서 관리하라고 자꾸 강조합니다.

　이렇게 전거근이라는 근육은 늑골에 타이트하게 붙어 있어요. 붙어 있으니까 어때요.

　늑간살이니까 잘 안 움직이죠. 근데 여기 보세요. 대흉근은 움직이죠. 근데 저 안쪽은 살에 붙어 있죠. 그럼 얘는 똑같이 만지면 더 아프죠. 근데 여기를 접시로 비비면 고통스럽겠죠.

　그래서 여자들 옆구리살을 빼주고 싶으면 여기를 건드리는게 아니라 외복사근 배쪽하고 등에 있는 능형근을 컨트롤해서 같이 잡아줘야 된다는 거죠.

　이거 말로는 계속 이야기했는데 눈으로 처음 본거에요. 오, 그래. 전거근하고 능형근하고 하나의 근육이였구나. 근데 가서 막상 보면 이거 구분이 안 된다는 거에요. 그래서 우린 이제 알고 있다. 전거근과 능형근은 하나의 근육이다. 신기하죠.

그러면 얘가 뭐에요. 외복사근이에요. 외복사근은요 이쪽으로 와서 대퇴부쪽에 장경인대와 연결되고 대퇴부 안쪽에 봉공근하고도 연결되고요. 등쪽에 있는 광배근하고도 연결이 되요.

그래서 제가 "배에는 리셋기능이 있습니다."라고 얘기했었던 게 외복사근도 그런 역할이 있다는 거죠. 왜? 다리 안쪽과 바깥쪽과 등쪽과 배와 연결해주는 중심축의 허브같은 곳이 외복사근이라는 거죠. 이거 전거근에 붙어 있지만 이해됐죠? 눈으로 본 거에요.

이 근육이 어깨뼈를 뺐을 때 능형근과 전거근의 모습이에요. 좀전에 그림으로서 그린거에요. 견갑거근 으쓱으쓱 근육 뿌리가 경추 5번이라고 얘기했고 얘와 같이 뿌리가 5번이 좀전에 이야기 했던 능형근이라고 했어요. 자, 이거 봐봐요. 승모근을 덮

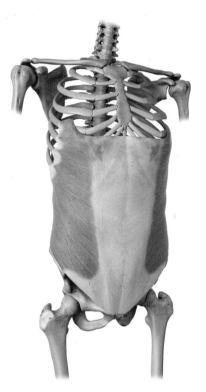

외복사근/배바깥빗근

고 있잖아요. 승모근을 칼로 반만 이렇게 뜯어서 뺄거야. 뺐더니 여기에 능형근도 보이고 견갑거근도 보여준다는거죠. 안쪽에 있다는 거에요.

결국 여러분들이 근육학을 공부 잘못했다는 게 능형근인지 승모근인지 깊이 있는지 모르니까 어때요. 깊게 만져요.

극상근을 만지려면 승모근을 강하게 만져야 극상근을 만지는거죠.

근데 그 부위를 만졌다고 그 근육이 아니라는 거에요. 근육은 깊이가 있기 때문에. MPS를 해요. 만약에 한의사들이 침을 놓으면 내가 지금 어디에 침을 놓고 있는지 승모근인지 극상근인지 침의 깊이에 따라 틀리다는 얘기에요.

그래서 관리할 때 내가 이 사람의 몸을 어디까지 손을 댈 것이냐. 손을 어떤 근육의 깊이까지 들어갈 것이냐라는 감각을 익히려면 눈으로 봐야 된다구요.

어깨관절은 우리 몸의 어떤 관절보다도 큰 가동성을 갖고 있다. 어깨관절 그룹을 살펴보면 쇄골의 제한된 움직임에 비해 상완골은 매우 큰 운동범위를 갖는다. 따라서 상완골의 큰 운동범위를 커버하기 위해 관절와를 적극적으로 움직여야 하는 것은 견갑골이다.

견갑골은 흉곽 뒤에 둥둥 떠 있는 형상이기 때문에 주변 연부조직의 긴장 통합이 중요하다.

견갑골을 뒤에서 바라보면 거의 모든 방향으로 근육들이 잡아당기고 있다. 이들 중 오늘 우리가 살펴볼 녀석들은 4가지이다. 그것은 견갑골의 안정성과 자세 위치를 결정하는 '능형근-전거근/소흉근-승모근'이다.

먼저 전거근과 능형근은 직접 맞닿아 있지 않지만 내측연을 기준으로 서로 밀접한 상호 보완관계를 이룬다.

전거근은 견갑골을 아래와 옆쪽 방향으로 내밀고(하강,전인) 능형근은 견갑골을 상승시키고 후인시킨다(하방회전도 시킴).

만성적으로 전거근이 단축되면 견갑골을 앞쪽으로 잡아당겨 능형근의 이완성 긴장을 야기한다.

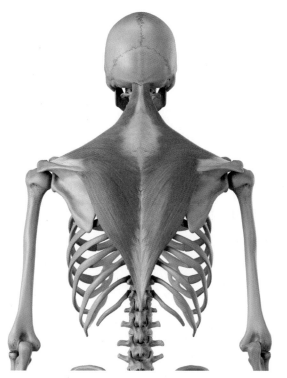

승모근/등세모근

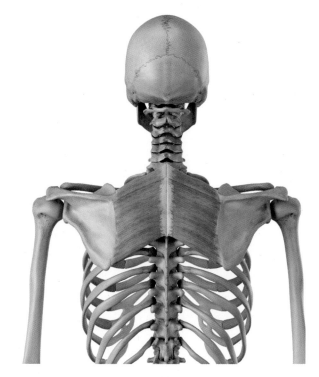

능형근/마름근

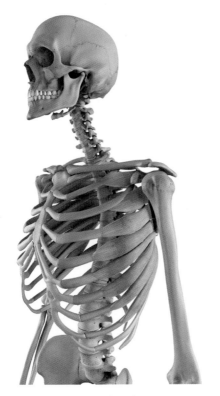

전거근/앞톱니근

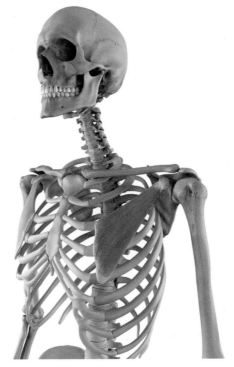

소흉근/작은가슴근

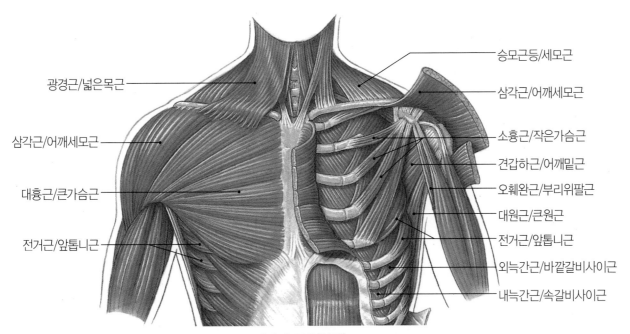

광경근/넓은목근

승모근등/세모근

삼각근/어깨세모근

삼각근/어깨세모근

소흉근/작은가슴근

견갑하근/어깨밑근

오훼완근/부리위팔근

대흉근/큰가슴근

전거근/앞톱니근

대원근/큰원근

전거근/앞톱니근

외늑간근/바깥갈비사이근

내늑간근/속갈비사이근

어깨의 근육(앞면)

이러한 패턴은 종종 흉추 후만과 동반된다.

견갑골의 또 다른 축은 견갑골 극을 안쪽과 아래쪽으로 당기는 하부 승모근과 견갑골을 위쪽과 외측으로 당기는 소흉근으로 구성되어 있다.

이들은 쉽게 말해 시상면상 견갑골의 기울기를 결정한다. 문제가 흔히 발생하는 패턴은 단축된 소흉근 때문에 하부 승모근이 이완성 긴장을 하게 되고, 그 때문에 견갑골이 전방경사진다.

다만 이때 견갑대의 경사 정도는 항시 흉곽을 기준으로 측정되어야 한다. 왜냐하면 앞에서 언급했던 견갑골 전방경사 패턴은 흉곽의 후만으로 보상함으로써 견갑대 위치를 올바르게 위장할 수 있기 때문이다.

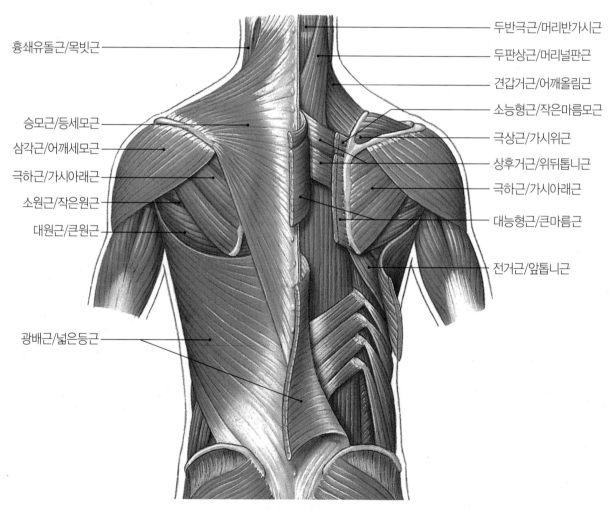

어깨의 근육(뒷면)

자, 엎드렸을 때도 한쪽을 들어내서 근육을 보는 겁니다.

견갑거근, '으쓱으쓱' 근육이라고 했고.

승모근. 얘네들은 할 얘기가 많아요.

어제도 제가 영상에서 승모근 얘기를 많이 했습니다. 승모근 얘기를 하면서 여기 위쪽 목에서 후두골부터 흉추 12번까지 왔어요. 이 부분이 반으로 보세요. 하나의 근육으로 보지 말고 반으로 했을 때 여기서부터 근육의 시작점이야. 정지점은 이쪽이라고 있구요.

승모근은요 지배신경이 뇌신경 11번 부신경이라고 그래요. 부신경. 자 봐요.

승모근이 여기 있구요. 흉쇄유돌근이에요. 승모근하고 흉쇄유돌근은 뇌신경 11번이 지배해요. 사각근 빼고. 그래서 승모근이 흉추 12번까지 오고 이것은 뇌신경이 지배하지만 되게 예민한 근육이다.

일명 '스트레스 머슬'이라고 불러요. 스트레스하고 연관된 근육이라고 봅니다.

그래서 승모근를 컨트롤할 때는요 오른쪽은 이 근육을 만졌을 때 부어 있거나 굳어 있으면 이 사람은 간이 피곤한 사람이다. 왼쪽이 부어 있으면 스트레스가 많은 사람이다라고 보면 돼요.

오른쪽은 간의 에너지고, 왼쪽은 심장과 위장의 에너지에요.

그래서 오른쪽이 굳어 있는 사람은 피곤해. 그래서 어디를 풀어주냐면 승모근 자체도 풀어주지만, 여기에 반대인 그쪽의 종아리 승산은 풀어줍니다. 왼쪽은 왼쪽 승산을 풀어줘요.

그래서 여러분들이 목의 각도에도 영향을 받구요.

라운드 숄더. 이렇게 가는 것들 거북목. 모두 목에 영향을 받습니다.

승모근에도 반대적인 요소를 보면 대흉근도 또 길항으로 보지만 아까 제가 "승모근은 배에 있는 복횡근하고 연결되서 뱃살이 나오면 등이 굽어집니다. 등이 굽어지면 뱃살이 나옵니다."라는 연계성을 설명드렸어요. 그래서 이 관점도 보고, 또 이 승모근은 추위에 민감해요.

왜냐하면 추우면 움츠리게 되죠. 어우 추워. 그리고 여기를 보게 되면 하얀 백선이 이렇게 있어요. 제가 "빨갛게 되어 있는 데랑 하얗게 되어 있는데를 잘 보세요."라고 하는데 빨간데는 일단 온도가 하얀데 보다 좀 높아요

그래서 차가운 곳, 한의학에서 경추 7번을 대추라고 해서 감기에 걸리면 대추혈 자리에 뜸을 뜹니다. 뜸을 떠주고 여자분들 겨울이 되면 어깨에다가 뭘 덮습니다. 숄. 왜? 여기에 찬기가 돌기 때문에 어깨를 덮으면 목주변이 따뜻해야 몸이 따뜻합니다. 그래서 여기에 숄을 두릅니다.

그리고 여러분들이 붙이는 핫팩이 있다면 아마 목 뒤에 하나 붙여주고 장골라인을 따라 하나 붙여주면 아마 몸이 열이 올라가겠죠. 이 부분은 차갑지만 따뜻한 곳이고 예민한 곳인게 왜냐하면 머리 각도에 지대하게 영향을 받는 곳이에요. 머리의 각도. 이 얘기는 뭐냐면요.

C자 목일 때는 뒷목에서 굳이 많은 에너지가 안 받아져요. 왜? 여기에서 일 대 일로 힘의 균형이 잡히겠죠.

자, 내가 여기 막대기를 땅에 세웠어요. 그 얘를 넘어지지 않게 하려면 여기다가 줄을 묶구요. 뒤에다가 줄을 묶었을 때 힘의 균형이 똑같으면 막대기가 서잖아요.

자, 여기에 머리가 얹어져 있으면 얘를 똑바로 서게 하려면 뒤에서 잡고 있는 승모근의 힘이 앞에서 잡고 있는 힘의 원리와 같아야 되겠죠.

근데 여기 이 자리가 어디냐면 '단중 위의 세치'라고 해요.

제가 계속 강조하잖아요. "단중 위에 세치 위 여기가 여기구요. 여긴 승모근이라고 그래요. 그래야 똑바로 되죠. 근데 머리 무게가 일자나 C자 아닌 거북목이 되면 여기에 과부하가 걸린다구요. 그래서 여기 부분을 풀어줘야 목의 움직임에 영향을 줍니다."라고 했어요.

그래서 여러분들이 고객이 오면 단중(전중)에서 3치 위를 반드시 풀어주는 걸 해서 목의 각도에 영향을 주는 걸 해결해줘야 된다는 거죠. 이 부분은 일단 흉골, 흉곽 라인 측골, 이 부분은 무조건 온열관리. 자꾸 해부학 책의 그림을 보면 답이 나와요.

아, 저기는 내가 어떻게 관리해야 되겠구나. 결국 자꾸 손으로 주무르고 팔꿈치로 비벼서 될 일이 아니고, 저기는 따뜻하게 에너지를 넣어줘야 되겠구나하는 것을 느끼

게 된다는 거에요.

그래서 여러분들이 보면 여기는 거북목 또는 버섯증후군이 와요. 왜냐하면 목의 각도가 심하게 잘못되면 버섯거북목이 되어 앞에서도 버티지만 뒤에서도 너무 힘들어요. 이 자리에다가 돌멩이를 갖다 얹어요. 칼슘과 지방을 잔뜩 끼워서 두툼하게 만들어요.

이게 버섯증후군이에요. 이렇게. 목의 각도가 잘못되면 이 목의 이 부분에다가 칼슘과 지방을 끼워서 머리 무게를 잡아주더라, 이게 버섯증후군이에요.

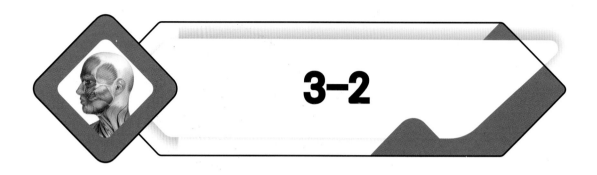

뜨겁게 온열관리해서 풀어주고, 그다음에 이 대흉근 안에 흉골(stemal)쪽을 따뜻하게 해서 녹여줘야지 목의 가동범위가 살아난다는거죠.

어떤 분이 저에게 물어봐요.

"교수님, 저 사람이 건강한 사람인지, 어떤 내장기 질환 말고 근골계쪽으로 건강한 삶인지 아닌지를 어디 보면 알아요?"

그러면 "저는요 목의 가동범위를 보면 돼." 그래요. 목이 좌우로 잘 움직이고 앞뒤로 움직이고 그러면 일단 그 사람은 횡격막의 움직임, 내장계의 움직임이 좋다라고 봐요. 호흡이 잘되니까.

근데 목이 잘 안 움직이죠. 그러면 일단 그 사람은 엔진과열이에요. 언제 멈출 수 있어요.

제가 그 얘기하면서 계속 목은 가동범위가 100%로 살아나야 된다고 강조해요.

결국 목살이 두꺼우면 안 되요. 지방이 껴도 안 되요.

목에 관련되는 것이 뭐에요? 상경추에요. 그리고 목에 관련된 게 사각근이구요. 두피구요. 그리고 흉쇄돌근이구요.

그래서 여러분들 고객이 찾아와서 테스트를 할때 "머리를 좌우로 움직여보세요. 위아래로 숙여보세요."라고 하게되죠. 그런데 고객의 목이 뻑뻑하고 문제가 있다면 계속 풀어서 가동범위를 늘려놔야 돼요.

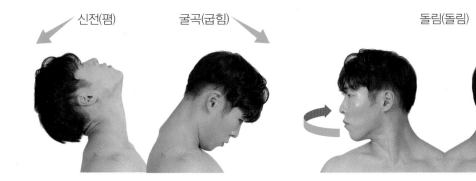

신전(폄)　　　굴곡(굽힘)　　　　　　　　　돌림(돌림)

ROM은 관절가동범위입니다. 가장 중요한 게 목의 가동범위가 살아나야지 몸이 회복된다는 거예요.

근데 목이 두껍거나 살이 많이 쪄서 가동범위가 안 좋아져 있죠. 그런 사람이 있죠. 그러면 일단 모든 장기의 기능부터 근골격 기능과 혈액순환 기능이 다 떨어졌다고 보시면 되요.

여러분들 목을 풀어주는 데 많은 시간을 투자해야 됩니다. 목을 풀어줄 때 뒤로 풀어주고 앞으로 풀어주게 되죠. 이때 가장 중요한 게 단중(전중)에 3치 되는 곳을 많이 풀어주세요.

승모근을 통해서 우리는 "이 승모근이 부교감신경의 컨트롤을 받는다고 얘기할 만큼 예민한 근육이다, 그리고 얇다."는 걸 잊지 마세요.

그리고 이것을 통해서 알수 있는 게 현재 몸의 상태와 긴장도를 알 수 있는 근육이 승모근이예요.

승모근은 추위에 민감해요 그래서 거북목, 일자목, 버섯증후군, 라운드숄더 모든 데 관여합니다.

승모근이 잘못되면 배의 복횡근이 잘못되서 배가 나와요.

승모근과 대흉근 간의 관계도 설명해줘야 돼요.

임맥

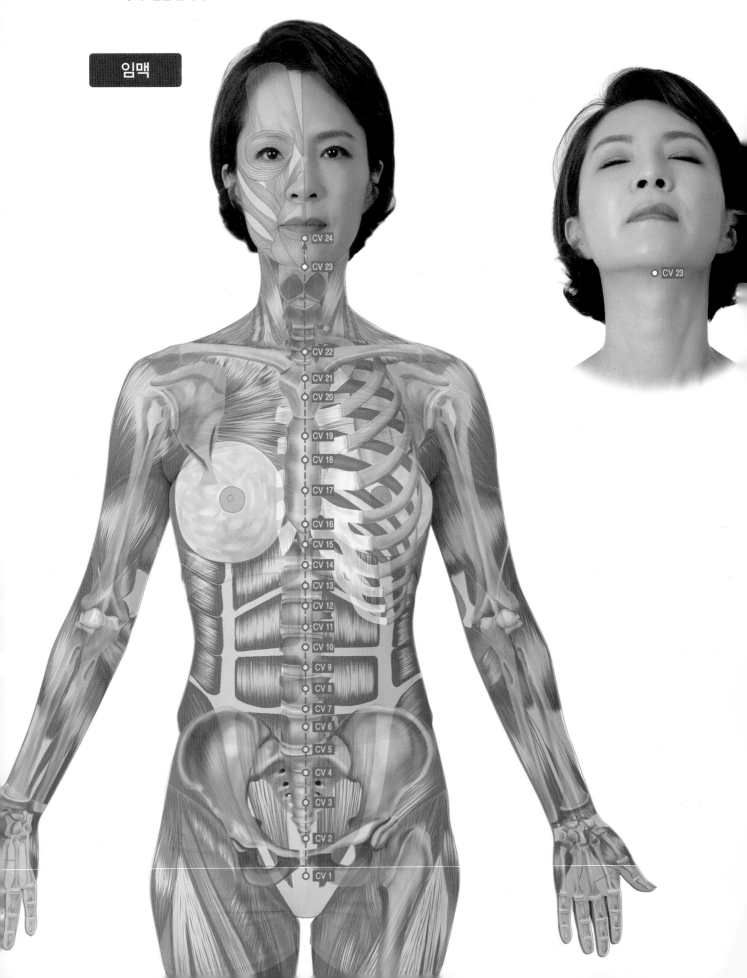

3-3

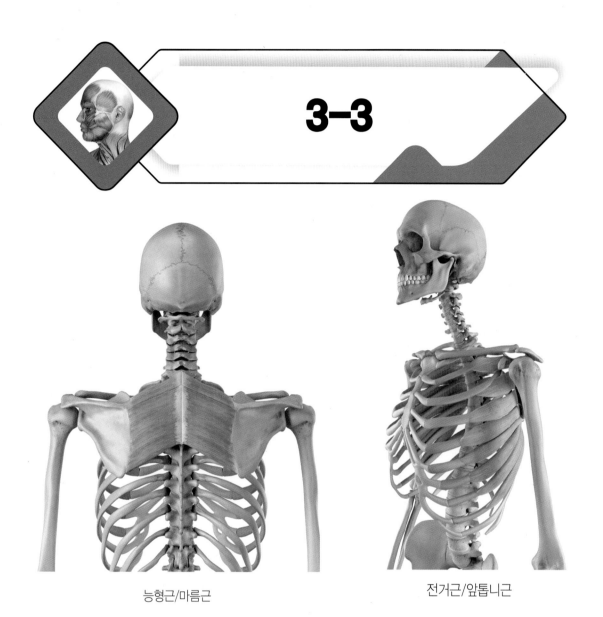

능형근/마름근   전거근/앞톱니근

이제 능형근. Rhomboid muscle. 아까 능형근과 전거근은 하나의 근육이라는 거를 봤죠?

이제 봤어요. 이렇게 하나의 근육이다 라는 거였어요. 능형근은 그 뿌리가 경추 5번이에요. 그죠. 맞잖아요. 능형근하고 견갑거근은 뿌리가 5번입니다. 근데 능형근은 전거근하고 붙어있죠.

전거근의 뿌리는 뭐에요? 장흉신경 경추 5번에서부터 7번. 계속 5번과 연관이 되는 거죠. 연결돼서.

막 제가 얘기하면 막 헷갈리죠. 근데 뭔가 막 제가 얘기하는 의도를 알 것 같지 않아요? 그래서 얘도 경추 5번이 컨트롤하고 전거근도 5번과 7번 사이에서 컨트롤 하더라.

그 이야기는 뭐냐면 목의 중심이 경추 5번에 있더라. 목에서 주로 문제가 일어나는 거는 경추 5번을 좀 더 많이 신경을 가지고 봐야 되겠다는 의미에요.

이 카데바는 견갑골을 뜯어서 일부러 능형근을 보여주는거에요. 뜯은거잖아요. 아까 뜯었더니 전거근하고 연관된게 보였죠.

자 이제 대흉근.

얘들은 진짜 할 얘기가 또 많아져요. 참 많은 얘기를 합니다.

여자들의 유방은 대흉근 위에 있습니다. 피부가 있구요. 피부를 들어내면 여기 유방이 나오면 유방을 절제해놓으면 대흉근이 나옵니다.

만약에 유방암 수술을 하고 유방을 절제하면 인공 보형물은 대흉근 안에 집어 넣는게 아니라 대흉근에 틈이 있거든요. 거기 속이 들어가요. 거기다가 집어넣어요.

그러면 어떻게 되겠어요? 대흉근이 늘어나지 않은 상태에서 그곳에다 밀어 넣으면 이 근육이 좁아지면 통증이 오게 되겠죠.

그래서 유방 성형 수술할 때 보형물은 대흉근 속으로 들어간다는 것. 이거 잊지 마시고. 여자들 원래 유방은 대흉근 위에 있다는 것.

그 다음에 대흉근은 하나의 근육이 아니라 세 개의 근육으로 나뉜다는 것.

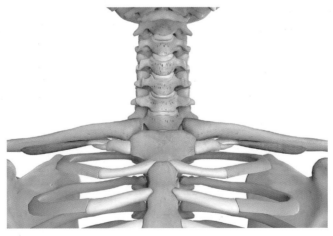

쇄골하근/빗장밑근

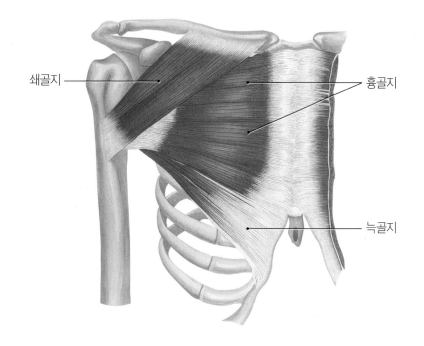

쇄골지

흉골지

늑골지

흉골지, 쇄골지, 늑골지로 나뉘어진다는 것. 그 다음에 이렇게 붙어 있는 하얀 데 중심이 중요하다고 그랬구요. 이 부분이 하얀 부분(흉골체)이라고 그랬죠. 아까 온열관리를 해줘야 될 부분이라고 했지요.

대흉근을 늘려준다는 개념이 상당히 중요해요. 나이가 들수록 오그라들거든요.

얘를 펴줘야지 목이 넘어가고, 얘가 펴줘서 목이 넘어가야지 횡격막의 움직임이 좋아지고. 그러니까 이 대흉근을 늘려주는 운동을 한다는 것은 목의 각도도 영향을 주지만 횡격막의 움직임에 크게 영향을 줘서 내장기의 소통과 순환에도 상당히 많은 영향을 줍니다.

운동하는 사람들이 술을 잘드신다고 그래요. 왜? 일단 운동하면 이 횡격막의 기능 자체가 굉장히 넓어지기 때문에 간의 활동성이 되게 좋아지기 때문에 분해적인 요소나 간의 에너지가 좋아지는 요소가 그래서 그래요.

이렇게 대흉근이 나옵니다. 그래서 이 틈을 흉골지, 늑골지에서 여러분들이 그 부분을 보셔야 됩니다. 대흉근을 풀어서 목의 각도에 영향을 준다. 계속 제가 아침부터 강의를 했던 부분이 중복되니까 이해가 되게 많이 될거라 생각합니다.

대흉근은 상완근에 붙어 있어요. 또. 어깨 팔에. 그래서 오십견이 왔거나 어깨의 문제가 올 때도 반드시 대흉근을 풀어줘야지 그 연관과 연관성에서 풀어진다는거죠.

이 소흉근.

앞에서 봤듯이 대흉근을 들어내면 소흉근이 나오는데요. 아까 이게 코라코이드 프로세스(Coracoid process), 오훼돌기라 그랬죠. 얘. 이거. 자, 여기에서 붙어가지고 늑골에 붙어 있어요.

그 다음에 여기에서 쇄골뼈, 아까 상완신경이 쇄골뼈 밑으로 가서 이 근육 밑으로 지나가요. 신경이 팔로.

근데 젊을 때는 괜찮은데 나이가 들면 소흉근이 짧아져요. 이렇게 짧아져요. 짧아지면 여기서 혈관 하나가 심장으로 이렇게 가요. 여기가 압박이 되면 심장으로 가는 피가 막혀요. 심근경색이 일어날 수 있어요.

심근경색 무슨 뜻인지 알겠죠? 그래서 어르신들이 식사하시고 주무시는데 돌아가시는 것은 심근경색 때문이에요. 피가 들어가지 못하니까 엔진이 멈추는거겠죠.

그래서 나이가 들면 소흉근이 짧아질 수 있기 때문에 고객관리 시 서른살이 넘어가신 분들은 무조건 왼쪽 팔에 소흉근을 이렇게 뜯어서 관리를 해줘야지 심장에 나쁜 영향이 없어요. 그리고 여러분 스스로도 소흉근을, 그것도 왼쪽 소흉근을 풀어줘야지 심장으로 혈액순환이 원활해진다는 거죠.

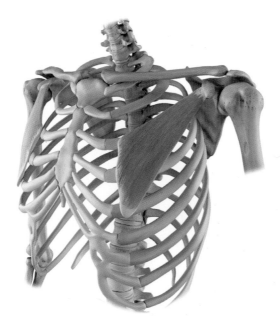

소흉근/작은가슴근

그리고 나이가 들면 계속 늘려서 이 대흉근하고 소흉근이 짧아지지 않게끔 해줘야 해요. 이 쪽에 가장 중요한 메카 심장이잖아요. 이 쪽으로 순환이 잘 되게 만들어주는 거예요.

자, 코라코이드 프로세스에서부터 늑골에 붙어 있다. 소흉근. 여기로는 상완신경이 지나간다. 그래서 아까 제가 그랬죠.

팔이 저릴 때 들었을 때 여기가 느슨해져 팔이 안 저리면 사각근. 이렇게 팔을 뒤로 빼면 공간이 열리니까 신경이 눌리지 않으니까 팔이 안 저려요.

그러니까 올렸을 때 저린 게 없어지면 사각근, 뒤로 빼서 저린게 없어지면 소흉근. 올려도 저리고 내려도 저리면 디스크. 그렇죠. 그런 관점으로 단정은 될 수 없지만 그렇게 공식적으로 외우자고 하고 싶은 거에요.

그래서 이게 코라코이드 프로세스부터 늑골 3번째·4번째·5번째에 붙어있는 이 근육. 펙토랄리스 마이너(pectoralis minor). 소흉근입니다. 그래서 대흉근을 들어냈을 때 대흉근을 이렇게 잘라냈더니 소흉근이 보이는거에요. 이게 소흉근이에요. 이 틈으로 상완신경이 나와서 팔로 내려갑니다.

입체적으로 보이죠. 이제. 막연했단 말이에요.

대흉근 안에 소흉근. 근데 대흉근 안에 소흉근이 이렇게 자리를 잡고 있구나. 소흉근의 기능은 상완신경이 지나가는 역할도 하고, 소흉근이 늑골을 들어주기도 하지만, 얘가 나이가 들어서 오그라들면 심장에 영향을 줄 수 있는 근육이구나. 소흉근이구나.

그래서 팔이 저릴 때도 목디스크가 아닐 때도 팔이 저릴 때 팔을 뒤로 빼봐서 소흉근에서 눌리는지도 보고, 고객이 삼십세 중반이 넘어가면 반드시 소흉근을 풀어서 이쪽에 혈액순환이 좋게 만들어야겠다는 그림도 보게 됩니다.

자 이렇게 소흉근 그림을 봤습니다. 자, 어깨삼각근은 이거는 해줍니다. 제가 그림은 보여주는데 여기까지 보여줍니다. 자, 팔을 이렇게 해가지고요.

30도까지 못 들게 되면 극상근의 문제라고 그랬어요.

30도에서부터 90도까지 팔이 안 들리면 삼각근의 문제입니다.

90도에서 180도까지 팔이 안 올라가면 견갑거근의 문제입니다.

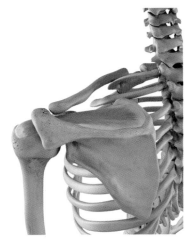

극상근/가시위근

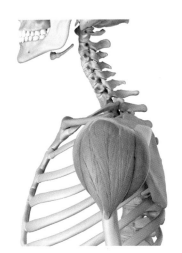

삼각근/어깨세모근

설명을 다시하면 30도까지는 이게 안 올라가요. 뚝 떨어지거나 어깨에서 소리가 나요. 이게 뭐냐면 극상근. 30도에서부터 90도, 무슨 근육? 삼각근. 여기서부터 180도는 무슨 근육? 견갑거근. 제가 자꾸 질문할거야.

여러분들이 눈은 뜨고 저를 보는데 의식은 잠들어 있으면 반드시 깨웁니다. 계속 쳐다보는데 초점이 없어. 졸고 있는거에요. 눈은 뜨고 있는데.

다시 얘기할 게요. 30도 극상근, 90도 삼각근, 180도 견갑거근.

이렇게 외우셔야 됩니다.

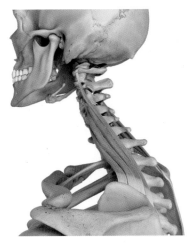

견갑거근/어깨올림근

자, 이제 **광배근**을 봅니다.

광배근을 보면 꼬리뼈에서부터 상완근까지 붙어 있어요. 근데 여기 하얀 내선이 쫙 연결되고 여기서부터 여기까지가 전부다 하얗게 되어 있어요. 저기는 차가운 곳이에요. 저기는 무조건 온열관리를 해야 되요. 근데 광배근은 제가 이렇게 얘기합니다. 허리가 아플 때 요방형근에서 문제가 오게 되고 반드시 하후거근과 광배근이 공조를 합니다.

그런데 이 광배근의 역할은 일명 박태환 근육이라고 해서 박태환 선수가 수영을 할 때 브이(V)자로 쫙 보이는 근육이거든요. 그래서 꼬리뼈에서부터 상완근까지 붙어있기 때문에 애는 어깨의 영향을 풀어주려면 꼬리뼈까지 풀어줘야 된다는 거에요.

광배근 때문에 오십견이 왔는데요. 팔이 안 올라가면 어떤 사람은 여기를 풀고 있는 거지.

고객이 물어봐요. "나 어깨가 아프다구요. 왜 여기를 풀어요?"라고 물어봐요. 그러면 여러분들이 뭐라고 해요. 광배근을 얘기해줘야죠.

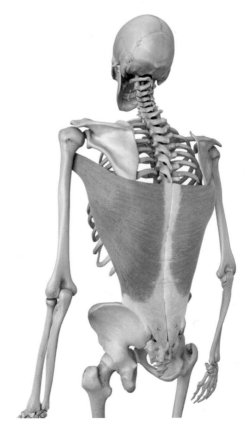

광배근/넓은등근

또 여기 붙어 있던 **팔료혈**. 생식기랑 연관되어 있어요. 내장기 중에서 생식기가 여기가 붙어 있으니까 여기가 틀어지게 되면 골반이 틀어지게 되겠죠. 그래서 팔을 많이 쓰는 사람들이요. 헤어 디자이너들. 이렇게 팔을 많이 쓰는 사람들이 여기서 상완근이 붙어 있기 때문에 팔을 쓰면 근육이 땡겨서 결국 골반이 틀어져요. 골반의 틀어짐에 영향을 주는 것 중 하나가 광배근이에요. 결국 팔을 오래 쓰는 사람이 골반이 틀어질 수가 있어? 광배근 때문에.

여러분들 광배근은 허리의 통증을 같이 연관해주는 근육, 광배근은 상완근에서부터 꼬리뼈까지 연관된 근육이라고 머리속에다 집어넣으셔야 되요. 꼬리뼈에서부터 상완근까지 연관되어서 어깨 움직임에 영향을 주는 근육을 계속 생각해보자구요.

색깔을 집어넣었어요. 이렇게 보시는거고. 이게 대원근이 있고 소원근이 있는데, 이게 대원근이구요. 저는 대원근은 큰 문제를 안 잡습니다. 수기요법을 할 때 물론 대원근이 대흉근의 길항을 이야기하는데, 대흉근 말고 위에 이렇게 붙어 있는 근육이 있습니다. 그 근육으로 갑니다.

이겁니다. 소원근.

여기 그림이 보일지 모르지만 삼각근, 승모근, 극하근 여기 소원근(Teres minor), 대원근(Teres major)이에요. 상완삼두근쪽이구요. 잘 안보일지 모르겠지만 볼게요.

그림은 뒷모습이에요. "어깨에서 아플 때의 문제 근육은 극상근이고, 치료는 소원근을 통해서 해야 됩니다. 왜냐하면 두 개의 신경이 나옵니다. 그 신경은 액와신경과 요골신경입니다."라고 설명했었어요.

그래서 여기서 두 개의 신경이 이렇게 나와요. 틈으로. 이게 요골신경, 액와신경이 나와요. 여기를 보면은 요게 액와신경(Axillary nerve), 그다음 요골신경(Radius nerve). 이 틈이 삼각형으로 이렇게 만들어져요.

이제 설명합니다. 극상근이에요.

어깨에 있는 극하근. 이게 브래지어 요지에. 브래지어 끈을 혼자 못 풀어요. 이게 극상근이죠. 여기가 대원근이고요, 여기 소원근이구요. 그 뒤로 상완삼두근이 나와요.

그래서 대원근이나 소원근이 왜 소원근이 중요하냐면 그 틈에서 두 개의 신경이 나오거든요?

그래서 통증은 극상근이 일으키지만 치료는 소원근을 한다. 근데 여러분은 대원근을 만지고 있단 얘기에요. 소원근은 대원근 위에 있어요. 위에 있고 그 틈으로 신경이 나와요. 이거 풀어주면요 찌릿찌릿하고 저린 느낌도 나요.

소원근 그 틈에서 나오고 뒤쪽에서 상완삼두근하고 상완이두근이 흘러서 나옵니다. 그래서 어깨 문제 해결은 소원근으로 한다.

대원근 여기 있고 소원근 여기 있는거 잊지 마세요. 극상근. 제가 설명에 했습니다.

자, 30도 동안 안 되요. 어깨에서 두득두득 소리가 나요. 팔을 들었다가 내리면 뚝 떨어져요. 양치질·수저질·칫솔질이 안 되는거랑 팔이 뒤로 돌았을 때 일자로 가지 않아요.

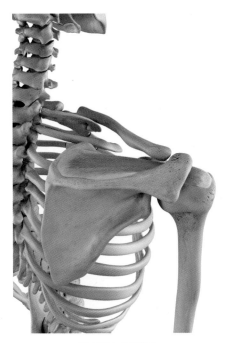

극상근/가시위근

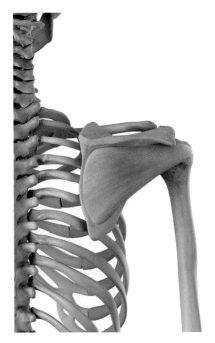

극하근/가시아래근

애는 극상근. 어깨가 아파서 잠을 못잤어요 얘기하면 극하근. 브래지어 끈을 혼자 못 풀어요 하면 극하근.

이 분이 앞에서 되게 열심히 쳐다보길래 보니까 눈뜨고 잤어요. 그러니까 눈뜨고 있다고 외워지는게 아니고 입으로 되뇌이셔야 되요.

어깨가 아파서 잠을 못자면? 극하근.

브래지어끈을 혼자 못 풀면? 극하근.

수저질이 안 되면? 극상근.

빗질이 안 되면? 극상근.

어깨통증의 모든 주범은 극상근.

자, 계속 헷갈리죠. 그 뒤에 승모근 있다고 그랬어요. 승모근을 들어내면 극상근이 보여요. 극상근 가운데는 혈자리가 있다고 그랬어요. 견정. 오전에 했던거 자꾸 헷갈리시는 거에요.

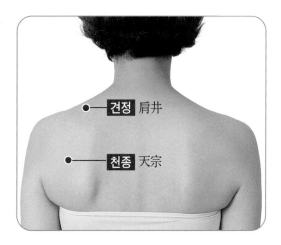

"그래서 이렇게 연관되어진다. 극상근은 어깨 통증을 일으키는 주범이다." 이거 잊지 마시자는 거죠. 자 이제 봅니다.

제가 극상근, 삼각근, 극하근을 설명했어요. 극하근은 어깨 뒤에 있는 겁니다. 여기 있는거에요. 견갑골 가운데. 여기 가운데 혈자리가 있어요. 천종이라는 자립니다.

천종은요 모유수유 유방관리에 되게 중요한 자리에요. 천종. 근데 이 천종은 오른쪽 간하고도 연관되고 왼쪽은 부정맥하고도 연관되요. 심장이 막 정확하게 못 뛰는 작용. 부정맥. 천종. 천종의 문제가 있으면 브래지어끈을 혼자 못 풀고요, 어깨가 아파서 잠을 못자요.

허리가 아파서 잠을 못자면? 요방형근.

어깨가 아파서 잠을 못자면? 극하근.

브래지어끈을 혼자 못풀면? 극하근.

칫솔질이 안 되면? 극상근.

별거 아닌데 여러분들이 좀만 외워지면 지식이 아니고 상식이 된다구요. 지식이 상식이 될 때까지 반복적으로 해야 된다는 거죠.

자, 극하근. 봤습니다.

견갑하근. 견갑하근은 어딨냐면 극하근 안쪽이에요. 반대쪽. 안쪽에서 // 되어 있어요.

극하근 안쪽에. 견갑하근을 풀 수 있는 방법은요 돌려서 팔을 뜯든지, 아니면 손가락을 들어서 밑으로 파고 들어가든지에요.

그런데 얘를 얘는 견갑하근은 그 뿌리가 경락적인 뿌리가 어디냐면 심장이에요.

심경락. 심경락이 지배하는 대표적인 근육은 견갑하근. 그래서 어깨에 연관이 있는 견갑하근은 오십견의 대표적인 근육이에요. 오십견이 오게 되면 대표적으로 문제가 오는 근육이 뭐냐고 하면 견갑하근.

그래서 오십견이 견갑하근이면 오십견은 결국 심장과 연관이 있겠구나 라고 보시면 되서 팔이 안 돌아가면 안쪽 파고들어가서 그 안에 긁어서래도 견갑하근은 뜯어줘야 한다는 거죠. 파고 들어가야 된다.

견갑하근. 이렇게 팔이 돌아가면 좋은데 오십견인 사람들은 팔이 뒤로 안 돌아가요.

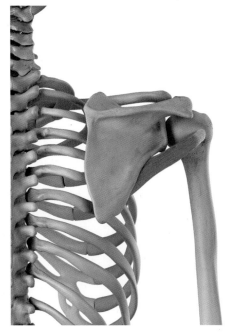

소원근/작은원근

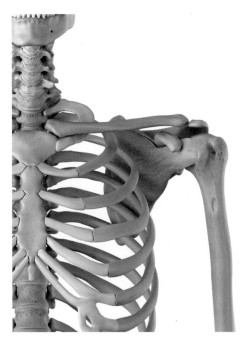

견갑하근/어깨밑근

그래서 아까처럼 똑바로 천장을 보고 누운 상태에서 그대로 들어가서 안쪽으로 뜯어주면 오십견 때문에 이거밖에 안 올라갔던 사람들이 이렇게 올라가요.

이 근육을 공부하는 사람들이 보는 책에는 이렇게 써 있어요.

'당신을 치료의 신으로 만들어주는 근육'이라고 그래요.

왜? 어깨가 이거밖에 안 됐던 사람을 견갑하근만 만져주면 이렇게 올라가니까.

그래서 오십견 고객이 왔을 때 자신 있게 관리할 수 있는 근육은 뭐라구요? 견갑하근. 이 견갑하근은 겨드랑이 밑 쪽에 극천을 풀면서 해주면 더 많은 효과를 볼 수 있어요. 겨드랑이 가운데를 풀어주면.

자, 이제 팔에 있는 근육은 넘어갈게요.

이쪽은요. 운동하시는 분들은 중요할 지 몰라도 수기하는 사람들은 하나의 근육으로 보면 되기 때문에 제가 설명을 조금 덜합니다.

엉덩이 근육으로 들어갑니다.

대둔근, 중둔근, 소둔근으로 들어가는데, 여자들의 건강, 중년 여성들의 건강, 엉덩이로 뭔가 표출된다라는 생로병사의 비밀이라는 거를 했었어요.

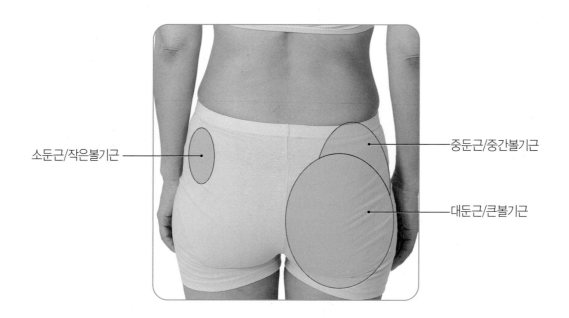

소둔근/작은볼기근

중둔근/중간볼기근

대둔근/큰볼기근

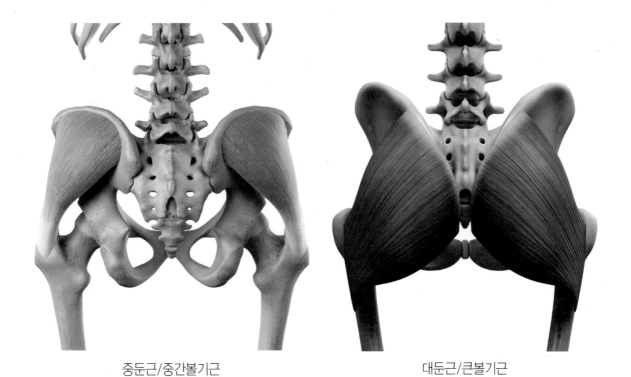

중둔근/중간볼기근   대둔근/큰볼기근

그래서 여자분들이 엉덩이 근육이 타이트하고 탄탄하면 허리도 안 아프고 하지에 혈액순환이 잘 되는 것이 이치에 맞는 거잖아요. 우리 혈액량은 대부분 배꼽 밑에 있어요.

"근육의 움직임은 정맥순환이다. 그 얘기는 혈액순환이다." 제가 설명했잖아요. 그러니까 엉덩이 근육이 탄탄하고 타이트해지면 허리부터 좋아질 수밖에 없다는 거죠.

근데 우리는 통증학적으로는 대둔근은 큰 문제를 겪지 않고 엉덩이 있는 중둔근을 많이 봅니다. 여러분들이 엉덩이 주사를 맞을 때 엉덩이 바깥쪽에 맞지요. 이 중둔근은 이상근증후군부터 허리로 내려가는 통증을 잡아주는 근육입니다.

중둔근이 약하게 되면 한쪽 다리를 들었을 때 서지를 못합니다.

한쪽 다리로 서지 못하는데 저는 정상이니까 서죠? 문제가 있으면 넘어가겠죠. 서면 넘어가죠. 넘어 간다구요. 그래서 엉덩이의 근육은 대둔근, 중둔군, 소둔근이 있는데, 관리적 차원은 중둔근을 보자 라고 보시면 되요.

이것은 앞에서 설명했던 부분이니까.

요방형근

요방형근에 문제가 생기면 어떤 문제가 온다고 했지요? 허리 통증의 주범이에요.

요방형근에 문제가 생기면 기침할 때 아파요. 돌아안지 못해요. 바지가 끌려요. 잠 잘 때 허리가 아파요. "자, 바지가 한쪽이 끌려. 그러면 바지가 돌아가는 사람이 있어요. 치마를 입었을 때 치마나 바지가 돌아가면 무슨 근육이에요?" 장요근. 장요근의 문제가 있으면 돌아가요.

근데 바지가 끌리면? 요방형근의 문제입니다.

허리 통증의 주범은 요방형근. 요방형근은 절대로 혼자서 통증을 오게끔 하지 않아요.

요방형근은 광배근·하후거근과 같이 동조해요. 그래서 제가 얘기하듯이 영상을 올려주면 계속 달달달달 외우시면 되요. 그냥 누가 건드리면 바로 나갈 정도의 지식은 가지셔야 된다는 거죠.

요방형근. 상당히 깊은 부위에 있습니다. 해부해보면 깊어요. 그래서 오히려 뒤에서 파들어가는게 나을 수도 있어요.

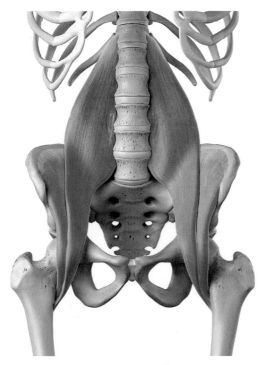

장요근/엉덩허리근

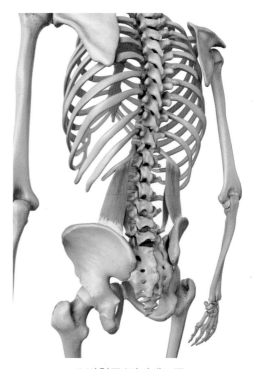

요방형근/허리네모근

자, 대퇴근막장근을 봅시다.

아까 설명했듯이 여기 부분에 딱 자기 손 두 개정도 있어요.

그리고 여기는 장경인대가 연결됩니다. 제가 무릎 통증을 케어하는 방법을 많이 설명합니다. 무릎이 아프면 여러분들이 나이가 들면 들수록 신기한 정도로 나타나는 증상 하나가 있어요. 지하철을 타서 의자에 앉으면 저두요 어느날 부터 다리를 벌리고 앉는게 편해져요.

우리는 인터넷 상에서 쩍벌남이라고 표현을 하는데, 왜냐면요 대퇴골두가 이렇게 돌아가요. 그래서 일부러 앉을 때 무릎을 묶어서 앉는 분들이 있죠. 이게 되면 대퇴골 부위가 안돌아가면서 무릎에서 변형이 안 와요. 관절염이 있거나 무릎이 문제가 없거나 체형의 틀어짐을 막으려면 앉은 상태에서 자꾸 무릎을 묶어 앉으셔야 되요.

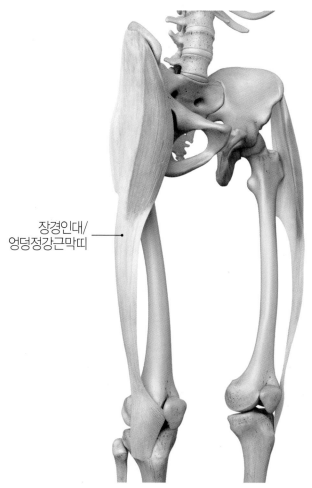

장경인대/
엉덩정강근막띠

대퇴근막장근/넙다리근막긴장근

이 문제는 대퇴근막장근이 짧아지면 다리가 이렇게 벌어지고 돌아가요.

대퇴근막장근하고 장경인대가 문제가 오게 되요. 여기가 장경인대에요. 이렇게 내려와요. 장경인대는 마치 비닐같아요. 저는 해부하면서 인체에 비밀 같은데 두 개를 느껴요.

하나는 두개골을 해부해서 꺼낼 때 보면 가운데 이렇게 막아져 있는 막, 하나는 이쪽에 장경인대가 좀 그런 느낌이 와요. 여기는 근육이구요. 여기는 인대라구요. 인대가 무릎까지 갑니다. 그래서 얘네가 문제가 오게 되면 고관절에 문제가 와요. 무릎통증이 대부분은 무릎 자체 문제가 아니라 엉덩이 고관절 골두에 로테이션 또는 비정상적인 서브로케이션. 이게 틀어짐이 완전하지 않은 상태에서 통증이 옵니다.

고관절·무릎의 증상은 무릎의 문제가 아니라 대퇴골두 고관절의 문제로 봐야 된다라고 저는 설명을 합니다. 그리고 무릎의 문제는 이 장경인대도 영향을 되게 많이 줘요. 장경인대를 느낄 수 있는 방법은요 우리가 산길을 올라가다가 계속 경사로 올라갔어요. 근데 갑자기 내리막길로 오거나 평지인데 자갈길이야. 그렇게 걷다보면 다리가 이상하게 휘청휘청 거려요. 장경인대 때문에 그래요.

장경인대가 약하면 무릎에 통증이 옵니다.

자전거를 많이 타는 사람들이 계속 하게 되면 다리에 무리가 와서 장경인대가 너무 타이트해지거나 너무 느슨해지면 무릎에 통증이 옵니다. 무릎통증을 많이 얘기합니다.

얘네가 약해지면 늘어지면서 대퇴근막장근이나 장경인대가 늘어지면 오다리가 됩니다. 그래서 제가 오다리의 오류라고 설명하잖아요. 오다리를 사진 찍으면요 그냥 서서 찍어요.

그리고 관리하고 나면 밑에 보라 그럽니다. 그럼 제가 밑을 보는 순간 다리가 펴져요.

그래서 오다리 사진이 다리가 나온 건 믿지 마셔야 되요. 그냥 찍은거랑 조작이에요.

근데 오다리 사진 찍을 때 항상 상체까지는 나와줘야 되는게 앞을 보면 붙고 늘어지고.

그럼 얘를 어디까지 풀어줘야 되요?

외복사근부터 전거근부터 능형근까지 풀어줘야 되요. 쭉 풀어줘야 되요.

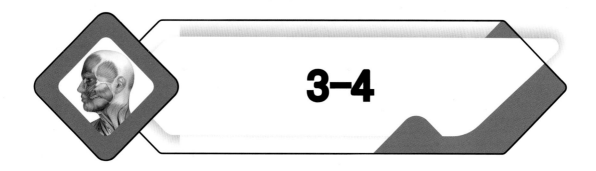

3-4

산길이나 고르지 못한 길을 장시간 걷고 나면 다리 부분이 공허하게 허한 느낌이 오는 것도 대퇴부 확장이 원인이고, 여기에 비골신경이 지나고 있어서 발목의 굴곡과 신전에 영향을 줍니다.

무릎의 통증, 발목, 골반과 허리 등 하지부 전반에 걸친 질환과 문제는 반드시 개선시켜야 돼요. 무릎과 발목에 연관되는 대퇴근막장근, 장경인대쪽을 풀어줘야해요. 여기를 옆으로 놓고 비벼주는거에요. 근데 아프면서도 되게 시원해요. 이 옆 라인이요. 이게 무릎하고도 연관되고 발목하고도 연관되는 근육이라 중요해요. 얘는 오다리하고도 연관돼요.

장요근

배에 있는 근육인데, 저번에도 신기한 표현을 했어요. "교수님 제가요, 허리가 아픈데 여기가 너무 아파요. 장요근이거든요? 장요근은 어떻게 관리해요?" 자꾸 물어봐요. 장요근은 단축되어서 오는 통증이 많기 때문에 간단합니다.

쉽게 얘기하면 침대에 누으면 장요근 앞·뒤쪽을 바닥에서 떨어뜨리세요. 떨어뜨리고, 늘어진 장요근에다가 핫팩이나 따뜻한 것을 얹어주세요. 늘어나면 통증이 가셔요.

그래서 장요근, 허리의 근육, 3대 길항적인 요소를 얘기드릴게요.

허리의 문제는 요방형근, 동조하는 근육은 광배근, 또 동조하는 근육은 하후거근, 얘의 반대편에서 이런 근육이 버텨줍니다. 얘가 뭐에요? 장요근이에요. 그러면 3대 힘의 균형이 맞아야지 밸런스가 맞아져요.

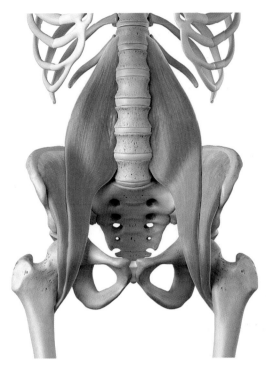

장요근/엉덩허리근

장요근의 또 다른 별명은 '배에 있는 허리근육'이에요.

장요근은 횡격막에 붙어 있어요. 요방형근도 횡격막에 붙어 있어요.

그래서 호흡에 영향을 받아요. 배에 있는 허리 근육인 장요근.

근데 이 장요근을 찾으려면 소장을 밀어내야지 보여요. 근데 소장은 오른쪽에 붙어 있고 왼쪽이 떨어져 있어서 왼쪽에서 오른쪽으로 밀면 소장이 걸리거든요.

앞에서 설명드렸듯이 안쪽의 장요근 밸런스하고 오른쪽 장요근의 밸런스는 틀려요. 왜냐하면 오른쪽에는 조직하고 붙어 있기 때문에 좀 더 세기의 힘이 단단한데, 왼쪽은 혼자서 이 조직을 이것과 비율을 맞추려니까 더 많이 타이트할 수밖에 없지요.

그래서 허리가 아플 때 장요근을 풀어준다면 왼쪽 장요근을 풀어라 라고 제가 설명을 드리는 거에요. 오른쪽은 그냥 흔들어만 주면 되는데, 밀어내고 관리해줄 수 있는 근육은 왼쪽 장요근이에요.

자, 보세요.

허리의 요방형근, 광배근, 하후거근이 배의 장요근하고 길항하지요. 첫 번째 대항이고, 두 번째 이쪽하고 이쪽 중에서는 이쪽은 세 개가 붙어 있다 치더라도 이쪽은 하나밖에 안 붙어있으니까 여기를 컨트롤하는 거죠.

결국 허리하고 배의 문제를 봤을 때 배를 풀되 왼쪽을 풀으라는 거죠.

그래서 수기적인 요소는 왼쪽을 컨트롤하면 일단은 어큐트 룸바(Acute Lumbar)고, 즉 급성 요통이에요. 급성요통이 올 때도 우리는 배를 풀어요.

장요근. 어디? 왼쪽. 왼쪽을 집중해서 좀 보세요. 그래서 여러분들이 장요근을 보려면 많이 깊게 봐야 보여질 거에요.

횡격막에 붙어 있다. 이거 잊지 마셔야 되요. 장요근의 또 다른 별명이 뭐라고 했어요? '배에 있는 허리근육'이라고 얘기했지요.

이렇게 풉니다. 장요근만 만질 때는 그냥 손으로 빠닥빠닥 잡아서 여기가 여기까지 내려오기 때문에 여러분들이 서혜부 바로 옆에 통증이 온다는 거죠. 여기만 민망하다고 얘기하는 부분. 저기를 풀으려고 하지 말고 늘려라. 늘리기 위해서 그쪽 다리를 침대 밑으로 떨어뜨려라. 그리고 거기다가 따뜻한 것 올려놔라. 이게 관리하기 더 좋은 시스템이에요.

이상근

제가 이것 때문에 해부학 교수님하고 되게 많이 얘기했었는데, 저는 여태까지 계속 보면서 해부학책을 보면 이상근이라는 근육 밑으로 좌골신경이 이렇게 내려가요.

근데 저번에 갔다 카데바를 봤더니 이상근 위로 좌골신경이 올라간 게 있고, 반쪽 걸쳐진 것도 있더라고요. 그래서 "제가 교수님, 저는 여태까지 책을 보면 이상근(piriform)이란 밑으로 좌골신경(sciatic nerve)이 내려가는데, 이 카데바 이상해요."라고 했더니 그 교수님께서 신 교수, 어떻게 설명하냐면 그 분은 당신은 계란을 먹을 때 가끔 노른자가 두 개가 들어 있는 게 있지 않았느냐.

우리가 기형이라고 표현을 하느냐. "우리는 아싸!"라고 표현을 하죠. 근데 이분들은 우리 몸에서는 열 명당 네 명에서 세 명 정도는 이상근의 근육들이 사람들이 똑같지가 않더라. 기형적인 요소를 가지고 있더라고 설명하는 거죠.

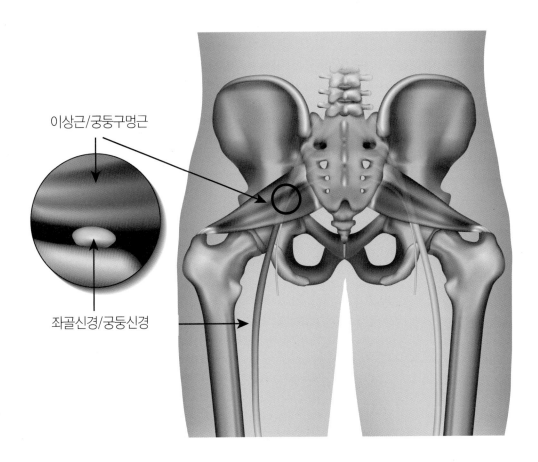

이상근/궁둥구멍근

좌골신경/궁둥신경

그래서 이상근 밑으로 좌골신경(sciatic nerve)이 들어갈 수 있고, 이상근에 걸쳐 있을 수 있고, 이상근 위로 지나갈 수도 있더라. 근데 고객은요, 나도 모르는 통증이 반복적으로 올 때가 있잖아요. 근데 병원에 가도 모른대. 증상을 개선시키지도 못하고 몰라요. 나중에 그분이 기증을 해서 해부를 해봤더니 거기가 짝짝일 수도 있다는 거죠.

그래서 한쪽은 이상근 밑에 들어갈 수 있고, 또 이상근에 걸쳐 있을 수 있어요.

근데 우리가 허리신경이 그 구멍으로 지나갈 때 눌리지 않고 아무런 증상이 없어야 되는데, 어느 날 근육이 제가 어떤 야구 선수를 치료해준 적이 있어요. 제가 좀 친한데 이름은 직접 얘기 안 할게요. 근데 그 친구가 엉덩이로 슬라이딩을 했어. 그래서 엉덩이가 찡 밀고 들어갔는데, 이상근이 부어버린 거에요. 부어서 좌골신경이 눌렸어요. 눌려가지고 들어왔어요.

다리가 저리다고. 뭐했냐고 했더니 슬라이딩했대요.

그래서 이상근을 풀어 이상근을 진정시켰더니 증상이 없어졌어요. 근데 이 친구는 본인은 병원에도 가보고 다 해봤는데 고통스러웠는데 엉덩이 부분에 이상근이라는 것을 가볍게 만졌더니 증상이 가셔서 설명해줬어요.

"여기 이상근밑으로 좌골신경이 지나간다. 그래서 당신이 엉덩이를 슬라이딩을 했을 때 그 근육이 부은거다. 너는 이 부분을 잘 풀어주면 괜찮다. 이거는 허리 신경에서 눌린게 아니라 근육이 놀란거다."

이런 증상이 많이 와요. 고객관리를 할 때 허리디스크가 아닌데 이상근증후군으로 온다. 마치 목디스크가 아닌데 여기서 눌려서 오는 흉곽출구증후군으로 팔이 저려서 오는 증상도 그 증상하고 비슷하지요.

목디스크가 아닌데 팔로 저려내려가는 증상이나 허리디스크가 아닌데 엉덩이에서 눌리는 증상. 피리폼신드롬(Piriform Syndrom)이라고 부릅니다. 좀 더 복잡한 얘기 더 안합니다. 이 정도는 알아야 되는데, 이 얘기도 여러분들은 지금 '허-' 하더라는 거죠.

이거 얘기 되게 많이 나오는거니까 알고 계셔야 합니다.

여기 신경이 이렇게 지나가요. 이 신경은 원래는 쭉 내려가다 이 무릎 뒤 오금에서 갈라져야 되는데, 어떤 카데바는 엉덩이 허벅지에서부터 갈라져서 내려오는 사람도 있어요. 카데바가 자꾸 물어봐요. "왜 이러냐구요!" 책에서는 안 그러는데. 신교수~ 책은 보편 타당한 사람의 모습을 그리는거예요. 기형을 그리는 게 아니라. 그러니까 책에서 봤던 그 해부학적 그림들은 가장 보편적인 모습이라고 생각하면 돼요.

그러나 막상 이렇게 직접 사람들 카데바를 보면 열명 당 세네 명 정도는 이렇게 기형이 있어요. 그러나 저런 증상이 나타날 수도 있고 안 나타날 수도 있어요.

키도 큰 사람이 있고 작은 사람이 있을 수 있다. 근데 그 사람이 작다고 기형이냐. 크다고 기형이냐.

"어떤 정상 범위보다 너무 커버리면 그것도 기형이고 정상범위보다 너무 작으면 장애라고 얘기할 수 있지만, 어느 정도 범위에 있는 것은 가동범위가 있는 것처럼 우리의 정상범위로 봐야 된다." 이렇게 생각을 하죠.

이상근은 허리와 다리의 근육인데, 다리는 쭉 넘어갑니다.

이제 **봉공근**이란 근육을 설명하고 싶은데, 전상장골극에서 봉근이 내려오죠.

앞에 튀어나온데 여기서 근육이 시작해서 다리 안쪽으로 경골에 붙어 있어요.

일명 '제기차기근육'이에요. 여기가 약해지면 봉공근하고 박근이 약해져서 엑스다리가 되요. 대표적으로 장경인대가 약하면 오다리가 된다고 그랬어요.

그래서 양반다리 많이 못하는 사람들 여기 전부다 경골 안쪽에 붙습니다.

얘를 '재단사의 근육'이라고 해요. 재봉사의 근육이라는 이유는 영국에서 꼭 재봉을 하는 사람들이 다리를 꼬고 앉아서 미싱질을 했대요.

다리를 이렇게 우리나라처럼 양반다리 앉는 문화를 보게 되면 재봉사 · 재단사 이렇게 봤기 때문에 이 근육 이름을 붙인거를 봉공근은 '재단사의 근육'이라고 불렀다는 겁니다.

제가 다리근육을 많이 설명 안 하는 이유가 한 번에 잡아지는 근육이라 그래요. 이것 또한 수기치료이므로, 문제의 소지가 일어나는 부위는 목, 가슴 앞쪽, 등쪽, 허리, 배 등으로 여기까지는 문제가 많이 일어나요. 어깨, 그리고 팔, 다리 등은 퍼스털 트레이너들의 몫이죠. 여기는 운동적인 요소이기 때문에 통증적인 요소는 한 번에 잡아주면 되요. 우리는 그 신경의 뿌리를 잡아주면 되니까. 그래서 여기는 강의할 때 잘 안 합니다.

중요한 얘기를 하면 여기가 봉공근(sartorius)이 나오는 거구요.

제기차기 근육.

다리근육. 햄스트링. 허벅지 근육. 자 이 얘기까지 해주고 끝낼게요.

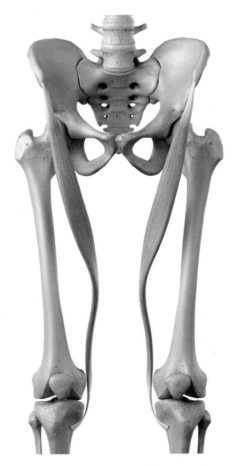

봉공근/넙다리빗근

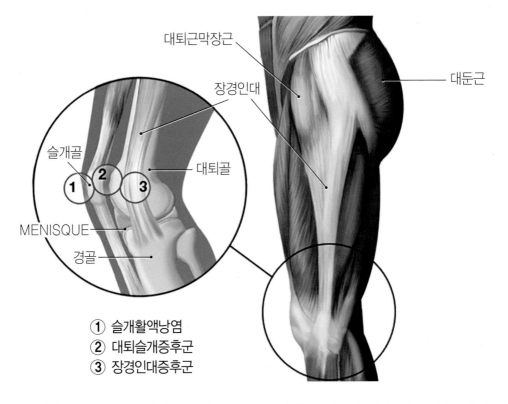

① 슬개활액낭염
② 대퇴슬개증후군
③ 장경인대증후군

여러분들 제가 그 얘기를 했어요. 뇌혈관질환이 와서 중풍을 맞았어요. 어떤 분이.

근데 그 분이 다리를 이렇게 해가지고 이렇게 이렇게 걸으세요. 근데 이렇게 걷는데 그 분이 치료를 받으려고 양말을 벗겨봤더니 그분의 엄지발톱이 이렇게 반이 꺾여져 있어.

이렇게 반달모양처럼 두툼해지고 발톱이 두꺼워져 있어요.

그래서 이분이 피부과를 갔더니 발톱무좀이라고 그러더래요.

발톱무좀에 먹는 약은요 어마무시하게 독해요. 무좀약은요 간의 기운을 완벽히 망가뜨립니다. 근데 이분이 이쪽으로 공부하고 근육학을 공부하거나 저처럼 공부한 분은 요 그렇게 마비가 와가지고 발톱에 문제가 오는 건요 발톱무좀이 아니에요.

이 전근골근이란 근육이 있어요. 여기 무릎에 좁쌀 부분부터 내려가서 엄지발가락을 관여하는 근육이에요. 그래서 이렇게 문제가 와서 발가락쪽에 혈액순환이 안 되면요. 전경골근, 위 경락에 문제가 오면서 발가락이 발톱이 변형이 와요. 피가 안 통하는 거죠. 근데 그분은 계속 보행을 해서 전경골근과 족삼리를 풀어줘서 피가 통하면 살아나요. 무좀이 아니란 얘기에요.

그리고 무지외반증 있죠? 외반무지. 엄지쪽이 앞으로 툭 튀어나오는거.

그 자리가 **공손**에요. 어떤 분이 저한테 근육학에다가 질문하기 전에 답을 안 주는 이유가 혈자리에 대한 답은 안 줍니다. 그거는 한의대생들이나 한의사들이 혈자리에 침을 놓을 때 되게 중요한거고 우리는 그 위 아래가 되게 중요하거든요.

왼쪽 옆으로. 그래서 관리할 때 공손, 위 아래로 포인트 잡힌 부분을 풀어주면 되요. 그래서 공손이란 꼭 그 자리가 아니라 양 옆이든 위아래든 포인트 잡으면 거기를 풀어 주면 되기 때문에 외반무지가 오는 문제의 근육은 쭉 전경골근 라인으로 와서 족삼리 로 와서 그 근육을 풀어주면 회복이 되요.

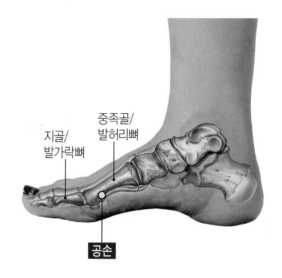

그래서 옛날에 과거 시험을 서울로 보러 가게 되면 전국 각지에서 사람들이 모이게 되죠. 이때 대장은 한 30명씩 모여서 산길을 넘어가게 되면 호랑이도 만날 수 있고 산 도적도 만나니까 일부러 많은 사람들이 모여가지고 산을 넘어간대요.

서울로 가서 과거 시험을 보려면 걸어가야 되니까. 그러면 그 대장이 사람들의 다리 를 다 걷어서 이 족삼리 자리에 뜸을 뜬 사람만 데리고 갔다고 합니다. 이유는 뭐냐면 족삼리가 결국 발목의 움직임에 영향을 주니까 일단은 거기에 뜸뜬 사람은 잘 걷겠죠?

두 번째는 위경락이에요.

그러니까 경상도에서 전라도로 넘어가면 음식이 바뀌잖아요. 그리고 전라도에서 충 청도로 넘어가도 음식이 바뀌게 되지요. 그래서 "뜸 뜬 사람들은 배앓이를 안 하고 잘 걸을 것이고 잘 먹을 것이다. 우리 무리가 같이 넘어갈 것이다."라는 생각을 해서 이 족삼리 라인에 뜸뜬 사람을 데려갔다고 합니다.

이 전경골근은 결국 엄지발가락의 힘이에요. 엄지발가락의 힘은요. 제가 그런 얘기를 했어요. "허리디스크가 왔을 때 4번과 5번에 디스크가 오게되면 엄지발가락의 힘이 빠집니다."라고 얘기했구요.

"3번과 4번 디스크는 허벅지가 얇아집니다. 5번과 천추1번은 종아리가 얇아집니다." 라고 설명을 했어요.

그래서 이 엄지발가락 라인은 전경골근으로, 허리신경 4~5번의 영향을 받아요.

그래서 잘 걷는다. 그렇게 보시고 엄지발가락의 순환과정은 여러분들이 같이 봐 줘야 할 부분이에요.

그래서 저희가 실기를 할 때 보면 똑바로 눕힌 상태에서 위에서 이렇게 엄지발가락을 쳐다봅니다. 봤을 때 엄지발가락에 외반무지가 나왔는지 안 나왔는지를 봅니다. "외반무지가 너무 많이 튀어나왔나 안 튀어나왔나." 외반무지가 튀어나왔으면 얘는 위경락의 문제도 있을 수 있고, 공손이란 자리에 비경락이 또 연관됩니다. 그래서 체형의 틀어짐하고도 연관되요.

여러분들이 하지근육 중에서 좀 더 많이 봐야 될 근육이 전경골과 우리 몸에서 이제 펌프 역할을 해주는 종아리에 있는 승산 부위에 있는 근육들. 이정도면 충분하지 않을까 생각합니다.

여러분들과 약속한 한 시간 반 동안 근육학을 싹 정리했어요. 쉽게 편하게. 이제 머리가 탁 트이면서 도움이 될 거라고 생각합니다.

뒷편 : 능형근-전거근-외복사근-대퇴근막장근-장경인대 연결

앞편 : 교근-흉쇄유돌근-대흉근-복직근-추체근 연결

심장에서 머리로 피를 올리려면

1. 어깨운동
2. 교근 (안면신경, 삼차신경)
3. 하지관리

   식도보다 기도가 크다 기도=숨쉬는 것-호흡근-횡격막(움직임의 신경뿌리-경추3~5번)

   650개 근육을 한번에 움직이는게 복식호흡

   하지의 근육 80%-인체의 혈액순환

   손·발이 찬 사람-체형 변화가 일어나지 않고 내장을 움직이기 힘들다.

   (따뜻하게 하려면 횡격막을 움직여야 하며, 하체관리 필수)

인체의 한곳만 풀어야 한다면

1. 경추(목)-수건말아 경추 1번에 넣고
2. 복식호흡 20~30회-통증이 20~30% 줄어든다.

   (소화관의 길이는 12m, 소장의 길이는 7m -오른쪽이 붙어 있고 왼쪽이 떨어져 있다)

   복부에서 소장이 움직여야 간이 움직인다. 목의 각도가 유지되어야 횡격막이 움직인다.

   횡격막이 움직이면 대장이 움직인다.

   뇌는 2가지 통증을 인지하지 못한다. 가장 아픈통증 1가지만 인지한다.

   통증은 70% 넘을 때 오며 양파와 같아서 통증자리에 칼슘이 덮어버린다. 그리고 차가워지면 그 위에 지방이 덮는다.

   고침단명-베개가 높으면 호흡이 줄면서→ 횡격막이 움직임이 나빠지고→ 간·소장의 움직임이 나빠지고→ 혈액순환장애

3. 하지관리

4. 포인트 관리

    4-1) 흉쇄유돌근, 사각근

    4-2) 소장에서 영양분 간으로 간문맥순환

    4-3) 상행결장과 만나는 요추1번

   척추신경 - 경추 1번~흉추12번까지는 큰 줄기

  요추1번부터는 잔가지줄기(그러므로 하지관리는 요추1번부터 시작)

 아이들이 씹고 싶어하는시기 - 뇌 성장 자극

(교근, 흉쇄유돌근-대흉근-호흡근, 측두근(두유))

흉쇄유돌근

고혈압, 고지혈, 저혈압 등인 사람은 팔다리먼저 풀고 관리, 뜯어서 관리, 얼굴에서 일어나는 모든 문제

고객이 관리 받고 일어났을 때 머리 아픈 사람-갑자기 머리로 혈액이 많이 올라가기 때문인데, 그럴 땐 엎드려서 종아리 풀어주면 다시 혈액이 내려온다.

사각근 - 어정정한 각도로 내려오는 근육

 전 · 중사각근 사이로 상완신경총 (흉쇄유돌근 옆)

 벌리고 늘려서 관리

 배꼽 위 앞 · 뒤로 일어나는 모든 문제

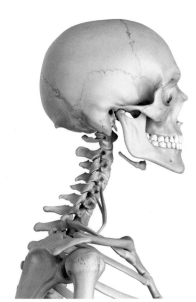 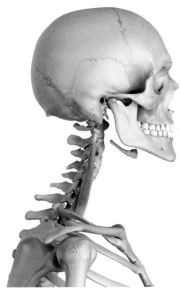 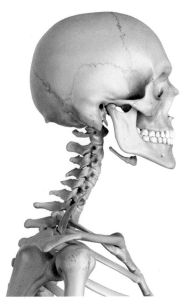

전사각근/앞목갈비근　　　　　　중사각근/중간목갈비근　　　　　　후사각근/뒤목갈비근

상경추(수건-당기기)

1번 - 도넛, 2번 - 핫도그

1번 위 - 뇌간 - 12개의 신경 중
10번 미주신경(모든 내장기 관리)

5~9번 - 대뇌장신경관리

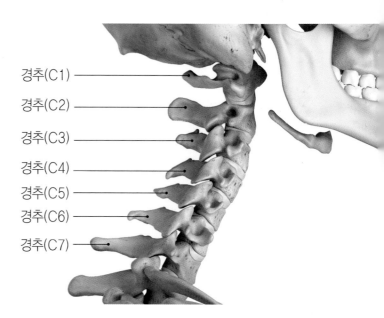

경추(C1)

경추(C2)

경추(C3)

경추(C4)

경추(C5)

경추(C6)

경추(C7)

▶ 목디스크

C5-어깨

C6-팔꿈치

C7-손목

C7, T1-손

▶ 잠을 잘못자서 목이 뻣뻣할 때

견갑거근 경추 5번 - 으쓱으쓱운동

▶ 교통 사고가 났을 때 마지막에 걸리는 근육

두판상근 손상

(근육과 인대뭉친다-3주 전인 사람은 관리 하지 말고, 회복반응 3주 후에 통증이 나
타난다)

▶ 여성요통

1. 변비　　　　　　　2. 자궁근종, 물혹

3. 피임구(루프)　　　4. 비만

승모근 - 스님의 꼬깔모자, 껌종이처럼 얇다, 추위민감, 면역력관련

뇌신경11번 부신경 지배(스트레스근육, 부교감신경)

오른쪽 어깨-간 → 오른쪽 승산 관리

왼쪽 어깨-심장, 위 → 왼쪽 승산 관리

흉추12번까지

뼈-근육이 만나는곳→건(통증이 일어나는곳) 대부분이 백선 : 온열관리

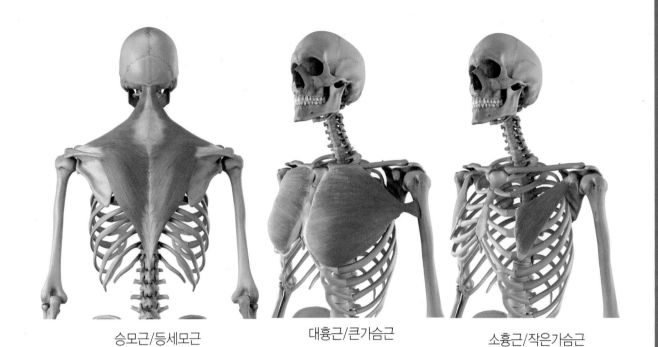

승모근/등세모근   대흉근/큰가슴근   소흉근/작은가슴근

대흉근 – 끊어서 관리, 가슴의 밸런스 : 쇄골뼈 아래서 잡고 있다(팔의 각도 잡아
　　　　　주면서 관리)

1. 쇄골지
2. 늑골지
3. 흉골지
백선–온열관리

소흉근 – 대흉근을 들어내면 오훼돌기에 붙어 있다.
나이들면 소흉근이 오그러들면서 심근경색 유발

▶ **오십견 –** 견갑하근 – 뜯어서 관리(지배경락 : 심경)
어깨는 뇌혈관과 관련 펌프질
오른쪽–응가를 닦을 수 없다.
왼쪽–심장, 림프–뇌출혈 80% 이상 올 수 있다.
새벽에 통증, 팔움직임이 나쁘다.

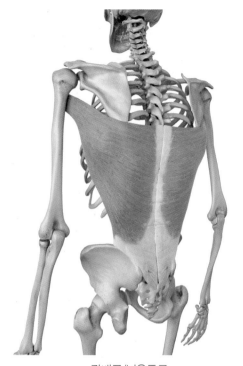

광배근/넓은등근

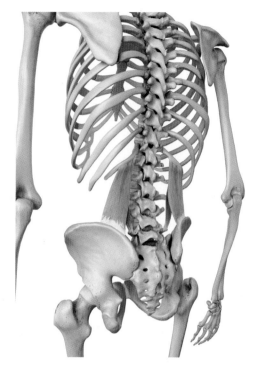

요방형근/허리네모근

▶ **노인관리** – 청춘 마사지(늘려주는 관리)

▶ **아이들** – 성장 마사지(척주기립근 바이브레이션)

광배근

1. 골반각도 영향

2. 자궁과 연관

3. 요통

요방형근

돌아눕지 못함, 기침할 때 통증, 수면 시 통증, 한쪽바지 끌림

장요근

치마(바지)가 돌아간다.

하후거근 – 몸이 틀어질 때 마지막 잡고 있는 근육(선생님 근육)–성가신 잔여 요통

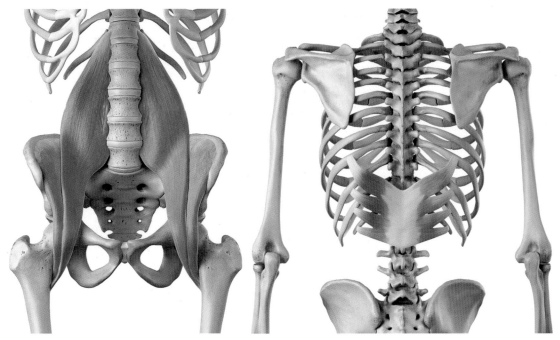

장요근/엉덩허리근   하후거근/아래뒤톱니근

회전근개근육

1. 극상근 – 어깨통증의 주범, 칫솔질 못함, 빗질 못함, 30°들지 못함, 어깨움직일 때 소리가 남, 팔을 내릴 때 툭 떨어진다 실질적 치료 포인트–소원근
2. 극하근 – 모유수유와 관련, 오른쪽–간, 왼쪽–심장
   잘 때 어깨통증, 브래지어끈을 풀지 못함
3. 소원근–액와, 요골신경 나옴
4. 견갑하근

▶ **허리디스크가 있는 사람**

100% 중둔근 약화–골반 한쪽으로 빠지는 걸음걸이

양쪽은 어우동걸음걸이

오금(위중) 리

L3–허벅지

L4–엄지발가락힘 저하(걸을 때 발을 들고 걷는다)

L5~S1–종아리

뻔뻔 근육학

제 4 부

소장과 간 수기의 상관관계

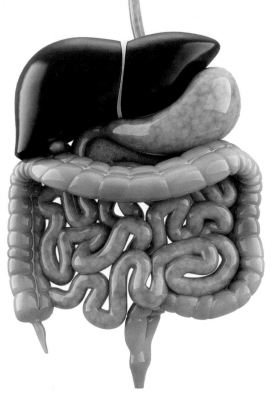

우리의 소화기 길이가 12m입니다. 그중에 소장의 길이는 7m입니다.

역할을 생각하면 위장은 음식물이 들어오면 멸균 소독을 해서 수분의 20%를 흡수(당분, 알콜)하고 장한테 넘기면 소장은 영양분을 쭉 뽑고 그 영양분을 간한테 넘깁니다.

소장은 오른쪽은 붙어 있고 왼쪽은 떨어져 있습니다. 우리 몸에서 제일 긴 장기이기 때문에 배의 인치, 배의 두께....이 분들은 막 해주면 몇 인치가 줄었어요. 이런 것이 전부다 소장의 역할입니다. 소장은 왼쪽이 떨어져 있기 때문에 애기가 생기면 올라갔다가 내려오고, 걸을 때에는 충격 흡수를 해줍니다. 위치로 볼 때 소장은 전면에 있는 장기입니다.

간 및 위장은 전면에 붙고 옆면에 있는 장기는 상행결장, 하행결장, 위장 뒤에 있는 비장..... 뒷면에 있는 장기는 신장입니다.

그래서 우리가 소장을 컨트롤해 준다는 것은 여러 가지 의미가 있습니다. 오른쪽의 소장과 왼쪽의 소장이 붙어 있는 면을 보면 왼쪽의 소장을 밀면 그 뒤에 장요근이 나옵니다.

왼쪽의 장요근과 오른쪽의 장요근의 힘의 원리는 다릅니다.

오른쪽의 장요근은 붙어 있기 때문에 굳이 힘이 강할 필요가 없습니다. 왼쪽의 장요근은 떨어져 있기 때문에 오른쪽보다 힘의 논리가 강합니다.

그래서 허리가 아플 때는 길항작용을 하는 허리에 있는 광배근 요방형근 하후거근의 길항적인 요소가 장요근인데, 오른쪽을 컨트롤하지 않고 왼쪽 장요근만 컨트롤해도 허리가 좋아지는 이유가 힘의 논리상에 있습니다.

소장을 컨트롤해서 장요근을 풀 때 소장을 밀어주는데, 이것은 면역력과 관련이 있다고 합니다.

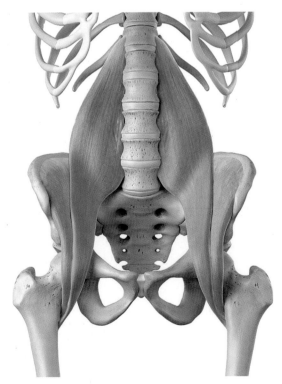

장요근/엉덩허리근

금의 에너지...소·대장쪽....소장은 심·소에너지...그래서 화의 에너지로 보는데 면역력하고 금의 에너지로 바뀔 때 소장은 생각하는 곳이며, '제2의 뇌'라고 이야기합니다.

우리가 이쪽을 컨트롤해주는 것은 면역력하고 관련이 있습니다. 모든 병원의 의사들이 몸을 도와주는 약을 쓰게 되는데, 약을 쓰다가 약이 먹히지 않는 어느 시점에서는 유산균을 씁니다.

그런 것처럼 장쪽은 제2의 뇌이기 때문에 소장을 컨트롤해주는 것은 우리 몸의 또 다른 면역력을 향상시키는 일입니다.

소장의 오른쪽은 붙어 있기 때문에 숨을 들이마시면 우측으로 들어갔다가 빠지면서 肝(간)에 공간이 생기면 간은 시계반대방향으로 움직이면서 전체 영양분과 피를 돌리게 됩니다.

인체에서 가장 피를 많이 품고 있는 장기는 간하고 심장입니다.

잠이 들면 우리의 혈액은 간하고 심장으로 갑니다. 간을 공간적인 요소에서 힘들지 않게 해주면 우리 몸은 순환과 에너지가 더 많이 좋아집니다.

한의학적으로 간은 근육과 통증을 주관합니다. 그래서 간의 에너지를 좋게 해주어야 수기적인 요소에서 기초요소가 되고, 또 수기가 끝나서도 간의 에너지를 컨트롤해주었더니 더 좋아지더라고 합니다.

지금부터 소장을 마사지하고 간의 펌핑을 해서 공간적인 요소로 고객의 통증을 감소 시키고 호흡량을 늘려주는 방법을 찾습니다.

간의 공간을 활용하고 에너지가 돌면 손끝·발끝의 에너지가 강해집니다.

말초를 건드려서 간을 좋게 해주는 방법도 있지만, 내장기를 컨트롤해서 몸 전체를 좋게 해주는 것이 신교수의 수기의 원리입니다.

그러나 몇몇 곳에서는 말초를 건드려서 몸의 에너지를 올려야 됩니다. 그러나 그 에너지는 금방 소실될 수 있습니다.

장부의 근본적인 것을 컨트롤해주어야 몸의 근본적인 에너지가 빨리, 또 오래 유지되는 거예요.

소장 마사지는 왼쪽에서 합니다.

1. 한 손은 반드시 무릎에 올려 놓고(한손은 ＋, － 접지를 하듯 손을 살짝 올려 놓습니다.)

2. 가장 많이 튀어나와 있는 골반을 우리가 전상장골을 타고 올라오면 장골릉이 나오는데, 잘 찾으면 배꼽을 찾습니다. 배꼽에다 총을 땅 쏘면 요추 4번이 나옵니다.

요추 4번 라인에 손을 올려 놓습니다. 처음에 밀어 볼려고 하면 밀리지 않습니다.

소장은 현재의 자리에서 밀려나가 자리를 바뀔려고 하지 않습니다.

사람의 몸이 항상 그 자리로 돌아가려고 하는 힘, 버티는 힘을 우리는 항상성이라고 합니다. 소장을 밀려면 항상성을 한번 깨 주어야 합니다.

그런데 소장은 시술자의 손을 거부합니다. 그래서 소장은 생각하는 곳이기 때문에 소장을 한번 압박을 가해야 합니다.

그래야 빠져 나갑니다.

숨을 들이마시고 뱉을 때 손을 45도로 세웁니다. 그 상태로 숨을 들이마시고 내쉬면서 아래로 누르면서 소장의 목을 졸라요. 1, 2, 3... 소장의 항상성이 손이 들어가는 것과 싸우고 있는데, 장도 그렇고 시술자도 그렇고 예비동작을 하지 않고 딱 떼요.

예비동작을 하게 되면 소장이 도망을 갑니다.

다시 한 번 어느 정도 힘으로 누르고 있다가 딱 놓아요. 그러면 소장은 두 번째 동작에서 죽을 뻔했어 하면서 밀려 납니다. 그때에 숨을 들이마시고 소장 마사지를 합니다.

소장은 위장의 밑쪽 유문부에 붙어 있기 때문에 밀고 갔다고 올 때에도 손을 그대로 붙이고 와요.

－ 45도 '흡...호'하면서 양손으로 쭉 밀어요. 2회...소장의 항상성을 깨는 동작

－ 소장마사지 준비...숨 들이마시고 내쉬면서 쭉 밀고...당기고 직선으로 2회

－ 꾹 눌러서 들어갔다가 30도 틀어서 밀어주고 당기고 2회

－ 소장 마사지 마무리......

다시 밀어주면 소장의 움직임이 편해져서 간의 공간이 생겨서 간이 왼쪽으로 돌기 시작합니다.

지금부터는 간 펌핑과 횡격막의 에너지를 쳐올려줍니다. 1, 2, 3 -3회, 6회

– 준비

– 그대로 눌러주고

– 숨을 멈추면 위로

– 숨을 내쉬면 맞추어서 1, 2, 3......

그러면 공간이 열려서 간이 활성화됩니다. 장기들이 움직이기 때문에 몸에서 혈액이 엄청나게 빨리 돌기 시작합니다. 장기 움직임이 좋아지고 호흡이 좋아지고 혈액순환이 좋아져서 몸의 통증도 사라집니다. 내장기들이 살아나게 됩니다.

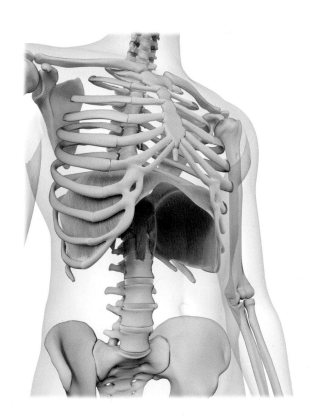

허리통증, 체형틀어짐, 근력약화 및 통증

−서 있는 자세

−어디가 아프세요?

−누워보세요.

−당기고.....숨 들어마시고 내쉬면서 누르고 밀고

이 분의 상태를 보면 상체가 틀어졌습니다.

본인은 무엇이 불편합니까?

대퇴 내측이 불편하다. 땡겨요? 서 있기가 불편해요. 다리가 막 땡겨요. 언제부터 땡겼어요? 오랫동안...한 20년 그렇다면 20년 이상 틀어져서 살았던 분입니다.

지금 이 분의 증상은... 뭐가 제일 힘들어요? 내가 알아야 고쳐주지.

증상 : 대퇴내측·후측, 허리 둘레가 아프고

변비...화장실 갔다 오셨어요? 자 누워보세요. 천장을 보고 똑 바로 누워 보세요?

코로 숨을 들이마셔 보세요. 배가 나오게 흡..... 안 되죠? 펌프질이 안 되니까.. 들어마시고 이 분은 골반이 틀어졌죠? 장요근의 균형이 깨졌어요. 신궐(배꼽에 손을 올려놓고......)

이때는 소장을 밀고 간 펌핑을 해 볼께요. 그러면 얼마만큼 좋아지는지..... 저는 본인의 성함도 모르고 처음 뵙고, 무엇을 하는 지도 몰라요

- 숨 들어마시고.....배가 땡기게... 내쉬면서 눌러주고....밀고.....다시 땡기고 숨들이마시고 내쉬면서 누르고.... 안 들어가죠? 소장이 굳었습니다.

- 들어마시고 뱉으면서 눌러주기...꾹...뱉어요...딱 놓는다.(2회)

- 다시 숨을 들이마시고 숨을 뱉으면서 눌러주기 꾹.....뱉어요...딱 놓는다.(2회)

지금 무엇을 하느냐면 항상성..... 소장이 제2의 뇌입니다. 소장이 손을 대니까 움직이지 않으려고 버텨요. 교수님이 소장의 목을 졸랐어요. 조른 다음에 숨을 못 쉬게 딱 놓았습니다.

이제는 손을 대면 도망을 갈 것입니다. 왜 또 졸릴까봐.

신궐에 손을 대고 숨을 들이마시고....내쉬면서 눌러준다. 밀으니까 가요. 1, 2, 3....

- 숨을 내쉬면서 내려갔다가 올라가요. 밀으면서......7회 정도

- 명치에다가 손을 대고 숨을 들이마시세요. 꾹 누르면서 뱉으세요. 숨을 멈추면 올리세요.1, 2, 3

복부지압을 양쪽 엄지로 한다. 배꼽 위 세 지점.

틀어진 것이 20년 되었다고 했다. 본인이 느끼기에 얼마나 좋아졌어요? 통증이 오던 부분이 덜 아파요.

이제 허리에 손을 대는 것이 아닙니다.

허리가 아픈 사람은 허리를 치료하는 것이 아니라 복부, 즉 소장 마사지만 했습니다. 소장을 움직이게 했습니다. 그런 다음에 간이 움직였습니다(시계반대방향으로). 펌핑시켜서 간이 움직이면 650개의 근육이 움직입니다.

650개의 근육이 움직이면서 내장기를 확 돌려줍니다.

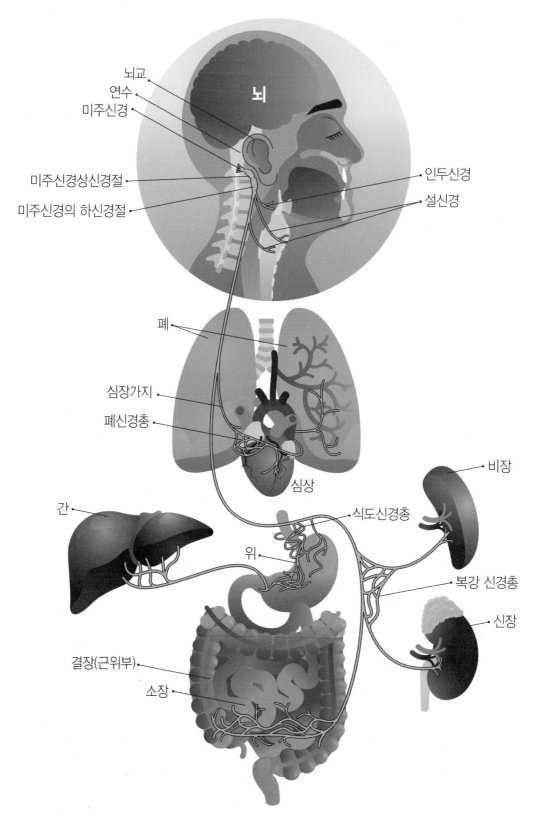

뇌교
연수
미주신경
미주신경상신경절
미주신경의 하신경절
뇌
인두신경
설신경
폐
심장가지
폐신경총
비장
간
식도신경총
심장
위
복강 신경총
신장
결장(근위부)
소장

미주신경(vagus nerve)

허리통증은 증상 자체는 허리에 있는 요방형근에 있는데, 요방형근 혼자 일으키지 않고 장요근하고 광배근이 동조를 합니다.

허리에 있는 세 개의 근육이 배에 있는 장요근하고 3 대 1의 힘을 이루는데, 배에 있는 하나의 힘이 허리에 있는 세계의 힘을 이깁니다.

그래서 지금 배에 있는 것만 푸는 것입니다.

- 숨 들이마시고 내쉬면서 무릎 밀고 환자는 무릎을 밀어내고(3회)

- 두 다리를 안으로(5회×2번)

- 다리 벌리세요(5회×2번)

- 에너지 자리 자극-삼음교, 엄지발가락, 무릎 위

- 양무릎 잡고 가슴쪽 (2회)

이 직업의 모순이 무엇이냐면 이렇게 아픈데 가서 환자분한테 아프지 말라고 하는 것은 모순이죠.

다리를 펴고 간의 모혈(삼음교), 엄지발가락, 무릎 위 에너지 샘을 잡고 마사지하세요.

양 무릎 밑을 잡고 가슴쪽으로 2회 눌러준다.

좌우로 움직여 준다(신전)-2회

일어서서 걸어보세요? 살만해요...예 많이 풀어졌어요. 살만 한 거지... 조금 덜 된 것 같아요.

일단 살만한 거지요. 물을 주세요.

일단 앉아보세요. 다시 누우세요.

이제 밸런스 깨진 것을 잡아주어야죠?

환자 다리들고 상하 · 좌우 흔들어주기. 복부 지압. 복부 흔들어주기

장압으로 눌러주고 좌우 흔들기. 장요근 엄지압

-장요근 지압

–허리 신전

–등 두드리기

–환도, 어깨신전–다 뺄어..툭 교정(좌우)

교정 시 다리의 각도에 따라 교정되는 부위가 다르다. 최대로 올리면 천골 라인까지 교정이 된다.

'톡' 하고 소리가 안 나면 다시 복부(신궐)를 눌러준다. 다시 펌핑을 다시 합니다.

근육과 통증을 주관하는 장기는 간이다. 간을 움직이려면 소장이 풀어져야 한다. 이제 간이 움직이기 시작합니다. 느꼈어요? 꾹하고 들어가는 것.....2번째 누르고– 위로–아래로–올리고, 무릎잡고 좌우 눌러주기....문제는 이 분은 근력이 너무 없어요. 몸이 아프면서 노화가 오면서 뒤틀렸어요.

–서서 주물러 주기

본인을 괴롭히던 부분이 풀리고 장요근이 풀리면서 살아나는 것입니다.

문제는 오늘 말고 내일쯤 통증이 더 와요. 왜 몸에서 싸워야 되니까.

앉았다 일어나 보세요. 가장 많이 움직여야 되니까.

뒤로 젖혀지지 않는 것은 흉추의 문제, 앞으로 굽혀지지 않는 것은 간의 문제이다.

척추체의 뒤쪽에 걸리는 것이 많이 있어요.

허리디스크로 나빠진 체형 교정

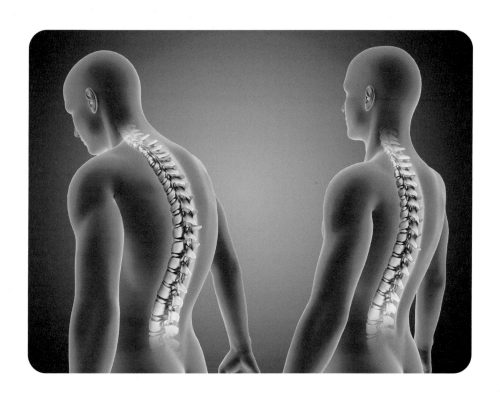

허리디스크 질문 때문에 영상으로 여러분들과 만나 뵙고 있습니다.

이것을 글로 쓰려고 하니까 복잡해서 말씀을 드리겠습니다.

일반적으로 허리 디스크의 수술은 하지 않는 것이 원칙이라고 많은 사람들이 이야기합니다.

그 이유가 감기에 걸렸다고 인두로 목을 지지거나 자르지는 않는 것과 같습니다.

허리디스크도 하나의 질환으로 보았을 때 수술을 원칙으로 하지 않습니다.

그러나 많은 사람들이 수술을 하게 되는 이유가 의료기관들의 협력 관계 내지는 의료기관에서 전해지는 말 때문에 여러분들이 현혹되는 경우가 있기 때문입니다. 일단 수술을 하지 않는다는 전제조건에서 이야기를 하겠습니다.

수술을 하고 오는 고객들이 통증을 호소하는 빈도가 수술하기 전이나 비슷하게 나타난다고 자꾸 말을 합니다.

이유는 디스크가 누르고 있던 부분을 제거를 해도 관같이 누르고 있던 부분이 회복될 때까지 충분한 휴식을 주어야 하기 때문입니다.

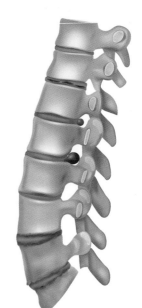

그래서 허리디스크수술을 해서 눌려 있던 부분을 잘라냈다고 해도 관 자체가 신경을 누르고 있던 것이 회복될 때까지는 최소 몇 날은 소요됩니다.

일반적으로 허리 디스크는 한 곳에서 나타나는 증상이 아니라 두 군데 이상에서 증상이 나타날 수도 있습니다.

그러니까 두 대를 심하게 맞았다고 했을 때 한 대 맞은 증상은 소실되었으나, 나머지 증상은 또 올라오는 것입니다.

허리 디스크는 고객들이 수술을 하면 증상이 없어진다는 생각을 하고 그것 때문에 관리실을 찾아와 여러분들에게 많이 호소를 하지만, 실질적으로 디스크가 눌리는 것보다 디스크가 눌렸을 때 신경관이 눌려서 같이 누르기 때문에 그렇습니다.

튀어나온 부분을 잘라내도 신경관이 눌려 있는 것이 회복될 때까지 신경관은 충분한 휴식시간을 주어야 됩니다.

그 부분을 온열관리하셔서 관 자체가 눌려 있는 부분을 풀어주거나 스트레칭을 하면서 그 신경관을 충분히 열어주어야 되는데, 그렇지 않고 수술한 상태로 그대로 두게 되면 관 자체가 유착되어서 증상은 일반적인 디스크 증상과 다른 증상이 나타나게 됩니다.

다리가 저린 증상이 와서 웅크리고 앉아 있으면 편해지면 척추관협착증을 동반하게 됩니다.

허리 디스크 자체로 보지 마시고 디스크가 오게 되면 척추관협착증이 동반되어 온다는 생각을 가지고 고객을 보시기 바랍니다.

이 부분에 대해서는 다시 몇 번 올려드릴 것이니까 척추디스크환자는 디스크 자체의 문제보다 신경관협착이 더 큰 문제라는 것을 먼저 인지하시고, 여러분들이 고객을 관리하고 상담을 할 때 그런 부분을 반드시 인지해주시기 바랍니다.

허리디스크환자는 필요 불가결하게 수술을 하게 되지만, 수술을 하지 않은 상태에서도 충분한 고객관리와 운동을 통하여 해결할 수 있는 증상이라고 볼 수 있습니다.

임상을 2~30년 간 하면서 많은 디스크 환자나 허리 환자들을 관리하고, 또 보게 되고 해부학 교수로서 우리 몸안을 들여다 보았을 때는 신경이란 우리 뇌에 아주 빠르게 전달되지 않는다는 것입니다.

그래서 몸에서 이길 수 있는 근육의 힘, 근막의 힘 등 에너지가 강하다면 디스크 자체는 크게 나타나지 않습니다.

그래서 일반적으로 디스크는 MRI 찍었을 때 디스크였는데 본인은 느끼지 못했다고 하는 것은 그만큼 에너지 힘이 강하다고 생각합니다.

허리 디스크 자체는 증상 자체를 하나의 증상으로 보지 말고 척추관협착증도 염두해 두고 보시기 바랍니다.

허리디스크와 허리염좌

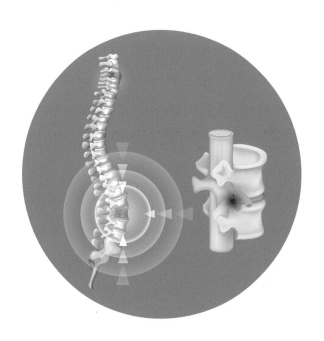

우리는 허리에 통증이 있으면 허리만 문제로 보는데, 이 때에는 요방형근도 보아야 합니다. 골반과 척추와 늑골에 붙는 것이 요방형근입니다.

통증의 주범이 요방형근인데, 요방형근에 문제가 오면 기침할 때 통증이 있고, 돌아 눕지 못하고, 잠을 잘 못자고, 바지가 틀어집니다.

요방형근의 문제는 요방형근 혼자 일으키지 않고 광배근하고 하후거근하고 같이 문제를 일으킵니다.

허리의 문제는 배에 있는 장요근을 통해서 풀어야 합니다.

세 개의 근육과 배에 있는 장요근은 서로 길항작용을 합니다.

길항작용이 있는 장요근을 이해하려면 소장을 이해해야 합니다.

입에서 항문까지 소화기의 길이는 12m입니다. 소장은 7m인데, 소장의 오른쪽은 붙어 있고 왼쪽은 떨어져 있고 횡격막이 있습니다.

간은 공간이 생기면 왼쪽으로 돌고, 소장은 오른쪽으로 도는데, 소장 마사지를 해서 간의 공간이 생기면 더 잘 돌아요.

횡격막의 공간을 확보하기 위해서 횡격막을 올린 상태에서 간의 공간을 확보하고, 소장마사지를 해줍니다.

왼쪽에서 오른쪽으로 직선으로 2회, 간쪽으로 30도 위로 2회, 다시 직선으로 2회 하고나서 소장을 잡고 누르면 장요근이 나와요.

장요근은 오른쪽과 왼쪽이 있는데, 허리통증은 왼쪽을 잡고 마사지해주고, 오른쪽은 흔들어만 줘요.

허리통증은 허리가 아니고 배를 통해서 관리해줘야 돼요.

허리통증에서 다리로 내려가는 디스크성 방사통은 중둔근과 위중혈을 푸는 것으로 해결합니다. 우리 몸은 자연치유력이 작동하기 때문에 스스로 치유인자가 돌아오게 하기 위해서 환자의 몸을 중력선안으로 들어오게 하고, 스스로 치유될 수 있게 하기 위해서는 근육량의 80%가 배꼽 밑에 있기 때문에 하지마사지를 통해서 관리와 혈액순환을 시켜야 합니다.

그것이 종아리의 승산혈입니다. 계속 혈액을 올려주는 동작을 하면 우리몸은 순환과 에너지가 돌게 됩니다.

종아리를 통해서 관리를 해서 혈액순환이 된다는 것은 우리 몸에서 자연치유력이 일어나는 하나의 과정입니다. 가장 좋은 요법은 허리 주변과 허리에 직접적인 수기를 하는 것이 아니라 허리와 길항적인 역할을 하는 복부를 관리하는 것이 가장 현명한 관리법입니다.

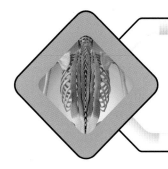

척주기립근과 허리통증

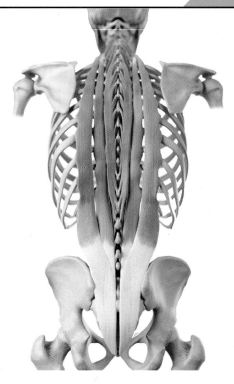

척추에는 극돌기와 횡돌기가 있습니다.

척수신경이 내려와서 요추 1번에서 가지로 내려옵니다. 요추 1번까지는 척주기립근의 마사지 또는 척추의 마사지를 편안하게 하면서 내려옵니다. 척주기립근 마사지 시 극돌기에 엄지를 대고 툭 떨어지며 횡돌기를 눌러줍니다. 팔꿈치는 펴고 상체를 이용해서 마사지를 합니다.

요추 1번부터는 여러 방향으로 마사지를 합니다. 엉덩이 방향 또는 중둔근 방향으로 당겨오기도 하고, 천골라인 부분으로 그대로 타고 내려 갑니다. 이때 중요한 것은 극돌기 바로 옆을 풀어주는 것입니다.

디스크는 고관절 및 골반 위중을 풀어주고, 허리만의 문제는 요방형근을 풀어주면 됩니다.

간과 횡격막을 통한 허리통증 잡기

허리가 잘 젖혀지지 않을 때에는 간과 횡격막을 통해서 한 번 잡아보겠습니다.

코로 숨을 들이마시고 내쉬면서 직선으로 눌러서 숨이 멈추면 위로 올리고...1회, 총 3회 실시

- 준비

- 당기고

- 당기고

- 직선 당기고

- 밀고

- 위로 30도 밀고

- 직선 밀고

소장 마사지를 실시한다.

상경추 견인

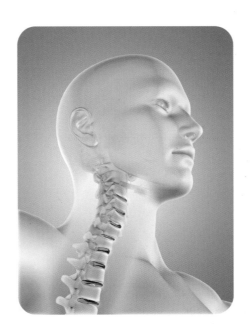

－환자의 고개 가동범위를 확인한다

－본인이 불편한 것을 느끼세요? 네

－어떻게 느끼는데요? 머리도 아프고, 목을 돌리는데 불편하고...

－상경추가 틀어졌을 확률이 높은 것이고, 흉쇄유돌근에서 혈액순환이 원활하지 않고, 머리에 올라가 있던 뇌압이 떨어지지 않을 수 있고......

그래서 이 분은 상경추를 땅길 것입니다.

숨을 들이마시라고 하는 것은 650개의 근육이 움직이고 횡격막이 움직이고 내장기가 혈액을 원활하게 돌려주는 상태에서 숨을 내쉬고...... 멈추면 당겨준다. 1, 2, 3, 4, 5, ...흡... 3회 당기고 나서 목 주변의 근육을 만져 풀어주어라.

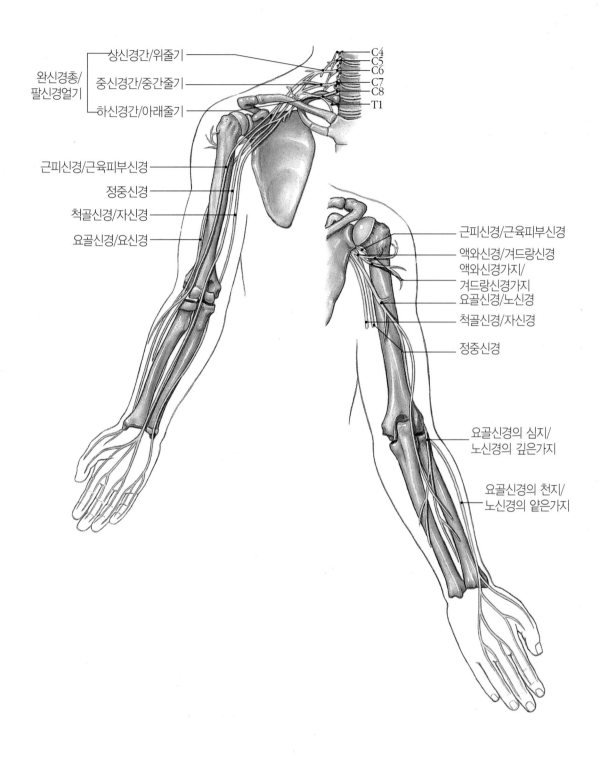

상경추를 당기면 4가지가 좋아진다고 했습니다.

혈압이 떨어지고, 뇌압이 떨어지고, 림프순환이 잘 되고, 640만개 조의 뇌신경이 원활하게 흐르게 됩니다.

팔저림

고객이 "팔이 저리다."라는 표현을 하고 손이 부어서 안 펴진다고 합니다.

일반적으로 우리가 알고 있는 '팔이 저리다.'라는 것은 목디스크의 일환으로 목을 통해서 사각근이 눌리는 증상이 사각근과 쇄골하근, 소흉근을 통해서 팔로 내려가는 증상입니다.

또한 저리는 증상 말고 사각근을 눌렀을 때 밑으로 찌릿찌릿 내려가는 흉곽출구증후군 또한 팔 저림에 영향이 있어요. 또 사각근이 폐색되어서 너무 살이 많이 찌거나 눌려서 오는 팔저림도 있습니다.

대부분의 문제는 디스크 때문에 온다는 생각을 하면서 엄지손가락을 굽혔을 때 6자 같이 생겨서 그 부분의 감각이 마비가 될 때에는 경추 6번의 문제로 보게 됩니다.

또한 4번째와 5번째 손가락의 감각이 무뎌지거나 통증이 올 때는 팔을 위로 올려 봅니다.

통증이 완화되면 그것은 사각근의 문제이고, 손을 밑으로 내려서 통증이 소실되면 소흉근의 문제이고, 어떤 동작에서도 통증이 소실되지 않으면 디스크로 볼 수 있어요.

그러면 여러분들은 어떻게 관리를 해야 할까요?

목은 각도상 문제 때문에 일자목이나 거북목은 C 자 커브가 되도록 만들어 주면 우리 몸에서 스스로 회복되는 시간을 주게 됩니다. 우리 몸의 자연치유력을 유도하는 것이 가장 좋습니다.

자연치유력을 유도하는 방법은 각도를 잡아주고, 그 각도에 맞춰 견인요법으로 상경추를 당겨주고, 그다음에 손을 풀어주면 겨드랑이의 액와부분, 쇄골부분, 전사각근·중사각근 부분, 소흉근 …상완신경총 부분을 집중적으로 풀어주게 됩니다.

그러나 정중신경과 모든 신경들이 내려가는 양상을 보면서 통증을 해결한다는 생각을 하기 전에 어디를 가거나 편안한 장소에서 교수님의 강의를 틀어놓고 들으면 여러분들의 귓속으로 들어가서 자연스럽게 고객들에게 설명할 수 있게 됩니다.

다시 설명을 드립니다.

"팔이 저린다. 목디스크가 왔다."라고 이야기를 하되면 일단은 사각근의 문제부터 살펴보세요. 또 신경이 내려오다 눌리게 되기 때문에 모든 경추의 원인은 두판상근 주변의 근육을 풀어주는 것이 맞지만, 신경의 양상과 흐름에 따라서는 앞에 있는 사각근이 눌러서 오는 것이 대부분이기 때문에 소흉근을 통해서 내려오는 증상이기도 하고, 흉곽출구증후군에서 올 수도 있고, 폐색이 되어서 올 수도 있습니다. 이런 상황들을 잘 판단하여 목디스크라면 거기에 맞는 가장 적절한 관리를 주어야 하는데, 이때 가장 좋은 관리란 목의 각도를 정상적인 C자 커브로 만들어주는 것입니다.

오늘은 팔저림에 대해서 이야기했습니다.

팔저림과 사각근·소흉근 문제가 목디스크와 다른 점

"팔이 어떻게 불편하세요?"

"어깨가 아프고, 팔이 저리고, 견갑골 있는 데도 저립니다."

그러면 이 분이 진짜 목디스크인지 어깨 통증인지 확인하고 사각근의 문제인지 소흉근의 문제인지 확인해 보겠습니다.

"가만히 있어도 저려요?"

"약간 저립니다."

팔을 위로 올려서 확인 결과 안 저리다고 하시면 팔을 뒤로 빼 보세요? 괜찮아요.

그러면 이 분은 목 디스크가 아니고 사각근과 소흉근에서 내려가는 상완신경이 막혀 있는 상황입니다.

"지금도 저려요?" "조금요."

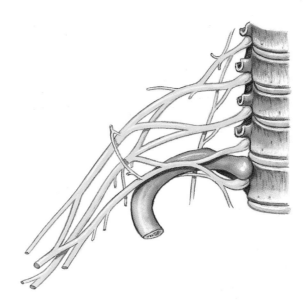

이 분은 전사각근·중사각근 라인에 문제가 와서 눌려서 그래요.

여기는요 사각근은 벌려주고 늘려주고, 사각근의 쇄골라인을 잡아서 비벼주고, 다시 올렸다가 내리고....가만히 계세요. 저린지.....

저림증상은 어떻게 보면 신경상의 문제가 아니고 사각근의 눌림증상에서 나타나요.

이 분은 사각근을 열어주었지만 흉쇄관절도 열어주어야 합니다.

수근관증후군

수근관증후군은 카팔터널증후군(Carpal Tunnel Syndrome)이라고 하며, 정중신경에 문제가 일어나면 엄지부터 정중신경라인에 문제가 일어나는 증상입니다. 그래서 손의 감각이 둔해져서 물건을 떨어트릴 수 있습니다.

이것을 테스트하는 것은 팔렌 테스트(Phalen's test)를 해서 1분 정도 눌러서 통증이 심해지면 카팔터널증후군을 의심할 수 있고, 또 역팔렌 테스트도 있습니다.

1분을 해도 신경이 눌릴 수 있습니다.

그런데 이렇게 신경 테스트를 했는데도 증상이 나타나지 않으면 상완신경총에 문제가 있는 것입니다.

이것은 어떻게 테스트 하느냐면 고개를 숙이고 팔을 떨어트린 상태로 있을 때에는 상완신경총의 문제로 봅니다.

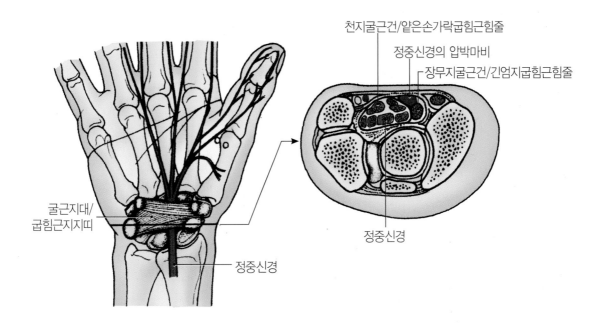

천지굴근건/얕은손가락굽힘근힘줄

정중신경의 압박마비

장무지굴근건/긴엄지굽힘근힘줄

굴근지대/
굽힘근지지띠

정중신경

정중신경

팔렌 테스트에서 나타나지 않아도 경추 6번, 7번은 정중신경의 줄기 뿌리이기 때문에 수근관증후군도 위의 신경을 같이 봐 주어야 된다고 생각합니다.

올려논 영상은 정중신경의 근막을 자른 사진입니다.

영상을 보면 끔찍하지만 수근관증후군이 오게 되면 잘 풀어주고 쉬게 하고 깁스를 한 상태에서 팔을 쉬게 하는 과정에서도 증상을 제거할 수가 있고, 손등과 손 주변, 손목, 심하면 상완신경총까지 풀어주면서 개선시켜주어야 합니다.

타이핑이나 컴퓨터 많이 하신 분들, 손을 많이 쓰는 분들이 수근관증후군이 많이 오고, 드물게 수기치료를 많이 하신 분들에게도 증상이 오기도 합니다.

손목의 증상을 호소하는 분들이 많습니다.

그러나 산모들의 손목이 아픈 것과는 약간 구분해야 합니다.

산모들은 애기를 낳고 나타나는 증상은 아이에게 엄마의 뼈에서 진액이 나가서 출산 후 6개월까지 손목이 급격히 통증을 호소하는 것은 수근관증후군이 아니라는 것입니다. 그것은 몸안의 진액상의 문제이기 때문에 이것은 별도의 관점에서 보아야 합니다.

손목이 아프다고 오시면 먼저 물어보아야 하는 것은 출산 후 6개월 과정에 있는지 먼저 물어 보아야 합니다.

수근관증후군은 보통 30대에서 60대 여성분들에게 많이 있기 때문에 가임기에 있는 출산 후 산모에게 오는 증상하고는 별개로 보아야 합니다.

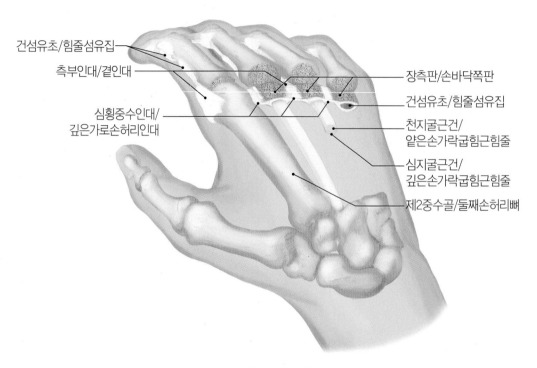

건섬유초/힘줄섬유집

측부인대/곁인대

심횡중수인대/
깊은가로손허리인대

장측판/손바닥쪽판

건섬유초/힘줄섬유집

천지굴근건/
얕은손가락굽힘근힘줄

심지굴근건/
깊은손가락굽힘근힘줄

제2중수골/둘째손허리뼈

중수지관절 주위의 결합조직

고관절통증

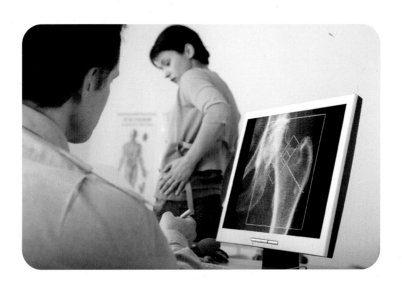

안녕하십니까? 오늘은 대퇴부통증에 대해서 설명드리겠습니다.

하지의 통증에 크게 관여하는 고관절통증과 무릎통증도 하나의 분류적인 요소로 가기도 합니다.

고관절의 문제는 고관절 자체의 괴사적인 문제를 따질 때에도 무릎관절도 이야기합니다.

그러나 관절 자체의 문제 말고 허리에서 내려가는 2차적인 문제인 방사통의 개념을 설명합니다.

허리에 문제가 있어서 다리로 내려가는 허벅지 뒤쪽 일명 '햄스트링'을 통해서 내려가는 증상과 허리쪽을 타고 앞쪽으로 내려가는 증상이 있습니다.

이 경우에는 근본적인 허리의 문제인 요방형근, 광배근, 하후거근의 문제들을 잡아서 허리의 문제와 복부에 있는 장요근을 풀어서 허리통증을 균형적인 요소로 풀어줍니다.

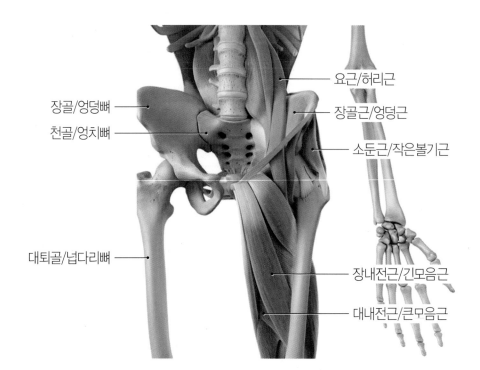

장골/엉덩뼈

천골/엉치뼈

대퇴골/넙다리뼈

요근/허리근

장골근/엉덩근

소둔근/작은볼기근

장내전근/긴모음근

대내전근/큰모음근

그러나 허벅지 자체적인 문제 또는 대퇴부 앞쪽과 뒤쪽의 문제는 한번 분리해 보자는 것입니다.

대퇴근막과 장경인대의 문제가 오면 O다리가 되며, 또 봉공근과 박근이 약하면 X다리가 됩니다.

휜다리에서 오는 균형적인 것은 연관된 부분이나 현재 문제가 있는 부분을 정맥순환마사지를 통해서 풀어주면 됩니다.

동맥적인 마사지보다 정맥적인 마사지를 통해서 혈액순환을 시켜주는 자체가 훨씬 더 뛰어납니다.

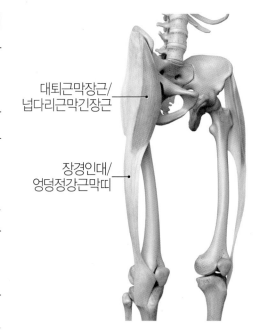

대퇴근막장근/
넙다리근막긴장근

장경인대/
엉덩정강근막띠

우리 몸에는 근육량의 70~80%는 배꼽 아래, 즉 하지에 있습니다.

근육량 자체가 많다는 것은 우리 몸의 혈액순환 자체를 담당한다는 얘기인데, 그 이야기는 그 혈관정맥 안에 들어 있는 판막기능을 근육이 조절을 한다는 뜻입니다.

그래서 허벅지·대퇴부의 문제는 하지하고 연관이 있으면서 복부에 있는 외복사근과 연관이 되어 있는 전거근과 림프등 뒤쪽을 타고 내려가는 것도 보아야 합니다.

능형근, 전거근, 외복사근, 대퇴근막장근 또는 봉공근하고 연관되어 있는 것과 다리하고 연관된 하지, 즉 종아리쪽에서 연관되어 오히려 허벅지통증을 개선시켜 주는 가자미근, 허벅지근육과 연관이 되어 있는 복부, 허벅지와 연관이 있는 등, 대흉근 등과 연관되어 있기 때문에 국부적인 요소와 하나의 흐름을 전반적으로 보기도 합니다.

대퇴부의 통증, 하지의 통증을 논하기 전에 먼저

⫸ 다리에서의 문제인지
⫸ 허리에서 다리로 내려가는 방사통의 문제인지
⫸ 고관절에서 오는 문제인지
⫸ 무릎관절에서 오는 문제인지

를 보아야 합니다.

고관절은 나이가 들면서 틀어지기 시작하면서 그곳에 있는 좌골신경에 자극을 주어서 엉덩이 주변과 무릎 주변에 통증을 유발하기도 하고, 또는 허리 디스크로 인해서 통증이 다리로 내려가는 증상과 신경관협착증에 의한 증상도 있습니다.

여러분들은 허벅지의 증상을 대퇴부 증상의 하나로 보지 말고 허리와 무릎과 종아리하고 연관된 그림을 보고 체간의 대칭적인 것을 같이 연관시켜 살펴보시기 바랍니다.

조금 애매한 부분도 있습니다.

허벅지 증상을 개선시킬 수 있다거나 허벅지만의 문제를 가지고 풀어줄 수가 있다는 것은 마사지같은 요소밖에 없습니다. 그러나 신경에 의해서 통증의 문제로 오는 것은 상위 관절과 질환이 위쪽에 있다는 것도 한번 생각을 해보아야 합니다.

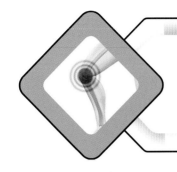

무릎통증 해결 포인트

슬개골에 선을 긋고 무릎 아래에서 직선으로 선을 긋습니다.

앉았을 때 이 선이 그대로 직선인지 확인하세요? 틀어지죠.

이것은 앉을 때 돌면서 앉기 때문입니다. 적당하게 틀어지면서 앉았지만, 너무 틀어지지 않아도 굳어 있어서 깨진 것입니다.

무릎을 치료하는 포인트를 알려 드리겠습니다.

첫 번째는 독비혈을 풀어주어야 되고, 두 번째는 안쪽 경골라인하고 흘러가는 라인이 만나는 포인트가 있습니다.

뒤로 돌아서 위중라인에서 노들(nodal)이 잡히는 곳을 찾아서 6번씩 풀어주는 동작을 하고, 다시 주변으로 옮겨가서 통증부위 찾아서 다시 풀어줍니다.

위중혈은 방광 1선과 2선이 만나는 자리이고, 통증은 안에 물들이 차서 잡히는 것입니다.

세 번째는 누워서 무릎을 약간 굽히고 고관절 위의 대퇴부 바로 위쪽을 잡아서 무릎 자체의 가동범위를 살려서 대퇴부를 원래대로 돌려주는 동작을 해야 합니다.

그리고 그대로 돌려서 풀어준다. 하나, 둘, 셋....풀었다 다시 하나, 둘, 셋

이 부분들을 잡아주면 무릎에 대한 통증을 풀 수 있습니다.

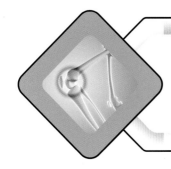

만성무릎통증 해결법

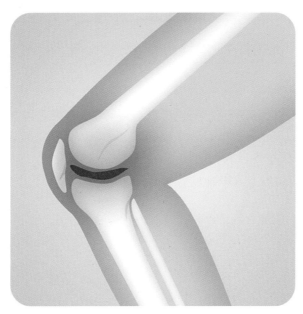

일어서서 양쪽 엄지발가락을 붙이고 그대로 손을 대지 말고 앉아요. 그대로 일어나세요. 어디가 아팠어요? 왼쪽다리....외측?

왼쪽 무릎이 잘못된 경우를 보겠습니다. 그래서 아까 교수님이 경골라인 끝나는데서 만나는 라인을 잡아서 시계방향으로 하나, ...여섯번..., 샵에서 할 때에는 조금 더 액션으로 동작을 크게 해서 최선을 다하는 모습을 보여주어야 할 것입니다.

　－발목 잡고 준비

　－위중 대고 발목 당기기

　－위중혈

경골라인이 만나는 지점에 엄지손가락으로 위중혈에 발가락을 걸고 당겼다가 딱 걸리는 순간 그대로 가요.

발목을 잡고 몸쪽으로 살짝 살짝 당긴다.(3회 × 6번)

엎드려서 위중혈(햄스트링)을 마사지했을 때 통증이 오면 지방같이 뭉치는 것이 있는 거예요.

좌골신경이 내려오다가 위중혈에서 2개로 갈라져 내려 와요.

몸이 안 좋게나 허리가 아프거나 위중혈 부근에 무엇이 걸려요. 첫 번째 것을 잡아서 돌려주고(시계방향) 꽉 눌러주고, 6회 돌려주고 그대로 손을 떼요.

그리고 다시 만지면 그 자리에 뭉친 것이 없어요. 다른데로 도망갔어. 다시 찾아야 되요.

다시 찾아서 하나, 둘...여섯 까지 돌리고 손을 떼요. 그리고 다시 가보면 또 움직였어요.

그러면 다시 눌러서 6회 돌리고 손을 떼요. 앉아 일어서 ... 확인한다.

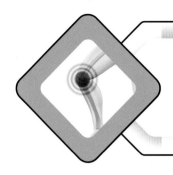

무릎의 해부학적 구조와 통증 해결 포인트

무릎에 대해서 설명하겠습니다. 무릎을 이해해야 합니다.

무릎의 해부학적 구조도 이해해야 되고, 무릎에서 통증이 나타나는 진짜가 무엇인지 알아야 하는데, 무릎의 증상을 헛다리를 집는 경우가 많습니다. 무릎 자체에 집중을 하는데 무릎을 건드리는 것이 아닙니다.

무릎은 골반을 풀어야 낫습니다.

횡격막이 있고 여기에 장요근이 붙어 있습니다.

장요근이 내려오면 대둔근이 붙습니다. 대퇴 외측으로 대퇴근막장근이 붙고요.

뒤쪽에는 치골근이 붙고요. 중심은 반월연골이 잡아요. 무릎을 잘라 보면 반월연골이 있고, 그 안에 물주머니가 있습니다.

이 반월연골이 터지면 무릎이 아픕니다.

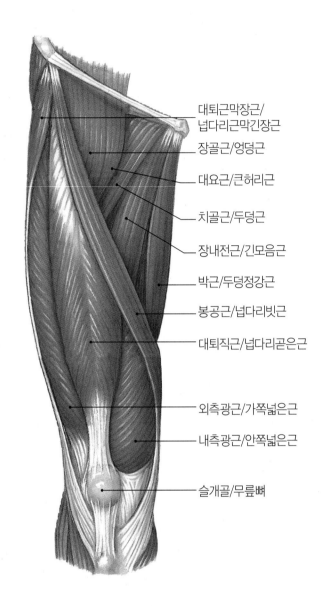

대퇴근막장근/
넙다리근막긴장근

장골근/엉덩근

대요근/큰허리근

치골근/두덩근

장내전근/긴모음근

박근/두덩정강근

봉공근/넙다리빗근

대퇴직근/넙다리곧은근

외측광근/가쪽넓은근

내측광근/안쪽넓은근

슬개골/무릎뼈

여러분들이 알고 있는 것 중에 틀린 것이 무엇이냐면 위쪽에는 대퇴골이 있고 아래쪽에는 경골과 비골이 있어서 다리를 움직이면 다리가 왔다갔다 한다고 생각하는 것입니다.

이것을 움직이게 하기 위해서 전상장골극에 붙어서 내려와서 경골 부위에 붙는 근육이 봉공근이고, 박근도 이 쪽에서 내려와 경골에 붙습니다.

봉공근은 양반다리 근육이라고 하는데, 길항적으로 움직이면 다리가 앞뒤로 왔다갔다 하는데, 이때 직선이 아니고 왔다갔다 하면 회선이 살짝 생겨야 합니다.

오다리는 계속 뻗을 때 부딪쳐요. 그래서 반월연골이 깎인다고 합니다. 이것을 관절염이라고 합니다.

무릎은 직선운동이 아니라 약간 회선운동을 하고 있고, 그래서 대퇴직근, 봉공근, 장요근, 경골 라인을 풀어주지 않으면 낫지 않습니다. 더 중요한 것은 무릎 뒤에 있는 위중인데, 이 위중은 방광 1선과 2선이 만나서 하나로 합쳐지는 곳입니다.

허리통증이 오거나 무릎관절염이 있으면 위중 라인에 조그만 덩어리가 생깁니다. 통증이 오면 그것이 걸려 있는데, 이것을 깨 주면 증상이 풀리게 됩니다.

무릎통증은 무릎에서 잡는 것이 아니라 골반과 위중에서 잡는 것입니다.

고관절과 장요근 라인의 서혜부, 위중 라인을 수기법으로 풀어주어야 무릎통증이 완화됩니다.

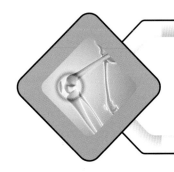

무릎통증 해결 비밀 6포인트

무릎이 아플 때 해결 포인트를 잡아 드리겠습니다.

일단 다리를 15도 정도 세우고 두 포인트를 잡습니다. 혈자리로 말하지 말고 쏙 들어가는 부분에서 두 포인트를 잡습니다. 경락이 열려 있어야 합니다. 그대로 잡고 90도 꺾었다가 15도 내리고, 총 6회 펌핑을 합니다.

무릎 뒤 쏙 들어가는 부위와 경골과 만나는 부위를 꽉 누르고 시계방향으로 6회 눌러줍니다.

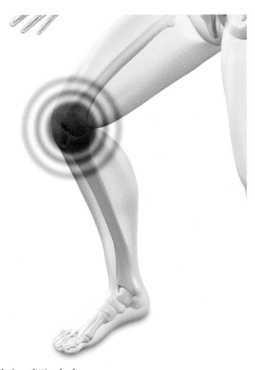

경골라인과 복사뼈 사이를 3등분해서 자리를 잡고 꽉 누른 다음에 시계방향으로 6회 눌러줍니다.

엎드려서 위중혈에 손가락을 대서 떼지 말고 걸리는 것을 찾아야 합니다.

어떤 무릎도 치료되는 포인트입니다.

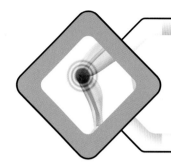

무릎통증의 즉효 수기법

무릎에서 오는 문제는 무릎 자체의 문제보다 대퇴골하고 경골과 비골이 만나는 지점에서 밑의 뼈가 약간 안쪽에 들어가서 다리를 움직일 때 약간 벗어나게 됩니다.

들어갔다나왔다 스크류 무브번트(screw movement)가 일어납니다. 무릎 문제는 무릎 자체보다 고관절에서 풀어야 되는데, 고관절 골두 바로 위에서 풀어야 됩니다.

무릎 라인에서 오는 통증은 위중에서 포인트를 잡지만, 똑바른 자세에서 위중을 건드리면 통증만 일으키게 됩니다. 따라서 약 15도에서 30도 굴곡시킨 상태에서 위중을 자극하거나 포인트를 찾으면 포인트가 딱 나타납니다. 아픈 자리가 ...

그 자리를 기점으로 잡고 시계방향으로 먼저 통증을 해결합니다. 이 부분에 통증이 없어지면 옆이나 밑에 통증이 옮겨져 있어요. 세 번째 통증을 잡고 에너지의 흐름을 봐서 진짜 통증의 포인트를 잡고 해결하면 첫 번째 증상이 해결됩니다.

위중을 잡을 것이냐, 외측에서 오는 통증을 잡을 것이냐 하는 것은 시술자의 선택인데요. 대부분의 무릎통증은 위중에서 잡는 것이 효과가 제일 빠릅니다.

고객이 호소하는 내측이나 외측은 거의다 가짜 통증입니다.

바깥으로 장경인대, 안쪽으로 내전근의 통증은 고관절 골두에서 오는 문제이기 때문에 다리를 45도 굽히고 고관절 골두 위쪽을 팔꿈치로 3포인트 찾아 통증을 해결합니다.

무릎의 문제는 다음과 같이 해결합니다.

- ⫸ 무릎 자체보다는 가짜 통증으로 인해서 골반의 변형으로 오는 무릎통증이 대부분이다.
- ⫸ 무릎에 통증이 나타나면 외측과 내측의 통증은 진짜 통증이 아니다.
- ⫸ 모든 통증은 무릎 뒤에 있는 위중을 통해서 해결하라.

무지외반증

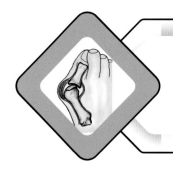

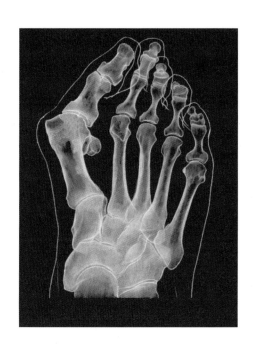

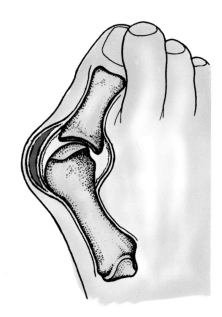

외반무지는 체중의 불균형 때문에 오는 공손과 엄지발가락의 틀어짐을 바로 잡아 해결하는 방법과 다리의 균형과 밸런스를 잡아 해결하는 방법이 있습니다.

정상적인 상태에서는 체중의 69%가 발꿈치에 있어야 되고, 엄지발가락쪽 라인에는 28%의 체중이 와야됩니다.

그래서 공손 라인을 눌러주면 발의 모양이 잡힙니다.

－발의 모양

－공손 부위 확인

－전경골근

이쪽에 문제가 생겼다는 것은 위경락과 토의 에너지에 문제가 생겼다는 뜻입니다.

외반무지에 문제가 많이 오는 분들은 위에도 문제가 옵니다.

엄지발가락의 발톱은 찌그러져 있습니다.

공손부위가 살아나면 정상으로 오는데 눌리니까 찌그러져 있습니다.

공손쪽을 자극하는 방법은 다리를 45도 벌리고, 공손부위를 잡고 팔꿈치를 이용하여 앞뒤로 마사지합니다.

공손혈을 풀어서 에너지가 돌게 하고 무지외반증과 균형을 잡아줍니다.

공손라인을 풀었더니 발가락이 벌어지기 시작합니다.

통증과 근육을 주관하는 것은 간입니다.

하지의 변형과 무지외반증을 해결해주는 공손은 비경락입니다. 우리 인체에서 체형과 관련된 장기는 비장입니다.

비장은 위장 뒤에 숨어 있는데, 비장은 위장 뒤에 숨어 있으면서 23.5도 기울어져 있습니다. 지구의 자전축과 똑같이 기울어져 있는 모양이 정상인데, 체중의 요소와 몸의 벨런스가 깨지면 무지외반증이 옵니다. 이 튀어나온 부분을 병원에 가서 깍아낼 것이 아니라 체형을 바로 잡아주면 얼마든지 잡아줄 수 있습니다.

공손이라는 자리와 비경락이라는 것을 잊지 말기를 바랍니다.

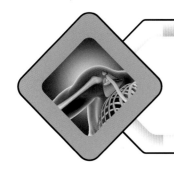

어깨치료의 3포인트

어깨는 다른 부위보다 뇌와 가까이 있어요.

팔꿈치·손목·무릎 등 모든 부위가 뇌에 통증신호를 보냅니다. 그러면 뇌는 공정하게 케어하려고 노력합니다.

그런데 어느부위나 더 많이 케어해줄 것을 기대합니다. 예를 들어 태풍이 올 때 제주도지사는 우리 도에 태풍이 많이 왔다고 도와 달라고 요청을 하지만, 중앙정부에서 볼 때에는 부산도 같은 피해를 보았습니다. 그런데 제주지사는 집이 무너진 곳을 사진을 찍어서 보내게 됩니다.

마찬가지로 어깨의 어디가 아프다고 하는데, 내가 아프다고 해도 신경을 안 쓰니까 가짜 통증을 세 개 만들어요. 이 이론은 철저하게 신 교수님이 만들었고, 가설입니다.

30년 동안 고객관리를 하면서 느꼈던 포인트입니다.

통증을 찾을 때에는 다음의 세 가지 패턴으로 갑니다.

1. 엄지를 위로 해서 들어서 올리는 패턴

2. 손등을 위로 해서 올라가는 패턴

3. 손바닥이 위로 해서 올라가는 패턴

제일 많이 안 되는 패턴이 손바닥을 위로 해서 올리는 것이고, 제일 잘 되는 패턴이 엄지입니다.

항상 잘 되는 것부터 시작합니다. 그래서 고객에게 어디까지 올라가는지 어디까지 괜찮은지 물어보세요. 그러면 그 각도를 내가 알고 손을 움직여주면서 통증을 유발시켜줍니다.

고객이 올리는 각도까지 올리고 시술자가 조금 더 탁 치면 '악' 하는데 이때 "어디가 아프세요?" 환자가 손으로 찍으면... 이곳이 가짜 통증입니다. 그러면 파스로 표시하고 엄지로 직선으로 누르면서 6회 돌려줍니다.

같은 방식으로 두 번째, 세 번째 통증을 찾습니다. 그러면 거의 삼각형을 이룹니다. 모든 통증은 대부분 삼각형을 이룹니다.

삼각형의 가운데 부분을 진통증으로 봅니다. 그 부위를 직선으로 눌러서 6회 자극을 주면 팔이 안 올라간 부분에서 더 많이 올라가요.

그러면 집에 가서 이 정도 가동범위를 유지시키고 오라고 합니다.

둘째 날 환자가 오면 손등으로 3포인트 잡고, 그 다음날은 손바닥으로 3포인트 잡고, 넷째 날 오면 엄지 부위부터 다시 시작합니다.

그렇게 해서 관절가동범위를 늘려갑니다. 물론 이것을 하기 전에 먼저 연관된 부위를 전부 풀어주는 것이 선행조건입니다.

이 세 포인트를 풀어주었으면 어깨의 가동범위에 영향을 미치는 연관된 관절을 풀어주는 것입니다.

－천돌혈의 V 자 부위 쇄골뼈와 흉골의 연결부위를 눌러서 직선으로 마사지

－어깨와 연관된 쇄골이 끝나는 관절(견쇄관절, 견봉쇄관절)

이렇게 아픈 부위와 관절을 잡아주면 팔은 쫙 올라갑니다.

오래된 어깨통증 즉시 해결법

손을 돌릴 때 안 되는 동작이 있는데, 그 동작으로 통증을 찾아볼께요.

그 동작에서 통증 포인트를 찾아 볼께요.

-안되는 동작

-뒤로 톡..악

-흉쇄관절

-견봉쇄골관절

아픈 자리를 잡아서 첫 번째 자리를 직선으로 눌러서 시계방향으로 돌린다(6회)

두 번째도 뒤로 최대한 돌리고 멈출 때 톡.....통증부위에서 직선으로 시계방향으로 돌린다(6회)

세 번째도 뒤로 최대한 돌리고 멈출 때 시술자가 톡 ...통증부위를 확인한 다음 직선으로 시계방향으로 돌린다(6회)

가짜 통증을 잡으니까 통증이 덜해졌다.

두 번째는 흉쇄관절, 견봉쇄골관절, 전·중사각근 부위를 풀어주었는데 잘 움직인다.

세 번째 더 좋게 하려면 겨드랑이(액와부분)를 풀어주면 된다.

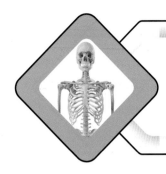

인체매듭의 원리

먼저 상경추를 풀어야 합니다. 경추 1번과 2번... 640만 개의 신경과 혈압, 뇌압, 팔저림, 팔뚝살, 팔뚝이 두꺼운 사람, 림프순환이 안 되면 어깨, 팔뚝 · 목이 두꺼워지고, 뇌압이 차면 눈이 빠질 것 같이 아파요. 그리고 나서 실핏줄이 터져요.

혈압이 올라가고 뇌압이 차면 머리가 터질 것처럼 아파요. 그런데 뇌압은 상경추를 당기면 가라앉아요. 그래서 상경추를 살려야 합니다.

경추 1번 640만 개의 신경, 뇌압, 거의 팔뚝살 및 체형전신관리의 중요한 포인트예요.

두 번째는 앞매듭이 나옵니다.

두피 풀고, 종아리 풀고, 상경추를 당겨주었다면 이제는 매듭을 풀어야 되는데, 이때 뒷매듭부터 풀어야 돼요.

1번째는 유양돌기 후두부쪽이예요. 상경추 라인

2번째는 흉추 7번 대내장 신경줄기 내장 5번 9번 사이 중심이 7번이에요.

3번째는 천장관절. 우리 몸에서 배설과 생식기능을 담당하는 천장관절을 3번째 뒷매듭으로 봐요.

앞 매듭은 다음과 같이 풀어요.

1번째는 유두 가운데 심포의 모혈인 단중혈(전중혈)을 풀어줘요, 시계방향으로....

유방과 유방 사이에 양손을 포갠 장압으로 숨을 내쉬면서 누르고, 멈추고 −3회 돌리고 들이마시면서 장압을 올리고.....다시....3회 반복해서

2번째는 배꼽, 즉 신궐혈입니다.

따뜻한 종기를 올려 놓고 있다 3회 돌리고... 다시 올려 놓고 있다 3회 돌리고 .... 총 3회 시행해요. 독소가 엄청나게 배출되는 고객들을 관리할 때 엄청나게 냄새가 나는데, 그것은 배꼽 즉 신궐에서 독소가 제일 심해요. 피부에서도 냄새가 나요. 그러나 심한 분은 배꼽에서 제일 많이 나요. 그래서 배꼽의 독소를 풀어주어야 해요.

한 가지 더. 그렇다면 고객의 피가 피부에 있는 것이 더러울까요? 혈관에 있는 것이 더러울까요. 정맥에 있는 혈액이..... 피부요. 왜요? 피부에 있는 것은 걸러지지 않는 혈액인데, 혈관에 있는 혈액은 림프가 독소를 한 번 걸러서 들어간 것입니다.

피부에 있는 혈액은 이것저것 섞여 있는데, 혈관에 있는 혈액은 한 번 걸러져서 들어간 것입니다.

피부를 통해서 일단 독소를 빼낸 것입니다. 한의원에 가면 일단 피부를 통해서 독소를 부황요법으로 빼냅니다. 앞 매듭은 배꼽에 있고 나머지는 똑바로 눕혀 놓은 상태에서 천장관절을 통해서 ASIS를 흔들어서 뒤의 천장관절을 자극을 주는 것입니다(양쪽을 잡고 좌우 흔들어주기).

이것이 앞매듭입니다.

처음 상경추를 풀어주는 것이 1번이고, 2번은 뒷매듭, 앞매듭을 풀라는 것입니다.

뒷매듭은 원리를 설명하면 먼저 상경추 부분과 유양돌기 라인, 미추신경과 상경추 라인에서 640만 개의 신경과 혈압, 뇌압, 림프, 640만 개의 신경연결 부분을 풉니다.

두 번째는 대내장신경. 내장기의 뿌리로 내려가는데 5번과 9번은 내장기의 뿌리예요. 그런데 그 중심이 7번이거든요. 그러니까 7번을 풀어주세요.

세 번째는 배설기와 생식입니다. 그래서 임신 중에 천장관절 라인을 풀면 바로 유산이 됩니다. 천장관절 라인은 여자의 생식기와 자궁하고 연결됩니다. 이 부분은 부드럽게 풀어서 소통을 시켜주어야 합니다.

뒷매듭은 해당 부위에 양손 엄지손가락 압으로 숨을 내쉬면서 쭉 누르고, 멈춘 다음에 위로 올리고 3 × 3회 시계방향으로 돌리고, 숨을 들이마시면서 힘을 빼면서 올리고 다시....총 3회 실시합니다.

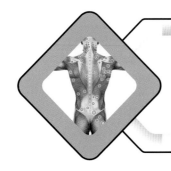

인체와 수기요법의 원리

늘 설명했던 것을 다시 한 번 보세요.

심장을 중심으로 올라가는 것은 중력을 거슬러 올라가는 것이고, 심장에서 내려가는 것을 보아야 되는데, 심장을 중심으로 머리로 올라가는 것은 기계와 힘이 있어야 합니다. 에너지가 있어야 된다는 뜻입니다.

만약 모터의 힘으로 올라간다고 하면 모터가 힘이 있어야 하고, 그 모터는 고장이 날 수 있다는 것입니다.

밑으로 내려가는 것은 모터가 없으니까 고장이 안 나는데, 올라가는 곳에는 모터가 있어서 이것이 고장나지 않게 평소에 기름을 쳐줘서 잘 올라갈 수 있게 해 주어야 되는 것이 첫 번째입니다.

팔의 움직임, 교근의 움직임, 양팔의 움직임, 교근의 움직임으로 혈액이 머리로 올라가지만 실질적으로 뇌로 올라가는 신경은 교근의 계통을 하나로 보고 다른 근육은 650개 라는 것입니다.

650개 근육을 동시에 움직이게 하는 것이 복식호흡입니다.

호흡을 통해서 숨을 들이마시고 뱉으면 몸안의 모든 근육이 움직입니다. 이 움직임에 영향을 주는 것이 횡격막입니다.

횡격막신경은 경추 3번에서 5번이기 때문에 목근육을 풀어주면서 횡격막의 포인트를 잡아주는 거예요.

그래서 목을 풀어주는 2번째의 횡격막과 경추 1번과 2번입니다.

경추 1번과 2번 위에는 뇌가 들어가 있습니다.

이 뇌가 뇌간인데, 뇌간에는 연수가 들어 있고 연수에는 10번 뇌신경인 미주신경이 나옵니다. 미주신경은 사각근 옆을 통해서 내장기를 만나는데, 전반적으로 부교감신경을 만나는 신경계통을 2번째 포인트가 상경추라인을 풀어주는 것이 키포인트입니다.

3번째 포인트는 척수신경이 끝나고 요추 1번에서 잔가지로 내려가면서 다리로 내려갑니다.

하지를 관리하는 관리포인트입니다.

요추 옆에는 요방형근이 있습니다. 요방형근은 상행결장하고 연결되어 변이 항문으로 내려가기 전에 영양분을 소장에서 흡수하고 대장에서 한번 더 흡수하기 위해서 올라가는 과정에 있습니다. 상행결장은 옆에 있지 않고 거의 뒤쪽 신장 옆의 횡행결장은 앞에 있고, 하행결장은 뒤쪽에 있습니다.

결국 뒤쪽의 장기는 신장과 상·하행결장이고, 중간 장기는 비장입니다.

앞에 있는 장기들은 횡행결장이나 간이나 소장은 앞쪽에 있어서 3개의 포인트가 잘 일어나는 것입니다.

1번째는 심장으로 올라가는 하나의 사각근 포인트....심장 위에 있는 문

2번째는 우리 몸의 모든 근육을 움직이는 횡격막

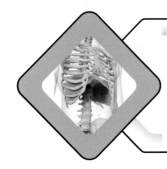

전신수기의 필요성

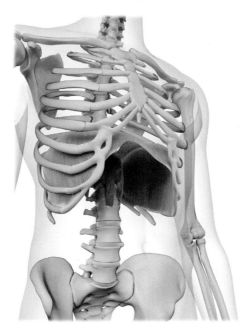

오늘은 전신수기를 해야 하는 이유와 전반적인 몸에 대해 설명하겠습니다. 우리는 중력을 받고 살아가는 인체에서 요구하는 것을 먼저 생각을 해 보아야 합니다. 인체에서 호흡하는 기도와 식도의 크기를 비교하면 기도가 큽니다.

호흡을 한다는 그 자체가 호흡의 양과 연관이 됩니다.

호흡근이라고 이야기를 하는 첫번째 근육이 횡격막, 대흉근 등이 있을 것입니다. 그러나 오늘은 횡격막에 대해서 이야기하겠습니다.

횡격막을 지배하는 근육과 신경은 경추 3번에서부터 5번입니다. 그러나 심장을 기준으로 해서 혈액이 위로 올라가는 과정의 하나는 위장에서 음식물이 위산과 연결이 되어 소장으로 넘어가면 소장에서 영양분이 간으로 가는 과정을 '간문맥순환'이라고 하고 또 하나는 음식물의 찌꺼기가 항문즉 변으로 버려지는 과정에서 상행결장으로 올라가는 과정입니다.

인체에서 주로 문제를 일으키는 과정은 중력을 거슬러 올라가는 과정에서 일어납니다.

1. 심장에서 머리로 올라가는 과정(사각근)

2. 소장에서 간으로 가는 과정(간문맥순환)

3. 상행결장의 과정(L_1)

공식적으로 이야기하면 심장에서 머리로 올라가는 과정은 경동맥의 과정에서 흉쇄유돌근과 사각근의 문제이고, 소장에서 간으로 올라가는 과정은 횡격막으로 보고요, 상행결장의 과정은 요방형근으로 볼 수 있습니다. 요방형근은 단독적으로 움직일 수 있는 상황이 아니기 때문에 요방형근·광배근·하후거근을 하나의 그림, 횡격막을 하나의 그림, 사각근과 흉쇄유돌근을 하나의 그림으로 보고 이 세 군데 포인트를 콘트롤 해주기 위해서는 몸에서 변화가 일어날 수 있는 하나의 온도변화를 감지시켜 주어야 합니다.

정맥순환은 그림의 움직임이고, 그림의 움직임을 원활하게 해주기 위해서는 정맥의 순환이 원활해야 합니다. 정맥의 순환 중에 근육의 역할은 우리 몸 중에서 배꼽 밑에 있는 하지근육이 70~80%를 합니다.

하지의 순환 자체를 몸안의 혈액순환이라고 보고, 또 근육의 순환이 일어나게 되고, 몸의 변화가 일어나려면 체온의 변화가 일어나야 됩니다.

쌀이 밥이 되는 과정이나 옥수수가 팝콘이 되는 과정 등은 모두 열이 들어가서 열로 인한 변화입니다.

우리 몸에도 변화가 일어나거나 균이 들어오게 되면 체온을 상승시켜 변화를 맞이하게 됩니다. 그래서 체온을 상승시킬 수 있는 가장 좋은 방법은 종아리 부분에 있는 승산을 자극하여 체온을 올리는 것입니다.

다시 이야기합니다.

몸의 변화와 전신관리를 해야 하는 가장 중요한 이유는 중력의 반대 방향에서 일어나는 세 개 포인트인 심장에서 머리로 올라가는 과정, 소장에서 간으로 영양물질이 올라가는 간문맥의 과정, 상행결장의 과정, 하지에서 종아리를 풀어서 몸안의 온도 변화와 근육의 움직임 즉 정맥순환의 과정을 하나의 큰 그림으로 보아야 하기 때문입니다.

이것이 우리가 전신관리를 해야 할 이유이자 포인트라고 보면 됩니다.

여러분들이 몸안을 차분히 보면서 고객에게 빨리 효과를 보게 하거나 몸을 통해서 느낄 수 있게 만들어준다면 지금 이야기한 포인트하고 뇌척수액이 흘러가는 상경추를 열어주는 것 역시 상당히 중요하다고 봅니다.

상경추를 열어서 소통의 흐름과 뇌척수액의 640만조개의 신경을 열어주고, 또 상경추를 풀면서 목 앞쪽으로 흘러가는 내장기의 흐름에 관여하는 미주신경의 영향까지 전반적으로 같이 봐주어야 됩니다.

지금 이야기하는 부분은 저의 강의를 처음 듣는 분들은 잘 이해하지 못할 부분이 있을 것이고, 강의를 계속 들었던 분들은 '아!' 하고 정리되실 것으로 생각합니다.

힘들고 어려워도 반복적으로 하시기 바랍니다.

저는 항상 여러분들을 응원합니다.

여러분들의 비빌 언덕이 되도록 하겠습니다.

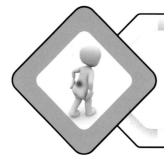

급성 요통 포인트

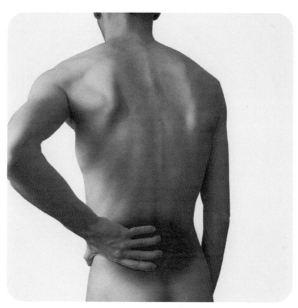

안녕하십니까?

오늘은 급성 요통으로 찾아온 고객을 관리하는 노하우를 알려 드리겠습니다.

일반적으로 급성요통으로 고객이 찾아오면 여러분들은 일단 마음이 급해져서 고객을 엎드려 놓고 허리 주변에서 문제를 해결하려고 합니다.

허리통증을 일으키는 일반적인 근육은 요방형근, 광배근, 하후거근의 세개가 주로 작동하는데, 길항적으로 작용하는 장요근이 주로 문제를 일으키게 됩니다.

여러분들은 마음이 급하고 고객의 요구에 의해서 허리부분에 손이 가게 되는데, 거기에 먼저 손이 가게 되면 생각지도 못한 일을 당할 수도 있습니다.

왜냐하면 급성요통으로 왔다는 것은 풀어지게 되면 근육이 완전히 이완되어 걸어들어 왔는데 다시 일어나지 못하는 상황을 맞이 하게 됩니다.

웬만하면 병원치료를 먼저 받게 하고, 그렇지 못하여 여러분들이 체계적으로 해결해주고 싶다면 제가 알려주는 방법을 잘 생각해야 합니다.

관계가 있는 고객이 방문했을 때 일단 똑바로 눕혀서 배에 있는 길항적인 요소, 즉 허리와 길항적인 장요근과 소장을 풀어줍니다.

– 장요근을 풀어줄 때에는 왼쪽 배꼽 밑에 양손을 포개서 45도로 대고 호흡을 '흡' 할 때 배쪽으로 쭉 밀어주다 '호' 할 때 딱 뗍니다.

– '흡' 할 때 힘을 빼고, 다시 '호' 할 때 눌러주고 딱 뗍니다. 두 번.

– 환자의 왼쪽에서 한손은 환자의 무릎을 잡고, 왼쪽에서 오른쪽으로 두 번 밀고 30도 방향 위로 두 번 밀고 다시 직선으로 두 번 밀고 나서 장요근에 자극을 줍니다. 이때 호흡이 중요합니다.

배에 있는 내복사근·외복사근·복직근·복횡근에, 복부에 있는 복직근에 힘을 주었다 빼면서 골반의 각도와 조절운동을 합니다.

소장을 풀어주고, 장요근을 풀어주고, 힘의 저항을 주는 등척성 운동을 합니다. 등척성 운동은 쉽게 이야기해서 강제로 운동을 시키는 것이 아니고 고객과 시술자와 힘을 서로 맞대는 운동입니다.

예를 들어 고객이 발을 벽에 댔습니다. 고객의 두 발을 시술자가 지지해서 고객은 밀고 시술자는 버티어주는 힘의 동작으로, 고객은 코로 숨을 들이마시고 입으로 숨을 뱉습니다.

이렇게 하면 인체에 작동을 하는 650개의 모든 근육들이 작동을 하고, 횡격막이 작동하면서 횡격막에 붙어 있는 요방형근과 장요근에 힘을 주게 됩니다.

힘의 방향대로 조금씩 힘을 주었다뺐다 하는 운동, 즉 저항운동을 하면서 이들에게 힘의 방향성을 서로 지게 하여 복부를 풀어줍니다.

급성요통일 때 중요한 것은 바로 서기입니다. 서서 걷게 되면 증상이 완화됩니다.

여러분들은 눕힌 상태에서 고객이 일어나지 못하는 상황이 오면 너무 많은 생각을 하게 되고 놀라게 됩니다. 그때는 긴장을 하지 마시고 복부를 풀고, 저항운동을 해 주고, 옆으로 일어서서 세우면 대부분 일어나게 됩니다.

그다음에 PPT 자료 중에 올려준 것 중에서 동작의 움직임 테스트에서 앞으로 뒤로 허리가 움직여지지 않으면 이 사람은 요추 1번과 흉추 9번이 문제가 있습니다.

흉추 9번은 간하고 연관이 있는 포인트입니다. 모션과 동작은 간하고 연관이 있는 9번의 포인트를 생각해 보셔야 되고, 또 앞으로 굽혔을 때 문제가 되는 곳은 요추 1번입니다. 요추 1번을 자극해서 풀어주고, 회선을 하게 될 때 문제가 되는 곳은 흉추 11번과 요추 3번입니다.

이 라인에 문제가 있으면 척추 라인에서 문제를 해결하면 됩니다.

여러분들은 허리에 관련된 문제를 상당히 많이 접하게 됩니다.

대한민국 사람들 중에서 허리통증을 호소하는 많은 분들이 있으며, 그 고객들에게 결과치를 만들어내기 위해서 본인이 알고 있는 모든 테크닉을 쓰고 싶어 하는 것이 일반적인 생각인데요. 복부에서 문제가 오는 것이 대부분이고요.

급성요통으로 오는 대부분의 사람들은 일단 마음을 비우고 복부를 풀고 등척성 운동과 저항운동과 호흡을 통해서 근육의 양을 조절하며 풀어주는 것이 우선이예요.

고객이 똑바로 움직이지 못할 때에도 긴장하지 마시고 두 다리를 움직여서 고관절의 가동범위를 늘려 주어서 복직근의 움직임과 배에 있는 근육들의 움직임, 전반적인 소장의 움직임을 집중적으로 봐주시기 바랍니다.

실질적인 것은 실습하면서 알려줄 것입니다. 이러이러한 자료들을 보면서 허리에 대한 긴장감을 조금이나마 늦추시고 허리에 일반적으로 큰 문제가 생겼다고 해도 허리에 직접적으로 손을 대는 것이 아니라 복부를 통해서 해결한다는 것이 오늘 하나의 생각해야할 키 포인트로 여기시기 바랍니다.

매듭에 대해서

안녕하십니까?

오늘은 매듭에 대해서 이야기하겠습니다.

뒷매듭을 푸는 것에 대해서 이야기를 하겠습니다.

뒷매듭은 세 포인트인데, 그 중에서 꼭 풀어주어야 할 포인트가 있습니다. 앞매듭과 뒷매듭이 있는데 뒷매듭부터 풀어주어야 하는 가장 큰 이유는 뇌에서 뇌신경이 내려올 때 관련되는 배수혈은 모든 곳의 뿌리가 됩니다.

매듭은 한의학적으로 상초, 중초, 하초의 삼초가 있는데, 상초의 기운은 안개와 같고 중초의 기운은 거품과 같고 하초의 기운은 도랑과 같다고 하였습니다.

상초의 기운은 숨을 쉬는 공간으로 폐부터 머리쪽으로 올라가는 모든 공간을 상초로 잡고요, 중초의 기운은 장부의 기운을 잡아서 중초의 기운을 이야기합니다. 위장에서 음식을 버무리는 과정은 거품과 같다고 표현하고, 하초의 기운은 도랑과 같다는 것은 배설기와 생식기가 포함된 부분을 하초의 기운으로 보았기 때문입니다.

교수님이 삼초의 기운을 정리하고 30년 가까이 교객들에게 계속 매듭을 풀어가는 과정 중에 보았던 놀라운 것 중의 하나가 우리 몸은 매듭을 풀어주면 계속 릴렉스가 되는 어느 한 부분은 생각보다 많은 효과를 볼 수가 있었습니다.

교수님이 매듭을 세 곳을 지정해서 첫 번째 매듭은 유양돌기 부분의 상초로 잡고, 흉추 7번을 두 번째 매듭으로 잡고, 천장관골을 세 번째 매듭으로 잡았습니다.

첫 번째 매듭을 상초로 잡은 이유는 유양돌기인 경추 1번과 2번 사이에서는 640만조의 신경이 흘러오고, 그 중에서 뇌신경 10번의 미주신경이 흘러나오기 때문입니다.

두 번째 중초의 매듭을 흉추 7번으로 잡은 이유는 흉추 5번에서 9번까지는 우리 몸을 잡아주는 대내장 줄기의 뿌리가 거기에 있기 때문입니다. 7번을 기준으로 5번에서 9번을 잡아주면 장부의 모든 기운이 잡히게 됩니다. 그래서 두 번째 매듭을 흉추 7번으로 잡았습니다.

세 번째 매듭은 천장관절 라인에 있는 팔료혈에서 생식기와 배설기 모두를 잡으면서 하초의 기운을 풀어주게 됩니다.

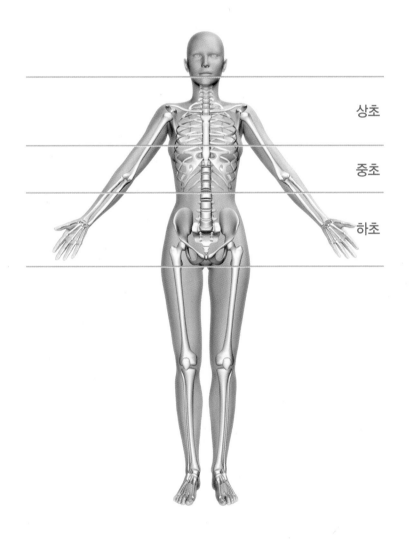

상초

중초

하초

풀어주는 방법은 항상 기운의 방향을 시계방향으로 잡고 고객의 호흡을 같이 유도를 합니다. 코로 숨을 들이마시게 하고, 입으로 숨을 내쉬게 하고, 그 상태에서 시계방향으로 하나, 둘, 셋 합니다.

그러나 방법은 3번씩 돌리는 세트를 아홉 번 하여 27번을 한 세트로 잡고 매듭을 풀라고 강요를 많이 합니다.

오프라인 수업에서는 구체적으로 매듭 풀어주는 것을 보여줍니다. 우선 여러분들은 앞매듭과 뒷매듭이 있는데, 뒷매듭을 풀어주는 것이 우선이라고 생각을 하고 뒷매듭의 첫 번째 부위가 유양돌기, 두 번째는 흉추 7번, 세 번째는 천장관절 라인을 풀어주는 것이 매듭을 풀어주면서 몸안에 어떤 것을 관리해 주는 키포인트를 잡는다고 생각하면 됩니다.

키포인트의 모습으로 매듭을 풀어준다고 생각하면 다가가기가 쉬운 것, 또 하나는 고객을 관리할 때 풀어주어야 할 하나의 포인트로 다가가는 것입니다.

상경추를 당기고, 모상건막을 풀고, 뒷매듭을 풀고, 앞매듭을 풀어주는 과정이 몸을 풀어주는 과정입니다. 오늘 여러분들은 뒷매듭풀기를 공부하셨습니다.

체험사례
−무릎이 안 굽혀져요

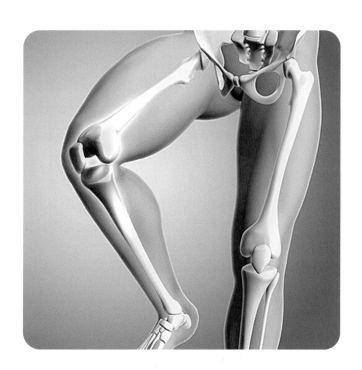

슬개골 골절로 수술을 했는데 무릎이 안 굽혀져요.

"쇠를 박았어요?" "쇠를 박았다 빼냈어요."

"빼낸지 얼마나 되었어요?" "2017년 8월에요."

"그러면 어디가 불편해요?" "예전 같은 걸음걸이가 안나와요. 아픈 고관절에 무엇인가 매달린 것 같고 통증도 가끔 오고요."

이 분의 특징이 무엇이냐면 수술하고 나서 통증이 오니까 통증을 안 느끼려고 고관절을 틀어버렸습니다. 고관절이 틀어지면서 오다리가 더 심해졌을 것입니다. 아마 발바닥이 닫는 무게중심이 바뀌었을 것이고, 본인이 느끼기에 걷는 것도 이상하고요.

4

고관절 골두가 돌아갔으니까 한번 앉아보세요. 다리를 최대한 붙여 보시고 그냥 앉아보세요.

더 안 돼죠? 이 분은 앉아 본 것이 오래 되었을 것입니다. 앉을 때 다리가 안쪽으로 붙는데 돌아가죠.

그러면 뭐가 문제일까요? 고관절 골두가 돌아가는 것입니다.

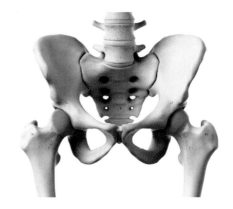

잠깐 고관절 골두를 돌려 놓았을 때 어떻게 되는지 보세요? 엉덩이 쏙 들어간 부분 위에 팔꿈치를 대고 골두를 눌러준다. 시술자는 팔꿈치를 바깥쪽으로 살살 돌리면서 위에서 아래로, 시술자쪽은 팔꿈치를 아래에서 위로... 고관절 골두를 양쪽 다 풀어주었을 때 앉는 자세를 한번 보도록 하겠습니다.

이 분이 앉을 때 고관절 골두가 걸리는 것입니다. 회전이 되는 동작이 막혀 있습니다.

이제 위중을 풀어볼께요.

덩어리는 칼륨덩어리이고 그 위에 지방이 덮혀 있습니다. 그것을 깨주는 것입니다.

무릎 수술한 반대쪽이 더 크게 걸린다. 왜냐면 수술한 쪽이 약하니까 반대쪽으로 더 많이 힘을 주어서...많이 뭉친 부분 더 풀어주고 다시 앉는 것 확인.....교수님이 다른 것 더 하지 않고 고관절 및 위중혈관만 풀었는데 ... 몇 년만에 앉는 거죠? 2년만에 ..... 다리가..

이런 것이 관리에서 여러분들이 놓치는 부분입니다.

자꾸 무릎만 보는 것입니다.

무릎의 문제는 무릎 자체의 문제가 아니고 고관절 골두와 위중에서 잡고 있는 것입니다.

발의 통증을 잡는 기적의 근육 마사지법

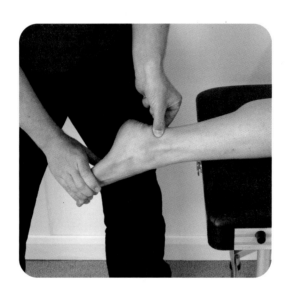

본격적으로 통증을 잡는 마사지법을 시작해 보겠습니다.

발목(해계혈 주위)을 마사지하자. 통증을 호소합니다. 복숭아뼈 옆 발목 근육에 자극을 가해주는 것...풀어주는 것입니다. 일단 손으로 풀어 주시고.

공으로 마사지하는 것을 보여 드리겠습니다. 아무래도 발목에 피로도가 쌓여 있으니까 마사지를 강하게 해 주고 발목을 잡고 좌우로 흔들어줍니다.

다리를 올려 보세요. 쑥쑥 잘 올라감....

처음에는 다리를 질질 끌고 왔는데, 마사지 후 허리통증도 없어집니다. 발목의 구조로 인해서 무릎 안쪽 독비혈 쪽에 영향을 주는 것입니다.

피로가 쌓여서 염증화되면 발 아래로 가는 것이고, 발목구조가 무너져서 힘을 받으면 무릎 안쪽에 영향을 줍니다. 대체적으로 발목에 문제가 있는 분들은 그 부분을 해결하지 못하니까 무릎에 영향을 미쳐서 나중에 무릎에 관절염이 오게 됩니다.

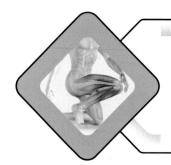

무릎 수기치료법

안녕하십니까?

오늘은 무릎에 관한 이야기를 하려고 합니다. 무릎 위에 대퇴골이 있습니다. 밑에는 경골과 비골이 있습니다. 무릎 앞에는 슬개골이 있습니다.

그러면 무릎의 움직임을 보겠습니다.

무릎이 굽혔다 펴질 때 똑바로 직선방향으로 움직이는 것이 아니라 하나가 걸렸다가 그대로 들어 왔다가 빠지는 무엇인가 걸림 동작인 락(lock) 현상이 나타납니다.

이 동작의 용어는 스크류 업 무브먼트(screw up movement)라고 합니다.

위쪽의 대퇴골은 그대로 있고 밑의 뼈들은 돌아 갔다가 다시 그대로 돌아오게 됩니다.

무릎 즉 슬개골을 확인할 수 있는 방법은 그대로 두 다리를 붙여서 굽혀 보라고 합니다.

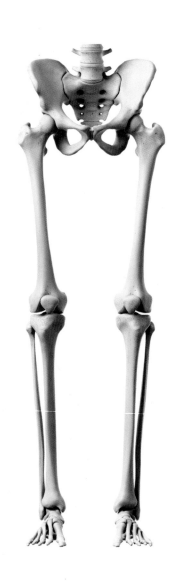

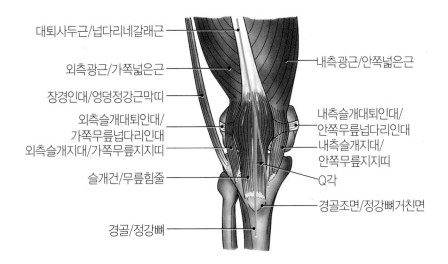

대퇴사두근/넙다리네갈래근
외측광근/가쪽넓은근
장경인대/엉덩정강근막띠
외측슬개대퇴인대/
가쪽무릎넙다리인대
외측슬개지대/가쪽무릎지지띠
슬개건/무릎힘줄
경골/정강뼈

내측광근/안쪽넓은근
내측슬개대퇴인대/
안쪽무릎넙다리인대
내측슬개지대/
안쪽무릎지지띠
Q각
경골조면/정강뼈거친면

무릎이 그대로 굽혀질 때 이 무릎은 안에서 회선운동을 해서 돌아갔다 옵니다. 만약 무릎에 문제가 있으면 무릎이 붙은 상태로 굽혀지지 않고 다리가 벌어지듯이 벌려지면서 앉습니다.

이때 무릎에 가장 영향을 주는 것이 고관절입니다. 힙조인트(hip joint)라고 부르는……

무릎에서 인대를 보면 경골쪽 내측인대, 바깥에 외측인대, 앞쪽에 전십자인대, 뒤쪽에는 후십자인대가 있습니다. 만약에 내측에서 외측으로 문제가 생기면 외측인대가 끊어지고, 외측에서 내측으로 밀면 내측인대가 끊어집니다.

앞쪽에서 밀면 뒤의 후십자인대가 나가고, 뒤에서 앞으로 밀면 전십자인대가 나가게 됩니다. 그런데 인대란 무엇일까요?

근육이 있고 양쪽에 뼈가 있습니다. 근육과 뼈를 연결해주는 것을 건(tendon, 힘줄)이라고 합니다.

그리고 뼈와 뼈를 연결해주는 것을 인대라고 합니다.

그런데 무릎이 아픈 분들이 오면 자꾸 무릎만 쳐다본다는 것입니다. 무릎의 움직임만 고민하고 있어서 해결하기 힘들다는 것입니다.

무릎의 문제는 첫 번째 대퇴골두를 보아 주어야 되고, 두 번째는 무릎, 즉 슬개골에 영향을 줄 수 있는 주변 에너지를 풀어주어야 합니다. 무릎에서 일어나는 포인트별 문제를 풀어주는 것은 영상에도 있으니까 찾아 보세요.

여기에서는 무릎이 아프다고 하는 두 가지 이유를 보기로 합니다.

관절염과 류마티스관절염인데, 류마티스관절염은 자발성으로 나타나요. 일반 관절염은 한쪽으로 나타납니다.

이 두 가지가 아닌 상태에서도 무릎에 문제가 올 수 있어요.

락(lock) 현상이 제대로 일어나지 않고 완전 락이 걸려서 무릎이 굽혀지지 않고 고관절쪽에서 일어나는 보상적 보행 기능 때문에 통증이 일어납니다. 그러면 이 부분에 원활하게 일어날 수 있게 소통을 일으켜주어야 합니다.

뼈와 뼈를 연결해주었다고 하는 근육부분에서 충분히 잡아주어야 합니다.

그 이야기는 젊은 사람들이 무릎이 아픈 것과 나이 먹은 사람들의 무릎이 아프다고 하는 것은 틀리다는 것입니다. 아이들의 경우에는 뼈가 자라나는 속도를 근육이 쫓아오지 못해서 오는 통증은 성장통이라고 하고, 나이가 먹은 사람들은 뼈는 그대로인데 근육이 짧아져서 뼈가 움직일 때 자꾸 닿습니다. 그것을 늘려 주어야 됩니다.

무릎의 문제 중에서 늘려줄 수 없는 것에 락(lock)이 걸려서 돌아야 되는데, 완전히 자물쇠같이 걸려서 딱 물려서 돌지 못하는 것입니다.

가장 좋은 치료요법은 항상 견인이라고 합니다. 특히 뼈 부분이나 관절부분에서 일어나는 대부분의 모든 문제는 견인을 통해서 해결하라고 합니다.

견인을 할 수 없으면 늘려주는 요법을 써야 되는데, 늘려주고 나서는 그 주변에서 일어나는 소통의 문제를 해결해야 합니다.

젊은 사람들은 근력이 약해서 오는 무릎통증도 있습니다. 근력이 약해서 오는 통증은 근력을 키우면 됩니다. 물리치료실에 가서 NK 테이블이라고 해서 무릎에 스테이션을 시켜서 대퇴사두근 과 무릎 주변의 햄스트링과 무릎 주변의 근력을 키워서 하는 근력강화훈련이 있습니다.

과연 맞느냐 틀리느냐, 또 어른들이 무릎이 아파서 자연 스럽게 양쪽 무릎이 바깥쪽으로 벌려져서 고관절의 움직이지 않는 상태에서 받는 그런 현상도 있고요. 또 무릎이

손목교정법

손목이 아플 때 교정하는 방법입니다. 일단은 엄지라인은 요골, 새끼 라인은 척골.

손목을 굽혔다 양쪽 엄지손가락으로 누르면 쑥 들어가는 부위가 2군데 나와요.

신전시켜서 나오는 부분을 점으로 찍어 볼께요.

이 2자리를 양쪽 엄지손가락으로 잡고 누른 상태에서 오른쪽으로 돌립니다. 하나, 둘, 셋....왼쪽으로

하나, 둘, 셋. 또는 아래 위로 굽혔다 폈다 합니다. 하나, 둘, 셋 ... 끝이 나면 안쪽에 네 손가락을 걸고 엄지손가락으로 눌러서 굽혔다 내리면서 톡 편다. 그러면 손이 교정 됩니다.

그리고 나서 다시 손목을 좌우로 돌려줍니다.

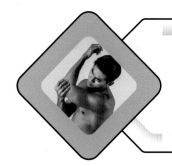

테니스엘보, 골프엘보

엄지손가락쪽의 팔꿈치가 아프면 테니스엘보, 새끼손가락쪽의 팔꿈치가 아프면 골프엘보입니다.

이것은 일명 건초염 즉 건이 부어있는 상황입니다.

1. 양손으로 손목을 잡고 좌우로 돌려 줍니다. 그래서 깨주는 것입니다. 반대쪽도 잡고 좌우로 돌려 깨줍니다.

2. 돌리면 쏙 2개가 들어가요. 이 부분을 한손으로 잡고 눌러요. 접었다 펴기 6회. 옆에도 6회

3. 무릎 뒤의 위중혈 같이 중심을 손을 대면 떼면 안 돼요. 살짝 굽혔다 들어가면 이곳에서 찾으면 되요. 6회 돌려주고 떼고 다시 잡고 찾아서 돌려주고

4. 교정은 잡아서 크게 접고 안쪽으로 살짝 틀어서 내리고 톡....테니스엘보 교정법입니다.

어르신 마사지의
원리와 방법

어르신들은 노화가 되니까 단축이 됩니다. 예를 들어 팔의 상완과 하완의 근육은 연결되어 있는데, 어린아이보다 나이를 먹으면 근육이 단축되어서 땅기죠. 그러면 뼈를 움직일 때 부딪치는 현상이 일어납니다. 부딪치면 관절염이 오거나 통증이 옵니다.

60세 이상 어르신들께는 늘려주는 마사지를 해야 합니다.

혈액순환....두 번째는 각 장기들은 자기만의 역할이 있는데, 두드러지게 자기만의 역할을 하는 것이 심장입니다. 심장의 자기만의 역할은 온몸에 피를 보내는 것이 자기만의 역할입니다.

어느날 손·발가락에 노화 현상이 오거나 충격에 의해 근막이 손상받으면 그 쪽에 피가 잘 못 들어가요. 그러면 저리거나, 차갑거나, 통증이 오거나, 피가 안 들어가면 변형이 옵니다. 틀어지거나 통증이 오다가 구부러지거나 변형이 오거나 하는데, 결국 어른들의 마사지는 뼈와 뼈 사이를 늘려주거나 말초 부분을 주물러서 풀어주는 마사지를 해주어야 합니다.

제4부 뼈대근육학

4

어른들의 마사지는 말초쪽은 주물러서 혈액이 오게 하는 마사지(끝단 마사지)로 구석구석 만져서 풀어주는 마사지를 하고 관절부위는 늘려주는 마사지를 해주세요. 전제 조건은 내장기를 먼저 잘 돌게 하고, 경추를 풀어서 에너지를 돌게 하고, 종아리를 풀어서 혈액순환이 되게 하여 정맥을 순환시켜야 합니다.

마지막에 아이들의 마사지는 즉 성장 마사지는 흔들어주는 마사지를 하는데, 어른들은 늘리거나 말초부위를 풀어주는 마사지를 많이 해주어야지 말초까지 피가 오고 심장에서 위로 치고 올라가지 않아요.

어른들의 마사지는 혈액순환 마사지가 중요합니다. 관절하고.....

똑같은 압력이 뇌에서는 2개밖에 못 견디고 팔이나 다리에서는 5개의 압력을 견디는데, 심장은 그런 특성을 고려하지 않아요.

어느 한 곳에 혈액이 막히면 압력을 확 치고 올라가요. 그러면 5개의 압력에 견디는 곳은 괜찮은데, 2개의 압력에 견디는 곳은 터져버립니다.

어른들을 마사지할 때 주의할 것은 말초의 혈액순환이 잘되게 하는 것, 관절을 늘려주는 마사지로 하는 것입니다.....트렌드가 바뀐다고 했습니다.

아이들...성인들의 관리도 중요한데 60세 이상 나이먹은 분들에 대한 관리방법을 생각해야 해요. 다시 한번 이야기하면 어른들의 마사지는 늘려주는 마사지를 해야 됩니다. 말초를 만져서 풀어주는 마사지를 하세요.

성장 마사지는 뼈가 자라는데 근육이 성장하는 것을 쫓아가지 못해서 생기니까 파동, 즉 흔들어주세요.

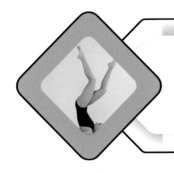

오다리, X다리, 휜다리 수기 교정법

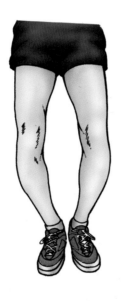 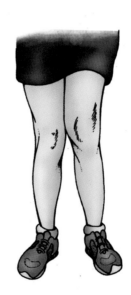

엎드려서 손은 차렸자세 하세요.

[촉신법 – 발로 하지를 마사지한다.]

오다리는 다리에 있는 근육을 충분히 풀어주어야 됩니다. 왜냐하면 오다리로 작동하는 기능은 대퇴근막장근·장경인대이므로 하지의 근육이 풀어지지 않으면 안 되기 때문입니다. 오다리의 실제적인 부분은 무릎이 아니고 대퇴골두입니다.

대퇴골두의 문제가 오다리 문제를 일으키는 거예요.

대퇴골두-경골, 비골라인에서 일어나는 것입니다.

촉신법-발로 전체를 풀어주어라.

엉덩이밑, 즉 골두 부분은 끊어 주듯이, 회를 치듯이 발바닥 외측으로 각을 주듯이 마사지합니다. 근육을 손으로 풀어도 좋은 데 그러면 깊은 곳까지 못 풀어줘요.

발을 들었다 났다 하면 수축·이완이 되어 충격이 와서 안 되고, 발바닥은 미끄러지듯이 칼로 자르는 것 같은 동작으로 마사지하세요.

종아리 부분은 짧게 톡톡톡 풀어주세요.

다리근육을 최소한 6회 이상 충분히 풀어주세요. 우리 인체에서 총근육량은 배꼽밑 하지에 있으니까. 하지근육을 풀어주면 혈액순환과 연관이 있고 정맥순환과 연관이 되기 때문에 하지근육을 충분하게 풀어주어야 합니다.

또 제일 많이 영향을 주는 곳에 고관절이기 때문에 고관절을 풀어주세요.

고관절 풀어주는 방법은 먼저, 중둔근 라인에 팔꿈치를 대고 어깨선이 나가서 45도 틀어서 이 라인을 충분히 깊게 풀어 주세요. 자세는 일자로 놓습니다. 어깨가 나갑니다. 45도로 튼다. 팔꿈치를 당겨와서 밑으로 근육을 충분히 푼다.

좌골 라인을 풀 때에는 좌골에 팔꿈치를 대고 안쪽으로 당기듯이 좌골을 끊어 주세요. 좌골을 끊어주는 동작을 몇 차례 해주고.... 중둔근을 풀어주세요. 좌골을 풀어주세요. 하지의 근육을 풀어주세요.

그 다음에 의자에 앉고.... 수건 2개 가져다 주세요(발목 봉숭아뼈, 무릎뼈가 닿는 부분에 대주고) 도복 끈(3m)도 좋습니다. 수건은 관절을 보호하기 위해서 발목, 무릎 사이에 끼고 도복끈을 무릎 위에 하나 묶고, 무릎 밑에 하나 묶고, 발목 위에도 하나 묶습니다. 최대한 세게 묶습니다.

그런데 여러분들이 무릎을 묶고 잠을 자면 안 됩니다. 잠을 자다가 또 다른 문제가 생길 수 있어서 다 묶은 다음에 일어서 보세요.

차렷자세에서 아랫배에 힘을 주고 쭉 뻗으면서 엉덩이 부위 즉 항문에 힘을 주면서 뒷꿈치 들며 팔을 앞으로 쭉 폅니다. 300개를 실시합니다.

인공관절을 한 사람, 무릎관절염에도 효과가 있습니다.

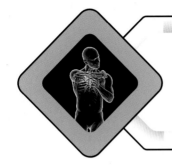

어깨통증의 양상
-극상근, 극하근, 소원근, 견갑하근의 문제점과 관리법

극상근에 문제가 생기면 일단 수저질이 안 되고, 빗질·양치질이 안 됩니다.

팔을 옆으로 들 때 통증이 와서 30도 이상 못 들어요. 위로 들어 올렸다가 내릴 때 힘이 없어서 툭 떨어져요. 또 팔을 돌릴 때 똑똑 소리가 나요. 극상근이 약하면 팔을 뒤로 해서 옆으로 가지 못해요. 브라자끈도 못 풀어요.

극상근은 승모근 안에 들어 있습니다. 이 근육이 어깨질환의 실질적인 주범이고요. 이 근육의 가운데에 혈자리가 하나 있는데 견정혈이라고 부릅니다. 한의학적으로 볼 때에는 우물에 물이 고여야 되는데, 극상근에 통증이 오면 혈액이 올라오지 않아요.

그래서 통증이 있는 견정 부분을 강하게 만져 주어야 돼요.

이유는 설명했지만 뇌가 인지하고 있는 어떤 증상이 뇌에서 컨트롤할 수 있는 양보다 더 많이 발생하면 통증을 케어해 줄 수 있는 자연치유력이 작동하기 힘들어져요. 자연치유력이 발생하여 아픈 부위를 지긋이 자극을 주어야 하는데, 뇌에서 거기를 응급상황으로 인지하고 많은 에너지를 가지고 빨리 치유하려고 하기 때문이에요. 따라서 여러분들은 고객이 아파하는 부위를 만져서 자극을 주어야 합니다.

그냥 두면 안 낫습니다. 자극을 주어야지 에너지가 들어오게 됩니다. 극하근에 문제가 생기면 저녁에 잠을 잘 때 어깨가 아프고, 브래지어끈을 혼자 못 풀어요.

팔이 위로 올라가지 못합니다. 이것은 극하근의 문제입니다. 이것 가운데에 천종혈이라는 혈자리가 있습니다. 오른쪽의 천종혈은 간하고 연관이 되고, 왼쪽의 천종혈은 심장의 부정맥하고 연관이 됩니다.

양쪽 천종혈은 모유 수유하고 연관이 있고, 그 안쪽에는 능형근과 연결되어 있습니다. 능형근의 지배신경은 경추 5번입니다. 목디스크가 오면 능형근 주변이 약해져서 견갑골이 바깥으로 언밸런스해서 깨지게 되어 있습니다.

이 견갑골의 균형이 깨진 것은 경추 5번의 문제이고, 목디스크의 문제입니다. 경추 5번의 문제는 횡격막에 문제를 주어서 호흡과 전체적인 순환에 문제를 발생시킵니다.

일단 목의 문제를 잡아주려면 대흉근을 펴주어야 합니다. 밑에 대원근이 있고 바로 위에 소원근이 있는데, 소원근에는 두 개의 신경이 나옵니다. 이 신경이 액와신경과 요골신경입니다. 우리 몸에서 통증은 극상근에서 일으키지만, 치료는 소원근을 통해서 하게 됩니다.

극하근 안쪽에 있는 근육을 견갑하근이라고 부릅니다. 정상적인 상황이라면 환자는 엎드려서 손을 뒤로 하고 시술자는 무릎 꿇고 한쪽 무릎은 이깨 안쪽에 넣어서 견갑골을 잡고 당겨 뜯어줍니다. 그러면 견갑하근이 원래는 관리되는데, 어깨가 아픈 사람은 팔이 뒤로 돌아가지 않아서 견갑하근을 관리할 수 없습니다. 그래서 견갑하근 관리는 오십견이 있는 사람들은 바로 누워서 팔을 벌려서 견갑골 밑에 손가락을 넣고 뜯어주어야 해요. 그렇게 해서 견갑골을 관리해서 오십견을 관리합니다.

어깨의 전반적인 문제는 극상근, 극하근, 소원근, 견갑하근과 대흉근이 상완골에 붙은 것, 광배근이 상완골에 붙고, 상완이두근, 상완삼두근, 견갑거근, 능형근, 흉쇄유돌근, 사각근, 흉쇄관절 등이 문제가 됩니다.

어깨관절은 단순히 어깨에 있는 것만이 아닌 관절로 봐야 합니다. 쇄골과 흉골뼈와 연결되는 흉쇄관절과 견봉쪽에 오는 관절과 사각근 인대를 같이 풀어 주어야지, 어깨의 관절가동이 풀리고 피부에 있는 광경근에도 영향을 주기 때문에 이 주변을 부드럽게 풀어주면 어깨의 문제들이 해결된다는 것입니다.

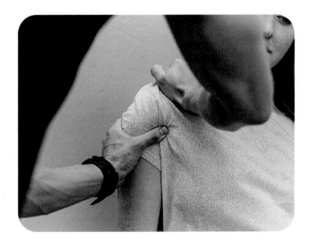

어깨통증을 한번에 없애는 3포인트 요법

어깨에서 가장 크게 일어나는 문제는 승모근 속에 있는 극상근입니다. 견갑골 위에 있는 근육은 극하근이라고 합니다. 그 옆에 소원근이, 그 밑에 액와신경과 요골신경이 나와요.

극하근 안쪽에는 견갑하근이 나오는데, 문제는 어깨에서 나오는 모든 통증의 주범은 극상근이지만, 치료는 소원근을 통해 이루어집니다.

어깨통증이 발생하면 극상근의 문제인데, 삼각근 주변에 통증이 나타납니다. 그것은 가짜 통증입니다. 이것을 가성통증이라고 합니다.

문제는 극상근이고, 치료는 소원근이다.

회전근개 파열은 극상근·극하근·소원근·견갑하근의 밸런스가 깨졌을 때 오는 증상입니다. 그래서 팔을 들어올릴 때 '앗' 하는 지점 …. 이때 받쳐서 올라가면 회전근개 파열인데 올릴 때 '악'하고, 어떤 동작에도 못 올라가는 것은 오십견입니다. 이것을 유착성 관절낭염이라고 부릅니다.

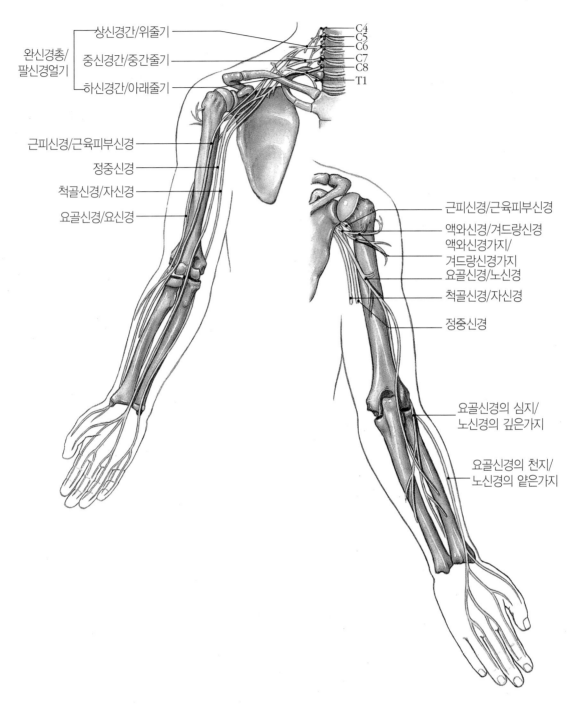

오십견 문제를 해결하기 위해서는 견갑하근을 뜯어주어야 합니다. 일단은 3 포인트를 먼저 설명하겠습니다.

처음에 고객을 관리할 때 엄지를 위쪽 방향으로 올릴 것인지, 손등을 위로 올릴 것인지, 손바닥을 위로 올릴 것인지 정해야 합니다.

그러면 먼저 손등을 위로 올려 보겠습니다. 이때 올리다가 '악' 소리를 내면 "어디가 아프십니까?" 표시를 하고, 이 자리에 조그만 파스를 붙여주고 양쪽 엄지로 눌러서 시계방향으로 6회 돌려주고 다시 올려보면 이 쪽은 증상이 없어지고 다른 쪽에서 증상이 생깁니다.

다시 '악' 그러면 그 통증이 발생하는 부분에 파스를 붙이고 6회 자극을 준 다음에 다시 올리면 또 다른 곳에서 통증이 발생합니다. 그러면 그 자리에 표시를 하고 다시 6회 자극합니다. 이것은 고객이 찍어주는 자리입니다.

고객이 어디가 아프다고 이야기를 할 때 그 자리를 정확하게 찍어서 자극을 한 번 주고, 다시 원상태로 만들어서 다시 올리고 둘..... 셋... 포인트를 자극하고, 그렇게 했을 때 고객의 팔이 위로 올라갑니다.

다음날에는 손바닥을 위로 해서 세 포인트 찾고, 또 다음날에는 손등을 위로 해서 세 포인트 찾습니다.

겨드랑이를 파고 안쪽으로 들어가야 견갑하근이 잡혀요. 오십견은 이렇게 풀어주어야 해요. 그런데 이 사람이 정상적이라면 엎드려서 무릎을 어깨 밑에 넣고 손을 뒤로 하고 양손으로 견갑골을 잡아서 당겨주고 뜯어줘요. 이것이 원래 견갑하근을 잡는 동작입니다. 그런데 이것이 아니라 어깨 아픈 사람은 팔이 돌아가지 않아요. 그래서 똑바로 누워서 안쪽에서 견갑하근을 파면 오십견 있는 사람도 손이 쑥 올라가요.

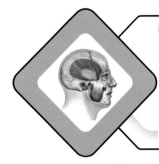

모상건막과 두피를 풀어 목과 어깨 통증 제어하기

유두 위에서 일어나는 모든 증상은 두피를 풀고, 얼굴 위에서 일어나는 모든 증상은 흉쇄유돌근을 풀고, 배꼽 위에서 일어나는 모든 증상은 사각근을 늘리고 벌려야 됩니다. 여기에서는 두피를 풀어서 유두 위, 즉 상체에 일어나는 모든 증상을 풀 것입니다.

얼굴은 논이고 머리는 밭입니다. 연결하는 부위는 논두렁입니다. 논과 밭이 연결이 되려면 논두렁이 풀려야 합니다.

풀려야 소통이 되고 근막이 열리는데 이곳은 측두근이고 여기에 있는 근육은 교근입니다.

- 측두근

- 교근

- 안륜근

- 입주변

교근은 안면신경과 삼차신경이 지배를 합니다.

안륜근에 전기침을 대면 눈 옆의 눈꼬리만 움직이고, 입 주면에 대면 입주위만 움직이는데, 교근에 대면 얼굴이 전체적으로 움직여요.

교근을 풀어줄 때 측두근을 먼저 풀어주어야 하는데, 이곳에는 측두동맥이 있어서 손가락을 벌리고 마사지를 해주세요. 오므리고 마사지 해주면 퍼렇게 멍이 들 수 있어요. 벌리고 마사지하는 이유는 혈관이 도망갈 수 있는 공간을 확보해 주기 위해서인데, 그래야 멍이 들지 않아요.

- 측두근

- 헤어라인 풀기

- 귀 옆 사지로 끊듯이

- 양쪽 엄지로 지그재그로

헤어라인 부분은 일반적인 부위보다 통증이 많이 옵니다. 측면의 귀옆은 뇌간·연수와 연결되는 부분으로 미주신경과 연관된 라인이기 때문에 사과를 옆으로 돌려서 깎듯이 마사지해줍니다.

정면 이마부터 백화까지는 쪼개듯 양쪽 엄지로 마사지하고, 측두근은 손가락을 벌려서 마사지합니다.

헤어라인을 풀면 고개가 안 움직이던 분들이 고개가 움직이게 되고, 어깨가 안 움직이던 분은 어깨가 움직여요. 나머지 부분은 손가락을 벌린 상태에서 지문부로 긁어 모상건막 부위를 풀어주는데, 이것만 해도 몸이 살아납니다. 어깨·목이 움직이고, 얼굴에 변화가 일어나고, 뇌혈관의 혈액순환에 영향을 줍니다.

경동맥에서 피가 올라가고 추골동맥에서 피가 올라가서 만나는 곳의 혈관 흐름이 좋으면 머리부위에서 소통이 잘되고 혈액순환이 잘 일어난다면 뇌혈관흐름이 좋아질 거예요. 올라가는 것보다 내려가는 것이 더 중요해요.

위장의 내장수기법

위장의 문제를 설명해드릴께요.

위경락의 혈자리 중에는 불용·승만이 있습니다. 위장이 시작되는 부분을 분문이라고 하고, 끝나는 부분을 유문이라고 합니다. 그래서 분유라고 외우라고 합니다.

분문 부위는 닫혀 있어야 되는데, 음식물을 너무 많이 먹으면 열려 있게 됩니다.

위장의 2/3 정도 되는 위치가 승만입니다. 위장의 상부 끝이 불용입니다. 위장의 2/3 까지는 음식물을 승낙한다는 의미로 승만이고, 위장의 끝까지 채우지 말라고 하는 것이 불용입니다.

대부분 일반적인 짐승은 위장의 크기의 80% 정도 먹어요. 돼지는 100% 먹는데 사람은 120% 먹어요. 그러면 사람이 돼지만도 못한 것입니다.

우리나라 사람은 못 먹고 살았으니까 "먹고 죽은 귀신은 때깔도 좋다."라고 먹고 또 먹습니다. 그래서 위장의 크기보다 음식물이 많습니다. 위장이 계속 망가진다는 것입니다.

음식에 체했다는 것은 혈액이 몰려서 가동되지 않는다는 것입니다. 한의사들은 위장을 침으로 자극해서 움직이게 했고, 그러면 피가 바깥으로 퍼져 나가요. 체하면 손끝·발끝이 하얗게 되요. 피가 나오지 못해서 피가 돌지 못해서 그래요.

옛날에 엄마들이 손을 주물러 주고 등을 주물러서 손끝을 따주었지요. 체기가 있으면 등을 밀어주었어요. 위경락 상에 불용과 승만을 이해하고 위의 모혈인 중완을 꾹꾹 눌러주고 등의 배수혈인 위장의 뿌리인 T12을 두드려주고 대내장신경줄기 T5~T9번 등쪽을 두드려 주고 고객한테 불용과 승만을 설명할 때 이렇게 이야기 합니다.

"원장님, 요즈음 살이 많이 쪄요. 먹어도 너무 먹어요. 내가." 그럴 때에는 "네, 우리 몸의 위경락이 인체의 정면을 흐르는 경락이니까 위경락을 보면 불용과 승만이라는 혈자리가 있습니다. 위장의 크기 2/3까지 음식물이 채워지는 것을 승락한다고 해서 승만이고요. 위장의 끝까지 채우지 말라고 하는 것을 불용인데, 사람은 불용 위까지 음식을 채웁니다. 앞으로 음식물을 드실 때 승만까지 드세요. 그러면 음식을 먹을 때 위장의 2/3까지만 먹어라. 나는 위장의 크기를 넘어서까지 먹으면 안 되겠구나, 나이가 먹으면 위장의 기능이 떨어지는 것 중에 하나가 위 안에 있는 위산이라는 용도가 떨어져요."

그래서 똑같은 음식이 들어가더라도 젊을 때 홍어회를 먹으면 잘 삭히겠죠. 그러니까 나이가 먹어서 위산이 적어질 때 쎈 것이 들어오면 배가 싸늘해집니다. 소장으로 넘길 때에도 젊을 때에는 밥을 이많큼 먹어도 나이 먹으면 조금만 먹어도 위에 걸려요. 왜 위에서 위산이 많이 나오지 않는 상태에서 음식물이 많이 들어오면 멸균을 못시키니까 위벽을 쓸어요. 그래서 조금씩 자주 먹어라, 너무 생것을 먹지 말라, 홍어회나 생것을 먹는 것을 자제하라고 합니다.

체기가 있을 때에는 등쪽의 대내장신경을 풀고, 앞쪽의 중완을 풀어주세요.

불용과 승만도 알고 지나가자.

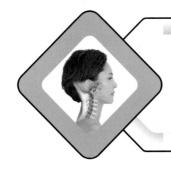

목디스크, 목통증

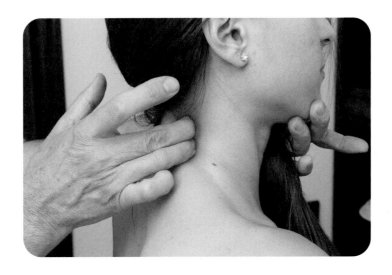

시술자는 환자의 뒤에서 목을 좌로 돌려보세요. 우측으로 돌려 보세요. 우측이 불편해요.

이 분은 일단은 굴곡이 불편하고, 오른쪽이 불편하고... 이 분은 전체적으로 목을 풀어주는 동작을 보여드릴께요. 똑바로 누우세요.

누운 상태에서 첫째는 두피부터 풀어주어야 합니다.

머리가 나있는 헤어라인을 풀어줍니다. 두피..위경락의 두유혈 라인.... 이곳은 위장하고 연결이 되어서 체하면 머리가 아픈 것이 위경락 중에 두유라는 경혈이 있기 때문이에요. 샵에서는 무엇인가 열심히 하는 척.....정성스럽게....

두 번째번 발에 머리를 올려요. 백회라인을 수박쪼개듯이 양손 엄지로 백회까지 모았다 벌렸다 합니다. 측두근은 측두동맥이 있음으로 손가락을 벌려서 마사지하세요.

후두골은 머리 발제 부분 2cm 위쪽을 사과를 옆으로 돌려서 깎듯이 풀어요. 그다음 부분은 전체적으로 풀어주면 됩니다.

세 번째는 이 사람의 목을 잡고 어깨관절을 풀어줄 때 제일 많이 신경을 쓰는 곳이 천돌혈인데, 천돌의 양쪽 벽면을 풀어주면 안 들리던 머리가 들려요.

목의 움직임을 좋게 하는 부분이 천돌이고요. 쇄골이고요. 그 밑에 흉골이 있어요. 흉골과 쇄골이 만나는 지점...천돌에서 외측으로 0.5cm 지점을 흉쇄관절이라고 합니다. 이 흉쇄관절을 잡고 시계방향으로 돌리면서 풀어야 합니다.

쇄골뼈를 타고 가다 보면 끝나는 부분이 견봉쇄골관절입니다. 6회를 시계방향으로 돌리고 시간이 있으면 목의 광경근을 풀어줍니다. 이 부분은 얇기 때문에 롤핑하듯이 풀어줍니다.

네 번째는 흉쇄유돌근과 전사각근·중사각근 사이에 중지의 손톱부위를 바닥에 대고 안쪽으로 돌려서 6회 좌우로...... 그다음에는 승모근 라인을 롤핑 개념으로 잡고 당기고 돌려줍니다. 다 푼 다음에 상경추를 당겨보겠습니다.

수건을 유양돌기 라인 – 광대뼈 라인을 잡고 환자의 머리를 시술자의 복숭아뼈 위에 올리고 우측 손가락 중지를 수건 가운데 넣고 손목을 돌리고, 왼손은 사지를 수건 안에 넣고 몸의 무게를 이용하여 천천히 당겨 늘려줍니다. 1, 2, 3, 4, 5, 6,... 쉬고(숨 들어마시고) 내쉬면서 다시 당기고....총 3회 실시합니다.

관절가동범위를 열어주는 과정이 있는데, 앞서 5번 과 6번을 엇갈리게 눌러서 잡고 환자에게 만세를 하라고 합니다.

빨리빨리 고개 숙이고...뒤로 들으면서 만세 부르고.....6회...앞 뒤 1회씩

확인합니다. 몸은 잡고 있는 곳만 풀어주어도 회복이 됩니다.

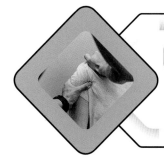

어깨가 확 올라가는 3포인트 요법

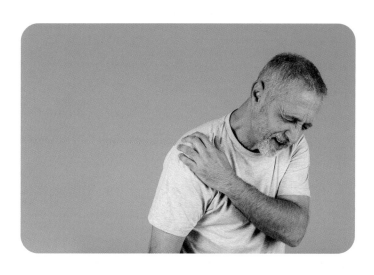

뇌에서 속이는 증상과 현재의 증상을 한 번 보고 개선을 시켜보자고요.

먼저 엄지를 세울지, 아니면 손등이나 새끼손가락을 세울지 결정하고요.

최대한 올릴 수 있는 데까지 올리고....다 올라갔으면 시술자가 다시 톡 당깁니다. 환자가 아픈 부위를 확인하면 표시하고 파스를 붙이고 시계방향으로 6회 돌려줍니다. 다시.... 먼저 보다 더 많이 올라갔죠?...

다시 한번 올라갑니다. 두 번째.... 통증 부위에 다시 파스를 붙이고 6회 시계방향으로 돌려줍니다.

거의다 삼각형으로 떨어져요. 가짜 통증 포인트를 찾아서 다시 역삼각형을 그려 보았더니 진짜 포인트는 여기더라고요.

가짜 통증을 제거하고 진짜 통증을 마사지 후 다시 올려보았더니 거의 개선이 다 되었습니다. 아픈쪽이 좋아지니 반대손도 잘 올라가고 좋아졌어요. 왜? 아픈쪽에서 근막이 풀리면서 반대쪽의 근막도 풀리기 때문이예요.

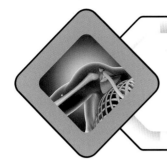

어깨통증 관리의 핵심

어깨의 문제는 4개의 근육이 관련됩니다. 극상근, 극하근, 소원근, 견갑하근 중에서 극상근을 먼저 설명하겠습니다.

승모근을 살짝 들어내면 **극상근**이 나옵니다. 극상근에 문제가 생기면 수저질이 안 되고, 빗질이 안 되고, 똑바로 서 있을 때 옆으로 30도 정도 들었을 때 통증이 옵니다. 또 어깨에서 뚜뚝 뚜뚝 소리가 나요. 팔을 들었다가 내리다가 힘이 빠지면 툭하고 떨어져요. 또 하나의 극상근 문제는 필을 뒤로 일자로 반대쪽으로 밀었을 때 그대로 가지 못합니다.

두 번째 **극하근**은 견갑골 가운데에 있는데, 이 부분에 문제가 되면 잠을 잘 때 어깨가 아파서 잠을 못자요. 브래지어끈을 혼자 못 풀어요. 고객이 와서 "나 어깨가 아파서 잠을 못 잤어요?" 그러면 아 극하근이구나 생각을 하면 됩니다.

세 번째는 **견갑하근**이 있는데, 이 근육은 극하근 안쪽에 있습니다. 이 근육하고 연관이 되는 증상은 오십견하고 연관됩니다. 내가 한의학적으로 이렇게 이야기를 합니다.

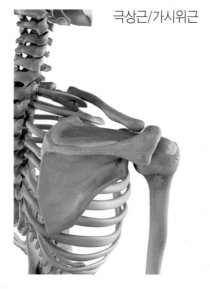

극상근/가시위근

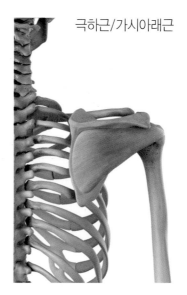

극하근/가시아래근

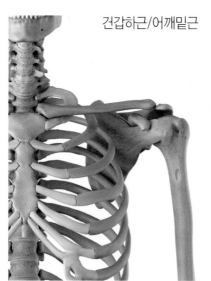

견갑하근/어깨밑근

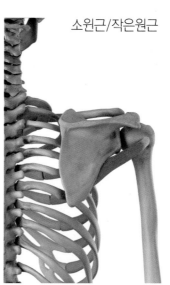

소원근/작은원근

견갑하근은 지배경락이 심경락입니다. 그래서 견갑하근에 문제가 생기면 겨드랑이쪽의 순환계·혈관계에 문제가 생겨요. 그래서 견갑하근은 뜯어서 관리해 주어라. 팔이 잘 안 올라가는 사람에게 견갑하근을 관리해주면 팔이 이렇게 올라가요.

림프의 70%는 왼쪽에 있고, 왼쪽에 심장이 있어서 심혈관계에 영향을 줍니다. 심장에서 머리로 올라주는 펌핑기관이 어깨이고 교근인데, 왼쪽 어깨가 아프면 오른쪽보다 더 심각합니다.

네 번째 대원근 위에 있는 **소원근**에서는 액와신경과 요골신경이 뻗어나오는데, 우리 몸에 문제를 일으킵니다.

아파서 굽히지 못하니까 결국 뻐쩡다리로 들고 다니는 사람들도 있습니다.

결국은 여러분들이 생각하실 것이 무엇이냐면 관절을 움직이는 것을 연출시켜야 합니다. 교수님은 무릎관절에 대해서 많은 이야기를 합니다. 무릎은 소통시켜 움직이게 해 주어야 합니다

고관절과 무릎과 발목이 한 번에 움직일 수 있는 연락망을 소통을 할 수 있는 흐름, 혈액순환소통을 먼저 시켜주고, 관절을 늘려서 열어 주어야 되고, 막혀 있는 열쇠가 끼어 있는 부분을 풀어주고 열어주어야 된다는 것입니다.

그래서 여러분들이 무릎을 이야기할 때 고객들에게 다음과 같이 설명해주세요.

"대퇴골과 경골과 비골이 있다. 안쪽에는 내측인대, 바깥쪽에는 외측인대, 앞쪽에는 전십자인대, 뒤쪽에는 후십자인대가 있다. 걸을 때 체중의 10배에서 심할 때에는 20배의 압력이 가해지는데 무릎에서 완충작용을 해 준다."

찢어지려면 안쪽부터 반연골등 변형되지만 증상의 대부분은 무릎 자체 통증보다는 무릎의 락이 제대로 풀어지지 않기 때문에 고관절에서 락 대신 회선운동이 일어나서 고관절이 돌아가서 오는 무릎의 통증이 많다는 것을 인지하고 보아야 합니다.

교수님이 실기를 통해서 많이 보여드리는 것은 유튜브를 찾으면 교수님이 무릎통증을 치료하는 몇 가지 공식적인 키 포인트를 알려드렸습니다.

100% 다 맞는다는 것은 아닙니다. 그러나 항상 공식과 틀을 집어 넣고 그 틀에서 최대한 그렇게 해결할 수 있는 사람들이 10명당 4명을 해결하면 좋은 것이고, 나머지 6명은 고려하고 연구할 수 있는 상황이 벌어진다는 것입니다.

일단은 시도하지 않고 고민하지 않은 상태에서 "어떻게 치료합니까?" "어떻게 관리합니까?"하고 질문들은 하는데요, 일단은 해부학적 구조를 먼저 보라는 것입니다. 해부학적 구조를 먼저 이해한 다음에 순환기의 상황을 먼저 보시고, 그다음에 포인트를 보아서 흐름을 잡아가야 한다는 것입니다.

무릎의 통증 물론 중요합니다. 독비혈, 여구혈, 중봉혈, 위중혈, 엉덩이 고관절의 환도혈도 중요하고 … 전체다 좋은데, 그러나 무릎의 전반적인 상황을 같이 이해하는 상황에서 해결하는 것이 더 중요하다고 생각합니다.

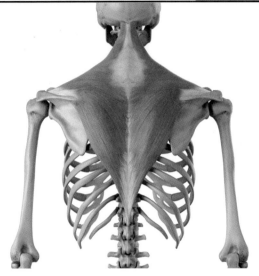

승모근/등세모근

목을 좌로 돌려보세요? 어디까지 보이는지......확인

목을 우로 돌려보세요? 어디까지 보이는지......확인

목을 뒤로 젖혀보세요.

목을 앞으로 숙여보세요.

환자가 버섯증후군이 있어서 먼저 단중혈 위쪽 세 치 되는 곳을 눌러서 통증이 있는지 확인해보세요.

승모근의 두께를 먼저 보았더니 두꺼워요.

양쪽 엄지로 잡고 쭉 위로 밀어 주세요...1단계

경추 5번, 6번에 양쪽 엄지를 대고 만세를 6회.....2회 후 가동범위 확인.

일단 승모근 두께를 확인하고, 대흉근 앞에서 전중혈 위 세 치 부위를 풀어줍니다.

경추 5번과 6번을 풀어서 뇌척수액의 흐름과 혈액의 흐름을 잡아주는 하나의 과정이에요.

얼굴 · 머리 · 목의 순환과 얼굴 축소의 토탈수기법

지금부터 보여주는 과정은 얼굴과 머리와 순환과 호흡을 전체적으로 잡아주기 위한 과정인데, 키포인트를 먼저 알려줄께요?

일단은 목디스크나 구안와사나 얼굴축소나 사각턱이나 얼굴의 틀어짐 등을 잡아주는 키포인트는 두피하고 후두골이에요. 후두골은 머리가 나는 부분에서 2cm 위에 부분인데, 이 모든 것을 열어주는 하나의 키포인트입니다. 이곳을 그대로 들어가보면 뇌간이 있습니다. 그리고 연수라는 곳과 연관이 될 수 있습니다.

양쪽을 같이 해 줍니다.

측두근은 동맥혈관이 있어서 손가락을 벌리고 마사지합니다. 교근은 얼굴을 지배하는 2개의 뇌신경을 지배합니다. 안면신경과 삼차신경이 지배합니다. 안면신경과 삼차신경이 이렇게 뻗어갑니다.

교근을 풀기 위해서는 측두근을 먼저 풀어야 합니다. 측두근에 있는 측두동맥은 겉에 나와 있어서 여러분들이 그냥 누르면 혈관 멍이 들어요. 그래서 혈관이 도망가라고 손가락을 벌려서 마사지합니다.

얼굴과 머리의 경계선... 논과 밭의 경계선....논두렁... 논은 밟으면 푸석푸석 발이 빠지죠. 밭도 빠지는데 밭두렁은 딱딱합니다.

빨리 풀어주는 것과 천천히 풀어주는 것과는 분명히 차이가 있습니다.

빨리 풀어주어야 소통이 잘 됩니다. 전체 머리는 손가락으로 긁듯이 풀어주고, 머리를 발 한쪽에 올려놓고 정중선의 백회혈 라인은 끝어내듯이....

이것이 근막을 풀어주는 첫 번째 단계의 마사지입니다.

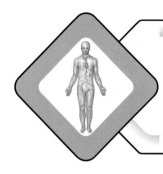

우리 몸에 림프가 누적되기 쉬운 곳

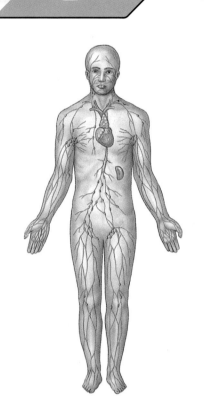

1 : 두통

2 : 알레르기

3 : 축농증

4 : 치통, 언어장애, 우울증

5 : 어깨 관절염, 호흡기 장애, 5, 13, 23 : 천식

6 : 팔 기능장애

7 : 테니스엘보

8 : 손가락 힘 저하

9 : 방광염, 복막염, 변비

10 : 심부전증

11 : 유방종양

12 : 내장기능 장애(자율신경 기능 저하), 만성위장병, 설사, 배부위 통증, 음식물 알
　　러지, 식곤증

14, 15, 16 : 고관절통증

17, 18, 19, 20, 21, 22, 26 : 발의 혈액순환 저하, 허리 디스크, 무릎관절염, 아스마 발
　　　　　　　　　　　기능장애, M.S

24 : 허리디스크 L4, L5, 치질

25 : 허리디스크, S1 : 소변감퇴, T12, L1, L5 : 척추 감퇴기능 MS

19, 20, 25, 26 : 불임, 생식기관

21, T1 : 갑상선 이외에도 림프가 누적되는 곳이 많이 있다. 이 부위는 손끝 감각으
　　　로만 찾아 낼수가 있다.

피부의 탄력성도 없고 주변보다 온도가 낮다. 크기가 녹두콩 정도일 경우도 있다.

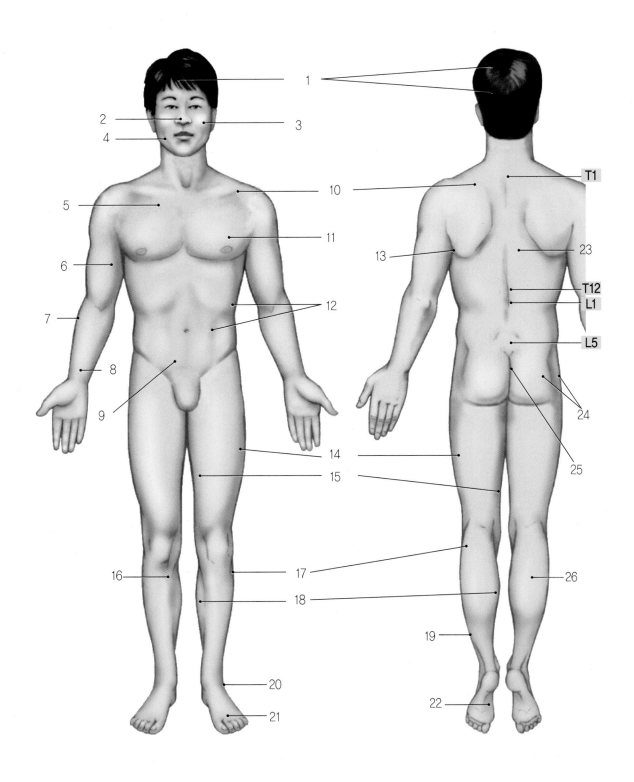